ullstein

Das Buch

»War voll schwer die Prüfung, *vallah*. Nur für Marina nicht. Sie meinte: Realschulprüfung war kein Gegner.«
Frau Freitags täglicher Battle geht in die letzte Runde. Ihre Klasse ist jetzt in der Zehnten, aber noch lange nicht fertig mit dem Schulalltag: Experimente mit Selbstbräuner, Handystress, Kopftuch-Styles, und nebenbei werden ein paar Prüfungen geschrieben. Ach, und bewerben wollten sie sich auch noch alle. Zum Glück hat Frau Freitag den Überblick und lotst ihre Klasse durch das Chaos.

Die Autorin

Frau Freitag, geboren 1968, unterrichtet Englisch und Kunst an einer Gesamtschule.
Ihr erstes Buch *Chill mal, Frau Freitag* war ein großer Erfolg. Trotzdem geht sie nach wie vor gerne jeden Morgen in die Schule und verbringt ihre Freizeit vor allem auf der Couch.

Frau Freitag

VOLL STRENG, FRAU FREITAG

Neues aus dem Schulalltag

Ullstein

Besuchen Sie uns im Internet:
www.ullstein-taschenbuch.de

Originalausgabe im Ullstein Taschenbuch
1. Auflage Juli 2012
© Ullstein Buchverlage GmbH, Berlin 2012
Umschlaggestaltung: semper smile, München
Titelabbildung: © Illustration semper smile, München
Satz: KompetenzCenter, Mönchengladbach
Gesetzt aus der Berkeley
Papier: Pamo Super von Arctic Paper Mochenwangen GmbH
Druck und Bindearbeiten: CPI – Clausen & Bosse, Leck
Printed in Germany
ISBN 978-3-548-37399-7

Intro

»Frau Freitag, du hast Besuch!«, ruft mir Frau Schwalle entgegen. Ich hetze durch den Verwaltungstrakt.

»Wie – Besuch?«

»Der Ronnie rennt hier rum und sucht dich.«

Ronnie. Ronnie ist ein Reflexwort. Sofort denke ich: Oh Gott, Schlägerei, Polizei, Sitzungen, Gespräche, Ärger, Frust und Arbeit, Arbeit, Arbeit. Dann wird mir plötzlich klar: Ronnie ist gar nicht mehr mein Schüler. Ich bin jetzt die Klassenlehrerin von dieser entzückenden, leistungswilligen, netten Siebten. Die, die in Geschichte so super-duper-gut mitgemacht haben. Die, von denen der Mathelehrer total begeistert war. Die, die ich seiner Meinung nach »gut eingestellt« habe. Abdul, Samira, Fatma und Ronnie, das sind Namen aus längst vergangenen Zeiten.

Was will Ronnie hier? Oh Mann, wahrscheinlich ist irgendwas mit seinem Zeugnis nicht in Ordnung. Dann kann ich wieder stundenlang am Computer sitzen und mit dem Zeugnisprogramm kämpfen.

Ich gehe in meine Klasse. Wir haben Kunst. Plötzlich steht Ronnie in der Tür und grinst mich an.

»Ronnie, hi. Was machst du denn hier?«

»Ich wollte Sie besuchen. Wie geht es Ihnen?« Er kommt zu mir, gibt mir die Hand und guckt sich die Schüler an. »Ist das Ihre neue Klasse?« Ich nicke und erkläre den Kindern, wer Ronnie ist. Dann bitte ich ihn, meiner Klasse was Wissenswertes für deren Schullaufbahn zu erzählen. Ronnie will seinen Realschulabschluss nachholen, an einem Oberstufenzentrum.

»OSZ – weiß jemand, was das ist?«, frage ich meine Klasse – die sollen so viel wie möglich lernen. In jeder Minute sollen die was lernen.

Orhan meldet sich. »Ich weiß! Ist so was wie GEZ.«

»Ja, na ja, fast. Nicht ganz richtig. Wer hat denn noch eine Idee?«

Die Schüler fragen. Ronnie erklärt. Geduldig und erwachsen teilt er seine Erfahrungen. Ich bin ganz gerührt.

»Ronnie, wenn du jetzt so auf deine Schulzeit zurückguckst, was würdest du sagen, ist das Wichtigste?«

Ronnie stellt sich gerade hin, holt tief Luft. Die Siebtklässler starren ihn gebannt an.

»Ihr müsst von Anfang an richtig ranklotzen. Jetzt denkt ihr noch, die Schule ist leicht. Aber glaubt mir mal, das wird richtig hart.«

Keiner sagt was.

Es wird Zeit, dass wir mit dem Unterricht anfangen.

»Habt ihr noch Fragen an den Ronnie?«

Anil meldet sich.

»Ja, Anil?«

»Wann hast du Geburtstag?«

Ronnie guckt mich leicht verwirrt an.

»Anil, warum willst du das wissen? Willst du ihm was schenken? Haben die anderen noch Fragen?«

Hamid reißt seine Hand in die Luft.

»Ja, Hamid?«

»Ist deine Hose von Puma?«

Ronnie nickt. Jetzt meldet sich Anil wieder.

»Anil?«

»Frau Freitag, wie viel Jahre haben Sie?«

»Das heißt, wie alt sind Sie!«, schreit Yunus von hinten.

»Okay, Kinder. Ich glaube, wir beenden das jetzt und fangen mit Kunst an.«

Ich verabschiede mich von Ronnie und unterrichte die Stunde zu Ende. Draußen wartet Ronnie auf mich. Wir gehen einen Kaffee trinken und reden. Er ist müde, sagt er. Er war die ganze Nacht wach, weil vor seinem Haus eine Autoalarmanlage übelst laute Töne gemacht hat und er die Polizei gerufen hat. Hätte ja sein können, dass jemand das Auto anzünden wollte.

»Die Polizei hat mich auch gelobt. Lieber einmal zu viel als einmal zu wenig, haben sie gesagt.«

Ich bin beeindruckt. Ronnie ist ein richtiger Bürger geworden. Das war vor einem Jahr noch nicht abzusehen.

Massiver Kopffick

»Frau Freitag, ich hatte die ganzen Ferien massiven Kopffick! Das glauben Sie gar nicht«, begrüßt mich Ronnie am ersten Schultag. Sein Sommer war erlebnisreich. Er erzählt mir die seltsamsten Storys und schraubt sich dabei auf ein Wutlevel hoch, das ihn den Rest des Tages schlecht gelaunt und latent aggressiv vor mir sitzen lässt. Gleich zu Beginn der Ferien wurde ihm im Internetcafé sein Portemonnaie geklaut. Dann war er Zeuge bei einer Schlägerei vor Aldi, und als er bei der Polizei aussagen wollte, hat man ihn plötzlich beschuldigt, mit den Tätern unter einer Decke zu stecken, und vor zwei Tagen bekam er auch noch eine viel zu hohe Handyrechnung. Und überhaupt.

Schon nach zwei Stunden mit meinen Schülern bin ich völlig fertig. Klitschnasse Kniekehlen habe ich. Meine Klasse ist jetzt in der Zehnten. Dieses Jahr wird es ernst. Die letzten gemeinsamen zwölf Monate. Letzte Chance für die, noch einen Abschluss zu machen. Im Mai werden die Realschulprüfungen geschrieben. Im Winter müssen sie anfangen, sich auf Ausbildungsplätze zu bewerben. Jetzt heißt es erwachsen werden.

Ich freue mich, die Schüler wiederzusehen. Mehmet ist nicht mehr dabei. Er wiederholt die 9. Klasse. Gut für meine Nerven. Und Samira musste leider die Klasse wechseln. Sie hatte im zweiten Halbjahr der Neunten beschlossen, ihre Konflikte mit Mädchen aus zwei Parallelklassen nicht nur verbal zu bearbeiten. Sie sehe ich jetzt nur noch auf dem Hof. Samira findet ihre neue Klasse doof. »Ich kann mit niemandem quatschen. Ich bin die ganze Zeit still! Das ist so schrecklich!«

»Ist doch super, dann kannst du dich auf den Unterricht konzentrieren!« Sie sieht das irgendwie anders.

Abdul fastet. »Ist easy, Frau Freitag! Ich bin einfach die ganze Nacht wach und schlafe tagsüber.« Wird interessant, wie er das ab jetzt mit dem Schulbesuch macht.

Und jedes Jahr bekommt man auch ein paar neue Schüler. Das ist ein äußerst spannendes Glücksspiel. Es können ehrgeizige und nette Schüler sein, aber auch totale Nieten, die dir die ganze Klasse kaputtmachen. Mit meinen drei neuen Mädchen habe ich direkt Glück. Sie sind freundlich und teilen mir überzeugend mit, dass sie alles geben wollen, damit sie in diesem Schuljahr den Realschulabschluss schaffen.

Aber dann habe ich noch die absolute Knalltüte in die Klasse bekommen. Bilal. Kommentar von Kollege Werner, als er auf meine Klassenliste guckt: »Bilal? Wer hat dem denn erlaubt zu wiederholen? Und warum?«

Bilal ist zwei Meter groß, total dünn und hibbelig. Er kommentiert alles, was man sagt, und findet sich unheimlich lustig. Ich frage ihn am Ende der Stunde: »Bilal, warum wiederholst du die Klasse? Möchtest du hier einen besseren Abschluss machen, oder möchtest du hier der Spaßvogel werden?«

»Abschluss.«

»Okay, dann verhalte dich ab jetzt ruhig!«

Alles in allem war es eigentlich ein recht normaler Start. Wenn ich ehrlich bin, muss ich zugeben, dass ich noch nie einen ruhigen ersten Schultag mit meiner Klasse verbracht habe. Vielleicht den allerersten in der 7. Klasse, als sie sich noch nicht kannten. Aber seit sie sich kennen, wird in der ersten

Stunde erst mal gequatscht. Für meine Klasse war es wahrscheinlich ein schöner Einstieg ins neue Schuljahr. Nur Frau Freitag hat irgendwie wieder voll mies gestresst.

Meine Freundin Fräulein Krise sagt immer: »Jeder blamiert sich, so gut er kann.« Am zweiten Schultag blamiere ich mich nicht nur vor meinen neuen Schülern, sondern schäme mich auch noch in Grund und Boden für meine verdorbene Klasse. Eine von den drei netten neuen Schülerinnen kommt nach der Klassenleiterstunde, in der Hausaufgaben gemacht werden sollen, zu mir: »Frau Freitag, das geht ja gaaar nicht in dieser Klasse! Ich will einen guten Abschluss machen, und ich glaube nicht, dass ich hier was lernen kann. Hier kann ich ja noch nicht mal in Ruhe meine Schularbeiten machen.«

Ich bin peinlich berührt und total sauer auf die Quasseltaschen in meiner Klasse, die immer noch nicht gerafft haben, dass es in der Schule um was geht.

Meine Schüler können nicht still sein. Nie! Ständig unterbrechen sie mich, andere Schüler, sich selbst … Die gackern rum, weil in ihren Köpfen nur Hormone rumfliegen, die sich auf alle Synapsen gesetzt haben. Keine Möglichkeit, dass da Vernunft andockt, geschweige denn Wissenswertes. Licht an, aber keiner zu Hause.

Kann ich es den fleißigen Wiederholerinnen übelnehmen, dass sie die Klasse wechseln wollen? Ich habe gesagt: »Ich verstehe euch total. Mir ist es auch zu laut. Geht ruhig.«

Wären da doch nur Lautstärkeregler an den Schülern. Mit einer Universalfernsteuerung stünde ich vorne: »So, Marcella, du jetzt mal auf MUTE! Absolute Ruhe bitte, und Hausaufgaben machen!«

Aber das gucke ich mir jetzt nicht noch ein Jahr lang an. Nächste Woche sind sie dran. Dann kommt Frau Gnadenlos.

Nicht mit mir! So geht das nicht! Nicht am Anfang der 10. Klasse!

Steiles Gefälle

»Also, ihr Lieben, in der letzten Englischstunde hat mir der Unterricht nicht gefallen. Ich habe gemerkt, dass es hier doch ein sehr starkes Leistungsgefälle in der Klasse gibt.«

Die Schüler: »Häh?«

Manchmal muss ich einfach über ihre Köpfe hinweg reden. Wenn sie jetzt noch nicht wissen, was ein Gefälle ist, dann macht das auch nichts. Irgendwann hören sie das Wort noch mal und denken: Äh, das kenne ich doch. Das hat doch Frau Freitag in dieser total verkackten Endlosstunde gesagt, als wir in diesen Gruppen arbeiten sollten … Sie wissen dann zwar immer noch nicht, was es bedeutet, aber was soll's. Ich kann ja auch nicht immer nur so sprechen, dass sie mich verstehen. Sonst hätte ich gesagt: »Letzte Stunde, ja, war Unterricht voll mies scheiße, weil manche so null Checkung und andere erst voll Professor und voll mies abgestrebt und dann – gähn, weil zu leicht.«

»Jedenfalls habe ich mir etwas überlegt. Ich möchte euch in Gruppen aufteilen. Jeweils drei Leute sitzen zusammen. Ich will, dass der Zufall entscheidet. Wir losen die Gruppen aus!«

Und ab da geht es mit der Stunde bergab. Steil bergab! Ich weiß nicht, wie, aber der Zufall, dieser miese Hund, lost doch tatsächlich Abdul, Bilal und Emre in eine Gruppe. Die anderen Schüler lachen. »Das wird eh nichts mit denen, Frau Freitag.« Dann die drei Gackermädchen Elif, Asmaa und Fatma – alle in einer Gruppe. Für sie gleich wieder ein Grund loszukichern. Die anderen Gruppen gingen so.

Der erste Aufgabenzettel steckt in einer Klarsichtfolie, die Aufgabenbeschreibung steht auf der Rückseite. Zunächst sollen die Schüler mündlich einen englischen Text anhand von Fakten über Frau Freitag ausarbeiten. Späterer Transfer – Fakten über sich selbst aufschreiben. Noch späterer Transfer – einen Text aus diesen Fakten SCHREIBEN. 100 Wörter.

»Äh, *was* sollen wir machen?«

Mustafa legt gleich den Kopf auf den Tisch, ohne etwas zu lesen, und macht die Augen zu.

Die Schüler, die sich nicht gleich auf den Tisch legen, holen ein Blatt raus. »Ihr sollt jetzt noch gar nichts schreiben. Da steht: Erst mündlich!«

Ich gehe von Tisch zu Tisch und erkläre die Aufgabe. Dann gehe ich von Tisch zu Tisch und zwinge jeden, mindestens einen Satz zu formulieren. Dann gehe ich von Tisch zu Tisch und erkläre die zweite Aufgabe. Dann bin ich das von Tisch zu Tisch rennende Deutsch-Englisch-Wörterbuch. Dann bin ich Zeitmahner und Ideengeber: »Dir fallen keine 100 Wörter zu deinem Leben ein? Was willst du denn später mal arbeiten?« Dann bin ich Korrekturleser und Welterklärer. »Nein, Emre, Bordell wird anders geschrieben. Da gibt es ein englisches Wort für. Meinst du hier, du hast *pupils* gekillt oder *people*? Und du denkst, dafür bekommst du nur vier Jahre Haft?«

Am Ende der Stunde hat eine Handvoll Schüler einen Text mit 100 Wörtern und die meisten nicht mehr als: *I live in Germany. I have one brother and one sister. My hobby is football play and basketball play.*

Beim Klingeln bin ich fix und fertig. Aber wenigstens habe ich meinen Unterricht bis zu den Herbstferien vorbereitet, denn wir haben heute nur eine von sechs Aufgaben geschafft.

Es ist ein Junge

Ach, meine Klasse. Vielleicht arbeiten die ja nur in meinem Unterricht nicht. Frau Hinrich sagt, sie machen gut mit. Die neue Geschichtslehrerin fragt: »Welcher ist denn bei dir der fiese Gemeine?«

Ich sage: »Hab ich nicht. Die sind alle nett, und gemein ist keiner. Die verstehen sich auch untereinander prima. Das ist ja das Problem. Sie sind einfach zu fidel. Aber gemein? Nö.«

Sie sind nicht nur nicht gemein, sie sind auch irgendwie echt rührend.

Ein Kollege und eine Kollegin hatten sich vor Jahren ineinander verliebt. Ich habe das gar nicht gemerkt. Nachdem es die ganze Schule erfahren hatte und ich endlich auch, sage ich zu meinen Mädchen: »Wusstet ihr, dass Herr Schwarz mit Frau Sömke zusammen ist?«

Die Mädchen augenrollend: »Frau Freiiitag, das wissen wir schon seit Mooonaaaten! Erst sind sie immer zusammen nach Hause gegangen. Und außerdem hat er doch dauernd vor ihrer Klasse gewartet. Und wenn wir bei ihr hatten, dann kam er immer rein. Frau Freitag, haben Sie das echt nicht gemerkt?«

Meine Antennen in Sachen Liebe sind wahrscheinlich ein wenig eingerostet. Jedenfalls haben die beiden nun ein Baby bekommen, das erzähle ich meiner Klasse.

Die sind völlig aus dem Häuschen: »Wir müssen Karte kaufen!«

Gesagt – getan. Funda bringt eine kitschige *Es-ist-ein-Junge*-Karte mit in die Hausaufgabenstunde. Funda und Marina setzen sich zusammen und verfassen den Text. Parallel dazu wird Emre überredet, einen Rap zu schreiben. Ich sage, das Kind heißt Max, und alle schreiben und dichten schön über den neugeborenen Erdenbürger. Am Ende der Stunde stellt sich

Funda vorne hin und liest vor: »Und dann haben Sie sich gefunden und die Liebe wuchs und ein Baby ist der schönste Beweis einer Liebe … und möge er das schwierige und doch auch abenteuerliche Leben mit alle seinen Problemen und seinen wunderbaren Momenten genießen und so weiter.«

Dann Emre: »Yo, yo, yo, Liebe, Baby, Max hier, Max da … rap rap rap.« Alle sind begeistert, klatschen und unterschreiben die Karte.

Dann geht es zum Unterricht bei Herrn Schwarz. Ich begleite meine Schüler.

Herr Schwarz kommt rein. Die frisch gewählten Klassensprecher, Bilal und Marina, stehen vorne und bitten ihn, sich erst mal hinten hinzusetzen, denn die Klasse hätte eine Überraschung für ihn. Dann trägt Emre seinen Rap und Funda den Text von der Karte vor. Danach erzählt Herr Schwarz von der Geburt. Alles ist rührend und toll. Ich bin stolz auf meine Klasse und auf mich. Dann guckt Herr Schwarz zu mir, grinst und sagt: »Aber das Baby heißt Moritz.«

Und unter wüstem: »Frau Freiiiiiiitaaag, oh Maaann, Sie sind schuld. Sie haben voll verkackt!«, schleiche ich mich geduckt aus dem Raum.

Ich werde Diseinerin

Zum Elternabend kommt genau ein Elternteil. Die Mutter von Funda. Sonst NIEMAND. Ich hatte den Schülern vor einer Woche die Einladungen mitgegeben. Ich bekam drei Rückmeldungen. Ich sagte ihnen, dass es um Berufsberatung gehen und ich die unterschiedlichen Schulabschlüsse erklären würde. Vielleicht hätte ich das nicht tun sollen. Berufsberatung, Schulabschlüsse … vielleicht sind das schlimme Tabuworte.

Vielleicht ist es zu hart, von den Schülern und den Eltern zu verlangen, sich damit auseinanderzusetzen. Eine Zumutung, sich mit der eigenen Zukunft zu beschäftigen. Läuft doch alles. Sie gehen zur Schule, und das Geld kommt schon irgendwie aufs Konto. Selber Geld verdienen – am Ende noch einen Beruf erlernen … wo kommen wir denn da hin, chill mal, Frau Freitag! Sie stressen!

Und wenn sich meine Schüler irgendeine Tätigkeit vorstellen können – na, dann muss die aber gleich mit 10.000 Euro entlohnt werden. Die haben so gar keine Ahnung von der Welt.

Heute habe ich ihnen gesagt, dass sie sich dieses Jahr bewerben müssen. Eigentlich schon im ersten Halbjahr. Sie wurden ganz still und starrten mich nur entsetzt an, als hätte ich gesagt, sie würden in der kommenden Stunde hingerichtet werden. Abdul sagt, er will zur Polizei, und Bilal will zur Feuerwehr. Fehlt nur noch, dass einer Pilot oder Lokomotivführer werden will. Die Polizei wird Abdul nicht wollen. Auch wenn sie ihn immer wieder vorlädt. Und die Mädchen? Fatma will »Diseinerin« werden. Und Emre möchte einen Puff leiten. So einen gibt es in jeder Klasse. Wie viele Puffbesitzer braucht Deutschland eigentlich? Und wer soll da arbeiten? Hure habe ich als Berufswunsch noch nie gehört.

Zuckerfest

Zuckerfest – muslimischer Feiertag. Meine Klasse ist dezimiert auf vier Kinder, die sich an mich rankuscheln – im übertragenen Sinne –, sie sitzen einfach mal in der ersten und zweiten Reihe und plaudern über ihr Leben. Handzahm fressen sie alles, was ich ihnen hinwerfe, und die Stunde verfliegt wie im

Nu. (Wo ist das Nu eigentlich sonst? In den Doppelstunden in der 7. Klasse, da bräuchte ich das Nu, das zieht sich immer so zäh hin.)

»Frau Freitag, Erol und Karim haben es gut. Die tanzen sooo geil, und die verdienen ein Schweinegeld damit«, sagt Marcella voller Bewunderung. Und recht hat sie. Erol und Karim sind Hip-Hop-Götter.

»Wie verdienen die denn damit Geld? Geben die Unterricht? Oder treten sie irgendwo auf?«

»Die haben auch Auftritte mit ihrer Gruppe. Aber die gehen einfach immer vors Center und tanzen da, da kriegen die übertrieben viel Kohle.«

»Na, Marcella, die haben ja auch richtig viel geübt dafür.«

»Ja, ich weiß. Die haben es gut. Die machen was, was ihnen Spaß macht, das können sie auch noch voll gut, und dann bekommen sie dafür noch Geld.«

»Na, das kannst du doch auch machen.«

»Ja, da müsste ich schon fürs Schlafen bezahlt werden. Das ist das Einzige, was ich gut kann.« Marcella sieht super aus, aber mir fällt auch keine spezielle Fähigkeit ein, die sie auszeichnen würde. Und für ständiges Zuspätkommen wird sie wahrscheinlich auch niemand entlohnen.

»Die haben wahrscheinlich die ganze Zeit Tanzen geübt, während du geschlafen hast.«

»Frau Freitag, haben Sie gehört, dass da welche den Koran verbrennen wollen?«, fragt Marina.

»Ja, hab ich gehört. Was haltet ihr denn davon?«

»Ist mir egal, aber haben Sie auf YouTube das Video gesehen von dem Mädchen, das überfahren wurde, weil zwei Jungs sie erschreckt haben?«

»Habt ihr auch von der Sarrazin-Debatte gehört?«, frage ich.

»Ist das der, der so viel Scheiße labert?«, fragt Marcella. »Der dieses Buch geschrieben hat?«

»Ja, genau der.«

»Ach, der Typ ist doch krank.« Ah, sie haben sich mit dem Thema also schon auseinandergesetzt.

»Warum ist der krank?«

»Keine Ahnung. Was steht denn in dem Buch?«

Tja, wenn ich das wüsste, ich habe es auch nicht gelesen. Trotzdem gebe ich kurz ein paar erklärende Sätze von mir.

»Findet ihr denn, dass die sogenannten Ausländer sich hier gut integriert haben?« – Die Hälfte meiner vier anwesenden Schüler hat auch einen Migrationshintergrund. Aber sie sind nicht muslimisch, sondern katholisch und müssen deshalb heute zur Schule kommen.

»Frau Freitag, wissen Sie, was mich an den Deutschen nervt? Wenn man in den Bus geht, oder auf der Straße, die gucken immer so ernst. Nie lacht mal einer, und nie lächeln die sich mal an. Das ist bei den Ausländern nicht so«, sagt Marcella.

Und da musste ich ihr zustimmen. Gerade heute war die Stimmung in den öffentlichen Verkehrsmitteln irgendwie anders, auffallend ruhig, alles wirkte wie betäubt. Es war seltsam unaufgeregt auf der Straße, und irgendwann fiel mir auf, warum – Zuckerfest! Weit und breit kein Muslim unterwegs.

Am nächsten Tag fehlt die Hälfte meiner Klasse gleich noch mal. Irgendwie haben die muslimischen Schüler immer noch nicht mitgekriegt, dass sie nur einen Tag feiern dürfen beziehungsweise nur einen Tag schulfrei bekommen. Komischerweise fehlen auch einige Nichtmuslime. Nun ja, dadurch haben wir Anwesenden einen angenehmen Tag.

Ich versuche ja möglichst oft, meine Schüler daran zu erinnern, dass sie sich im 10. Schuljahr befinden, und dass der Ernst des Lebens auf sie wartet. Interessiert sie allerdings nur mäßig.

»Und denkt daran, wenn dann diese Berufsberaterin kommt und mit euch das Bewerbungstraining macht, das ist für EURE Zukunft. Ich möchte da keine blöden Bemerkungen hören.«

Elif guckt mich durch ihre Brille ganz verzweifelt an: »Frau Freitag, wissen Sie, das ist jetzt das letzte Jahr, in dem wir alle zusammen sind.«

»Ja, ein Glück auch«, sage ich leise.

Elif: »Und nächstes Jahr arbeiten wir.«

»Ja, hoffentlich!«

Und jetzt vergrößern sich ihre Augen so, dass sie fast ein wenig schielt: »Aber ... aber wir sind doch noch Kinder!«

Bitte nicht wieder bowlen

»Sagt mal, mit dem Wetter und so ... es regnet ja nun schon seit Tagen, und es scheint auch nie mehr aufzuhören. Was machen wir denn am Wandertag, wenn das Wetter so bleibt? Habt ihr Ideen?« Eigentlich wollte ich mit meiner Klasse draußen rumwandern, an irgendeinem Ort, an den sie ohne mich nie in ihrem Leben kommen würden. Aber jetzt brauche ich einen Plan B.

Bilal: »Ins Museum!« Bilal ist ja neu in der Klasse und zeigt leichte Einschleimtendenzen. Wirkungsvolle allerdings, denn ich schreibe sofort »Museum« an die Tafel, obwohl ich schon weiß, dass ich dafür nie eine Mehrheit finden werde. Dann kommt das unvermeidliche Bowlen – waren wir schon zweimal. War nett, aber reicht jetzt auch. Beim letzten Mal waren wir in einem Bowling Center, da waren außer uns nur Senioren, die immer zu zweit eine ganze Bahn besetzten. Uns verfrachtete man in die hinterste Ecke mit nur drei Bahnen, so dass jeder Platz belegt war. Eigentlich wollten wir mehr Platz haben, schließlich waren wir fast 30 Leute. Und zwischen uns und den Senioren waren auch noch viele unbelegte Bahnen. Aber irgendwie wollte man wohl nicht, dass wir uns zu sehr ausbreiten. Während die Klasse schön ruhig und nett miteinander spielte, wurden wir die ganze Zeit misstrauisch beäugt, als würden meine Schüler gleich auf die Bahn springen und sich hinten in den Kegelumfallschlund stürzen. Ich fand das sehr unverschämt. Die Klasse hat sich echt gut benommen. Außerdem haben wir da auf einen Schlag fast 200 Euro gelassen. Und trotzdem wurden wir wie Störenfriede behandelt. Für 200 Euro müssen die Omas und Opas ziemlich oft kommen. Da gehen wir nie wieder hin.

Jedenfalls steht heute wieder Bowling an der Tafel. Und *Indoor Soccer,* und dann kommt der Vorschlag, der meine Klasse total charakterisiert. Sie wollen: *gemeinsam essen gehen.* Plötzlich wird wild durcheinandergeschrien, wer wen kennt, der ein suuuper Restaurant hat, und wir können vorbestellen, und dann gehen wir noch alle zu Abduls Vater in die Bäckerei und holen uns Baklava und, und, und … und können wir uns nicht am frühen Abend oder nachmittags treffen, ist doch dann voll gemüüütlich …

Ich denke, der Wandertag ist geplant. Vielleicht können wir vorher noch ein wenig alibimäßig rumwandern und dann voll gemütlich essen gehen. Elif wird hoffentlich danach sagen: »Frau Freitag, Wandertag war voll schööön.«

Aber was, wenn der Chef
selbst raucht?

»Was ist denn eine typenfreie Autowerkstatt?«, fragt die Berufsberaterin Abdul.

»Äh, hm, weiß ich nicht.«

Marcella meldet sich wild: »Ich weiß, ich weiß, ich glaube, das ist eine Autowerkstatt, wo nur Frauen hinkönnen.«

»Oder wo nur Frauen arbeiten, voll schön!«, sagt Elif.

»Ach, ich weiß!«, ruft Funda. »Da sitzen die Männer nur rum und müssen nicht arbeiten, und die Frauen reparieren ihre Autos selbst. Da haben die Typen immer frei.«

Das heitere Rätselraten wird von Mustafa aufgelöst, der uns erklärt, dass es sich hierbei um Automarken unspezifische Reparaturwerkstätten handelt, im Gegensatz zu Vertragswerkstätten.

»Und du, Peter, willst also Maler und Lackierer werden. Dann erzähl mir doch mal was über Farben!«

»Es gibt verschiedene.«

»Ja, das stimmt«, sagt die Berufsspezialistin und grinst mich an. »Werde mal etwas genauer.«

Peter guckt sich im Raum um: »Also, zum Beispiel Rot.« Irgendwann stammelt er dann noch was von Hauptfarben. Ich werde morgen auf jeden Fall die Grund- und Sekundärfarben wiederholen.

Dann kommt das für meine Schüler typische Endlos-im-Kreis-Gefrage. Wir klären gerade, ob man beim Bewerbungsgespräch Getränke annehmen sollte, wenn sie einem angeboten werden.

»Ja, das könnt ihr ruhig machen. Wie ist es mit einer Zigarette?«

Die Wiederholer melden sich alle sofort, denn sie haben sich gemerkt, dass man das nicht tun sollte.

Dann Bilal: »Aber wenn der Chef selbst raucht?«

Die Berufsberaterin: »Nein, auch dann nicht.«

»Aber wenn man selbst auch Raucher ist?«

»Nein, auch dann nicht.«

»Aber wenn man doch gerne eine rauchen möchte?«

Plötzlich reicht es mir: »Bilal! NEIN, NEIN, NEIN! Was ist daran so schwer zu verstehen? Möchtest du in dem Moment einen Ausbildungsplatz bekommen, oder ist dir das Rauchen wichtiger?«

»Aber mein Freund hat in einem Gespräch eine Zigarette angeboten bekommen und geraucht, und er hat den Job trotzdem bekommen.«

Die Macht des letzten Wortes. Ich gebe auf. Bei den anderen ist das NEIN, NICHT BEIM BEWERBUNGSGESPRÄCH RAUCHEN angekommen, und Bilal wird wenigstens an mich denken, wenn er die Zigarette anzündet und am Ende ohne Ausbildungsplatz dasteht.

Dschinges erzählt vom Ficken

Ich unterrichte in der letzten Stunde meiner Arbeitswoche immer eine sehr kleine 7. Klasse. In dieser Klasse befinden sich auch wieder der dicke Dirk und Dschinges. Die beiden waren bereits letztes Jahr in der Siebten. Nicht zuletzt waren meine schlechten Kunstnoten schuld daran, dass sie sitzengeblieben sind. Und nun kommt's: Die alte 7b ohne den dicken Dirk und Dschinges, die jetzt die 8b ist, hat einen neuen Kunstlehrer, und ich unterrichte die beiden wieder, nur halt in einer anderen Klasse. Oh, grausames Schicksal.

Ich will – oder eher: ich soll – mit ihnen eine Wand in ihrem Klassenzimmer streichen. Wir haben keine Kittel, und die Farbe geht nicht mehr aus den Klamotten raus. Spätestens bei dieser Information hätte Fräulein Krise, die erfahrene Superlehrerin, das Unternehmen »Handlungsorientierter Kunstunterricht« gestoppt. Die dumme Frau Freitag dagegen rennt nichtsahnend in die bisher stressigste Stunde des neuen Schuljahres.

Wir haben nur eine Rolle und zwei runtergewirtschaftete Pinsel. Der Raum, in dem die Wand ist, hat einen TEPPICH. Keiner will abkleben: »Ist doch egal, machen Sie mal die Farbe auf, ich will umrühren!« Zeitungen auslegen? Wozu denn?! Also mach ich das. Die Farbe deckt nicht. Mit den blöden Pinseln macht es keinen Spaß, und das Ergebnis sieht auch nicht gut aus. Sie prügeln sich um die Rolle. Immer auf der Zeitung, die schon mit Farbe bekleckst ist. Die Aufmerksamkeit lässt nach: »Ich habe keine Lust mehr. Kann ich rausgehen? Ich gehe Cafeteria, ja?«

»Nein, du bleibst hier, Dschinges, hier, sortier mal die Bilder, die wir aufhängen wollen.« Die Bilder werden über den Boden verteilt. Die anderen Schüler latschen darauf rum. Dschinges erzählt vom Ficken. Er hält sich für den großen Aufreißer. »Wir machen das auch mit fünf Kumpels und einem Mädchen.« Ich bin entsetzt und glaube ihm kein Wort. »Sie glauben nicht? Ich kann Ihnen Handyvideos zeigen.«

»Ach, du filmst dich noch dabei?«

»Nein, aber mein Kumpel filmt.«

Ich muss unbedingt mit der Erzieherin, dem Klassenlehrer und seinen Eltern sprechen. Aber nicht jetzt. Beim dicken Dirk kleckert Farbe auf die Hose: »Scheiße, Frau Freitag, geht die wieder raus? War 80 Euro, die Hose!«

»Ja, ja, das geht wieder raus.«

Dann das Klingeln. Zack, und schon sind alle weg. Die Wand sieht so schlimm aus, dass ich dem Klassenlehrer einen Brief auf dem Pult hinterlasse, dass wir da noch mal drübergehen müssen. Dann mache ich mich alleine ans Aufräumen. Es ist 14.30 Uhr. Der Stuhl, auf dem die Farbe stand, ist total eingesaut. Den schleppe ich durch das ganze Schulhaus zu einem Waschbecken. Dann die bekleckste Zeitung entsorgen und mich notdürftig säubern. Völlig verschwitzt schleiche ich irgendwann ins Wochenende zu Fräulein Krise, die mir freudig von ihrem perfekten Tag erzählt. Ich fühle mich wie lebendig begraben.

Mein System ist king

Jetzt hab ich den Salat. Meine ganzen Vorsichtsmaßnahmen in Sachen Krankheitsprävention waren für die Katz. Dabei habe ich in den letzten Wochen sicher sieben Meter Abstand von den schniefenden Kollegen gehalten, wenn ich mit ihnen redete. Falls sie mir am Vertretungsplan von hinten oder seitlich mit ihrem kontaminierten Tröpfchenmist zu nahe kamen, habe ich demonstrativ meinen Hefter zwischen sie und mich gehalten und wütend gefaucht: »Du bist ja immer noch krank.« Die Kollegin lächelt leicht schuldbewusst, aber ich erkenne auch diesen Märtyrer-mäßigen Ich-komme-trotzdem-auch-wenn-ich-krank-bin-Blick. Auf ein Lob von mir können die lange warten. »Mann, bleib doch zu Hause, verdammt. Du steckst uns doch alle an. Willst du mich anstecken? Ich will nicht krank werden!« Die kranken Kollegen sind dann echt verwirrt.

Jedenfalls hat meine Anmecker nichts genutzt. Seit gestern habe ich Halsschmerzen. Ich versuche, sie in Tee und Kaffee zu ertränken und mit Zigaretten auszuräuchern. Mal sehen, ob das gelingt.

Fräulein Krise sagt, es seien gar nicht die Viren, die rumfliegen und mich angreifen, das hätte vielmehr mit meinem Immunsystem zu tun. Einen Dreck hat das mit meinem System zu tun. Mein System ist king!

Aber die sollen nur warten, diese kranken, in die Schule kommenden Kollegen, wenn die wieder ganz gesund sind, dann komme *ich* krank zur Arbeit – sehr krank – und sehr ansteckend und klebe mich an sie, fasse alles an, was ihnen gehört, spucke auf ihre Kaffeetassen, begrapsche ihre Stifte, lecke den Griff ihrer Schultasche und die Klinken in ihren Klassenräumen an. Und dann können sie mal sehen. Und das mache ich direkt VOR DEN FERIEN!

Schantalle

Ich habe dann heute doch gar nichts angeleckt. Weder Türklinken noch Lichtschalter, es gab auch keine Zungenküsse mit den noch nicht erkrankten Kollegen. Ich bin schön pflichtbewusst zur Schule, mit Mundschutz und zehn Meter Sicherheitsabstand zu jedem Kollegen schlich ich durchs Lehrerzimmer. Ich habe noch nicht einmal erwähnt, dass es mir gestern und vorgestern nicht gutging.

Mein Plan war ja ursprünglich, bis kurz vor der Mittagspause zu warten und mich dann röchelnd ins Schulleiterbüro zu schleppen und mit letzter Kraft zu verkünden, dass ich nicht mehr kann, kurz vorm Exitus stehe und jetzt sofort nach Hause und ins Bett muss. Und selbstverständlich kann ich morgen nicht kommen.

Und was habe ich getan? Gar nichts. Schön den vorbereiteten Unterricht abgehalten, in meinen Freistunden dies und das organisiert und dann wieder Unterricht, Test schreiben lassen – von dem mal wieder nur ich wusste –, einen Spickzettel und ein Handy abgenommen. Der Typi hatte doch echt nur faul die Arbeitsblätter fotografiert und sich dann schön das Handy neben das Aufgabenblatt gelegt: Täuschungsversuch – null Punkte.

Meine ganz spezielle Freundin in dieser Klasse, Schantalle, versuchte, mich vorher noch zu überreden, den Test erst nächste Woche zu schreiben.

Schantalle kommt vom Gymnasium und ist bei uns toootal unterfordert. In meinem popligen Kunstunterricht stöhnt sie seit Stunden, wie pillepalle-einfach das doch alles sei.

»Warum müssen wir denn die Fragen abschreiben? Ich kann doch auch gleich die Antworten auf das Blatt schreiben.«

Oder: »Was Perspektive ist, weiß ich doch. Hallo?! Ich will später in den Leistungskurs – das ist hier alles ein Witz …«

Jedenfalls geht mir die Madame gehörig auf die Ketten und ich ihr wahrscheinlich auch.

In der Pause kommt sie zu mir: »Frau Freitag, wir sollen doch heute einen Test schreiben …«

»Ja.«

»Können wir den denn nicht nächste Woche schreiben?«

»Ach, Schantalle, das wird sooo einfach, und du fühlst dich ja die ganze Zeit unterfordert. Das machst du doch mit links.«

Schantalle: »Ja, ist ja jetzt auch nicht wegen mir, aber die anderen haben nicht gelernt.«

Und dann zu Beginn der Stunde: »Frau Freitag, gucken Sie mal, keiner hat gelernt, und Sie wollen doch, dass alle eine gute Zensur schreiben. Wir könnten doch den Test nächste …«

»Du, mir persönlich ist es egal, was ihr für Zensuren schreibt, ich möchte vor allem jetzt den Test schreiben lassen.«

»Aber wie kann Ihnen das denn egal sein? Sie sind doch die Lehrerin, und Sie bringen uns doch was bei, und wenn alle eine Fünf schreiben, dann sind Sie doch dafür verantwortlich.« Blöde Schnalle, wie kommt die mir denn? Ich bin doch nicht dafür verantwortlich, wenn die nicht lernen.

Gnadenlos habe ich die Blätter verteilt und getestet. Zumindest haben sie gelernt, dass ich mich nicht bequatschen lasse. Und darauf bin ich sehr stolz. Hätte jemand anderes als Schantalle gefragt, ich hätte den Test wahrscheinlich sogar verschoben.

Meine Klasse spielt draußen mit Ballons

Neulich war ich mit meinen Schülern auf einer Messe, auf der sich mehrere Ausbildungsbetriebe vorgestellt haben. Das war sehr interessant. Draußen gab es so Spiel- und Spaß-Kram für Kinder, mit Luftballons und Dosenwerfen, Glücksrad-Drehen und so. Und drinnen waren dann die Betriebe mit ihren Ständen und haben auf Fragen zur Ausbildung ganz konkrete Antworten gegeben. Die waren alle total nett. Es gab die Meister, die Azubis und sehr viele Informationen. Es gab sogar richtige Adressen, wo man sich bewerben kann.

Und was es noch gab … ganz viele Lehrer wie mich, die rumrannten, Faltblätter sammelten und sich die unterschiedlichsten Berufe erklären ließen, weil die lieben Kleinen, die sich eigentlich dafür interessieren müssten, ja draußen mit Luftballons spielten und sich schlechte Tanzgruppen ansahen.

Aber was wäre ich denn für eine Lehrerin, wenn ich mir nicht bereitwillig alles anhören würde: »Ach ja, okay, erklären Sie mir doch bitte, wie man Parkettleger und Isolierfacharbeiter wird.« – »Ah, Zerspanungsmechaniker, soso, drei Jahre Berufsschule …«

Mir brummte ganz schön der Schädel, weil ich mir ja alles merken musste, um es später meinen Schülern zu erzählen. Jedem Einzelnen. Ach, Abdul wollte doch zur Polizei, die sitzt dahinten … Und Samira ist zwar nicht mehr in meiner Klasse, aber die wollte doch Flugbegleiterin werden, ich frage die Frau da drüben mal, wie das geht.

Kein Einziger meiner Schüler hat sich blicken lassen. Und hat es mich gewundert? Überhaupt nicht. Hat es mich gestört? Irgendwie auch nicht. Wie ein fanatischer Sammler habe ich jede Broschüre an mich gerissen und in meinen Beutel gesteckt. An manchen Ständen gab es auch Kugelschreiber und Schlüsselanhänger, aber selbst nachdem ich mir stundenlang vom stotternden Azubi den Beruf des Betongießers hatte erklären lassen, habe ich mich nicht getraut, nach einem Gratisstift zu fragen. Auch den Kaffee und Kuchen der katholischen Altenpflege habe ich nur angestarrt, während ich nach der Möglichkeit fragte, die Ausbildung mit Kopftuch zu absolvieren. Die Nonnen waren nett, aber haben sie mir einen Kaffee angeboten? Nein. Und darf man ein Kopftuch tragen? Nein, Doppel-Nein!

Meine erbeuteten Infoschätze habe ich bei dem sehr netten Mann eines großen Discounters zwischengeparkt. Am Ende hatte ich zwei fette schwere Taschen mit ALLES, WAS ES GIBT drinne. Damit bin ich dann nach Hause gedackelt. Mein Kreuz tat weh, aber ich war glücklich.

Der Mann vom Discounter fragte mich, als ich meine Beute abholte, ob das für meine Kinder sei.

»Sie glauben doch nicht, dass meine Kinder nicht wüssten, was sie mal machen sollen?! Das ist für meine faule Loserklasse, von denen noch keiner weiß, was er werden will. Das schleppe ich für die in die Schule. Die sind ja draußen und spielen mit den Ballons. Ich habe sogar zwanzig Hausaufgabenhefte für die ergattert.«

»Na, hoffentlich lesen die das dann auch.«

»Dafür werde ich sorgen – darauf können Sie Gift nehmen, dass die das lesen. Die werden jeden einzelnen Flyer auswendig lernen müssen. Und sich bei mindestens zwanzig Unternehmen bewerben. Wer soll denn sonst später meine Rente zahlen?«

Und genau so werde ich das machen. »Keiner geht, bevor nicht die wöchentlichen drei Bewerbungen bei mir abgegeben wurden!«

Abo, voll schööön!

So, nun ist es endlich passiert: In meiner Klasse gibt es den ersten Fall von Hornhautzerkratzung! Yeah! Das muss sich jetzt nur noch rumsprechen.

Seit einigen Jahren – wahrscheinlich seit es bei Lidl, Aldi oder Kick gaaanz billig farbige Kontaktlinsen zu kaufen gibt – kommt mindestens einmal in der Woche ein Mädchen in meinen Raum, stellt sich vor mich, reißt die Augen auf und fragt: »Frau Freitag, was sagen Sie? Sieht gut aus?«

Mal unter uns – es sieht nie gut aus. Befremdlich. Zombieartig. Irgendwie alienesk. Diese bildhübschen dunkelhaarigen, solariumgebräunten oder mit rotbraunem Make-up zugekleisterten Teenagerinnen stehen da plötzlich, mit cyanblauen oder hellgrünen Augen. Leider sieht es nie echt und deshalb nie gut aus.

Kommt ein Mädchen mit diesen Teilen in die Schule, geht sofort der übliche Zirkus los: »*Abooo*, voll schööön.« Dann in der nächsten Stunde: »Kann ich auch mal?« Und schon werden mit den dreckigen Fingern die Kontaktlinsen rausgepult und in die noch gesunden Kinderaugen gesetzt. »Abooo, sieht bei dir auch voll schön aus!«

»Echt? Hast du Spiegel? Gib mal!«

»Ja, *vallah*, voll süß!«

Unterricht ist dann nicht mehr möglich, weil die spontane Bedürfnisbefriedigung im Vordergrund steht. Grundbedürfnis Nummer 1: voll schööön aussehen. Kommt noch vor Essen und Trinken. Wie oft habe ich schon meinen Hygienevortrag gehalten: »Keime, Reinigungsflüssigkeit, Zerkratzen – ja, sogar Ablösung der Hornhaut, Erblindung… BRILLE – ein Leben lang.« Nützt alles nichts.

»*Abo*, voll schööön, darf ich auch mal?«

Und dabei weiß ich, wovon ich spreche. Jahrzehntelang war ich zu eitel, eine Brille zu tragen, und zu faul, die Vorschriften für die Kontaktlinsenpflege zu befolgen.

»Die Reinigungsflüssigkeit in diesen Döschen jeden Tag wechseln? Ach was, die wollen doch nur möglichst viel davon verkaufen. Diese Krümel, die da in dem Behälter rumschwimmen, die kann ich doch locker mit den Fingern rausfischen.«

Ich bin mit den Linsen eingeschlafen, wenn ich zu müde war, sie rauszunehmen, ich habe mal eine in der Disko verloren, auf dem Boden wiedergefunden (leider kaputt) und einfach wieder ins Auge getan – was soll sein? Sonst sehe ich doch nichts.

Und dann kam der Schock: ein fettes Geschwür auf der Hornhaut. Direkt über dem Sehnerv. Krankenhaus. Tägliches Tropfen, mehrere Tage ganz blind – weil es sich auf das gesunde Auge übertragen hat, und ständig der Chefarzt: »Klar können Sie weiterhin Kontaktlinsen tragen, wenn Sie auf Ihr eines Auge verzichten können …«

Und seitdem muss ich eine Brille tragen. Aber meine Schülerinnen – hat sie meine authentische, voll selbsterlebte Horrorkontaktlinsengeschichte beeindruckt? Natürlich nicht. »Ja, ja, lass die Alte mal quatschen, was weiß die schon?! Die mit ihrer doofen Brille ... Und wenn die die abnimmt, sieht die sowieso aus wie ein Maulwurf. Ist doch gut, dass die die trägt. Was ist Geschwür überhaupt?«

Aber jetzt haben wir den ersten Hornhautzerkratzungsfall in der Klasse. Marcella, die sooo schöne Augen hat, von Geburt an, war heute und gestern nicht in der Schule. Ich rufe sie an.

Sie kleinlaut: »Ich habe Kratzer auf der Hornhaut.«

Ich denke: Yes! Endlich! »Ach, du Arme. Von den Kontaktlinsen?«

Ihr leises »Ja« höre ich kaum.

»Na, kurier dich mal aus. Dann kannst du ja auch nicht mit zum Wandertag. Wir sehen uns also nächste Woche. Tschüüüs.«

Manchmal macht das Leben echt den besten Unterricht.

Brötchen belegt mit Chips und Schokoladenkeksen

Wandertag mit meiner Klasse. Ohne die zerkratzte Marcella. Da es wider Erwarten aufgehört hat zu regnen, begeben wir uns nun doch in die Natur. Die Restaurantpläne wurden verschoben.

Erst mal sind nur Ronnie und Christine da. Die haben sich in der Siebten und Achten immer nur gestritten. Jetzt stehen sie ruhig nebeneinander und erzählen sich, mit welchen Bussen sie gekommen sind und wo man umsteigen musste. Wir wollen um 10 Uhr los.

Um 09.55 Uhr stehe ich immer noch mit Christine und Ronnie und keinem weiteren Schüler am Treffpunkt und warte. Zum Glück kommt wenigstens mein Kollege Herr Müller mit. Herr Müller ist neu, na ja, mittlerweile ist er auch schon ein halbes Jahr bei uns. Wir rauchen immer zusammen, und er ist sehr nett, etwas freakig. Nicht der typische Lehrer. Seine Klamotten und seine Ausdrucksweise sind einfach etwas zu cool für die Schule. Ich hatte ihn gefragt, ob er nicht mitkommen wollte, da er ganz in der Nähe der Natur wohnt, in der wir rumwandern wollen. Außerdem unterrichtet er viele Schüler meiner Klasse.

»Sag mal, Frau Freitag, was ist mit diesem Emre ... der hat doch nichts drauf, oder?«

»Nein, nein, Emre ist okay. Der ist sogar ziemlich schlau. Der wirkt immer sehr verschlossen, ist er aber eigentlich gar nicht.«

Mein heimlicher Lehrplan dieses Ausflugs ist nämlich, dass Herr Müller meine Klasse besser kennenlernt, sie dann mehr mag und ihnen am Ende des Schuljahres mildere Zensuren gibt. Um 10.10 Uhr kommen Elif, Funda und Ayla an und telefonieren hektisch mit ihren Handys rum. Es stellt sich raus, dass der Rest der Klasse auf öffentliche Verkehrsmittel in der ganzen Stadt verteilt ist.

Um 10.30 Uhr sind wir endlich vollzählig, und alle Schüler sind sich einig, dass wir uns nächstes Mal vor der Schule treffen sollten. »Sagt mal, Leute, ihr seid teilweise schon 18. Ihr geht in die 10. Klasse, habt Freundinnen oder Freunde, einige von euch hatten bestimmt schon Sex, und ihr wollt mir erzählen, dass ihr es nicht schafft, mit ein paar Bussen zu fahren?«

Später stellt sich raus, dass Emre, Bilal und Abdul noch bei Edeka waren und endlos lang Süßigkeiten gekauft haben. Jetzt trotten sie alle drei mit ihren Plastiktüten vor mir her. Ich habe ein Déjà-vu, als ich Abdul mit der vollgepackten Tüte sehe. Als ich letztes Jahr mit meiner Klasse im Heidepark war, hatte er sich Wodka besorgt und mit 1,5 Liter River Cola gemischt. Diese Straftat aufzuklären, inklusive der Zeugenbefragung, um herauszubekommen, wer davon getrunken und wer den Alkohol besorgt hatte, dauerte den ganzen Nachmittag. Ich beschließe, seine Tüte heute zu ignorieren.

Wir fahren alle zusammen mit *noch* einem Bus, und ich bin mir sicher, dass die Schüler spätestens jetzt nicht mehr nach Hause finden würden, wenn ich sie hier allein ließe.

Und dann rein in die Natur. Wir latschen durch einen herrlichen Wald. Die Sonne scheint durch die Bäume, und alle kreischen fröhlich vor sich hin. Wie eingesperrte Vögel, die man zum ersten Mal fliegen lässt. Fahrradfahrer werden nicht gesehen, auch wenn sie von vorne kommen. Ständig halten die Schüler an und fotografieren sich in unterschiedlichen Formationen. »Frau Freitag, kommen Sie, Sie sollen auch mit rauf!« »Und jetzt bitte alle: KOKAIIIN«, weist Funda als Fotografin an. Sagt man nicht mehr Cheese?

Ich erzähle Interessantes und Uninteressantes aus meiner Jugend, Herr Müller debattiert mit Emre, Abdul und Bilal darüber, warum man die Polizei braucht.

»Ohne Polizei könnten Frauen nachts nicht auf die Straße gehen«, sagt er. Ich habe nachts selten einen Polizisten dabei, egal, Hauptsache, sie lernen sich kennen. Die Mädchen und ich reden über die harte Anfangszeit in der 7. Klasse. Sie sind sehr reflektiert. Elif sagt zu Fatma: »Jaaa, Fati, du hast immer so viele Kraftausdrücke benutzt.«

Ab und zu bemerken sie auch die wilde Natur: »Frau Freitag, Frau Freitag, kommen Sie schnell, hier sind zwei Wespen, die sich paaren!«

Wir picknicken auf einer Lichtung, Brötchen, belegt mit Chips und Schokoladenkeksen, Herr Müller und ich wechseln uns beim Heimlich-Rauchen ab. Als ich an einem Klohäuschen sage, ich gehe mir mal kurz die Hände waschen, ruft mir Funda hinterher: »Ja, ja, Frau Freitag, gehen Sie ruhig rauchen. Viel Spaß.«

Ich kann die Schüler erst um 15 Uhr dazu bewegen, den Rückweg anzutreten. Alle sind ausgelassen und fröhlich. Sie fangen wieder an, von einer Klassenfahrt zu träumen. Im Bus wird gesungen, zum Abschied werde ich von allen Mädchen gedrückt. Herr Müller sagt: »Eine wirklich nette Klasse. Und Emre – er ist sehr in Ordnung.«

Die Schüler sagen: »Herr Müller – er ist ein Freak, aber korrekt.« Zu Hause gucke ich mir die Fotos und das kurze Video, das ich gemacht habe, an und bekomme einen Anflug von Panik bei dem Gedanken, dass ich meine Klasse nur noch ein Jahr habe.

Niemaaals sitze ich neben sie!

Komischerweise kommt nach einem guten Tag mit der eigenen Klasse gleich wieder ein grauenhafter Tag in einer anderen Lerngruppe. Mein Sargnagel – die Siebte in Englisch. Unterricht war das nicht, was ich da heute hingelegt habe. Nicht mal im Ansatz sah das nach irgendetwas aus.

Falls jemand an einer gut funktionierenden Schule auch mal eine totale Chaosstunde haben möchte – also, wenn jemand mal *meine* Stunde nachunterrichten möchte, hier die Anleitung:

Zunächst die Tische umstellen und dann eine schön fiese Sitzordnung machen – immer Mädchen, Junge, Mädchen,

Junge. Die Schüler laufen ein. Sehen die Gruppentische: »*Abooo*, was das?« Und als sie den Sitzplan sehen: »*Tschüüüch*, niiiemals sitze ich neben sie!« Besonders heftig weigert sich Samantha: »Mach ich nicht! Ich sitz nicht neben ihn.« Sie setzt sich einfach woandershin.

Ich stelle mich neben sie: »Samantha, bitte setz dich dorthin!«

»Nö, mach ich nicht. Ich will nicht, kann ich nicht ...«

»Setz dich bitte dorthin.«

»Aber ich will nicht, ich will nicht neben ihn sitzen.«

»Setz dich bitte dorthin.«

»Ist mir egal, ich bleibe hier sitzen, Frau Freitag, ich kann nicht neben ...«

»Setz dich bitte dorthin!«

»Hören Sie mal, bitte, kann ich nicht hier, ich kann nicht neben ihn, er stresst mich, er ist voll behindert.«

»Setz dich bitte dorthin!«

Nach zehn Minuten sitzt Samantha neben dem Jungen, neben dem sie nicht sitzen kann. Erster Erfolg! Alle sitzen so, wie ich es wollte. Dann verteile ich tausend Arbeitsblätter. Es wird halbherzig gearbeitet. Spaß macht es keinem. Aber wer plant denn Spaß? Habe ich Spaß kopiert? Will ich Spaß im Unterricht? Ich will Ruhe und Beschäftigung. Spaß? Spaß habe ich, wenn die Stunde vorbei ist.

Komisch, an den Mittelteil der Stunde kann ich mich gar nicht mehr erinnern – verdrängt, weil man sich nicht jeden Scheiß merken sollte. Aber der Schluss war so schön, das weiß ich noch ganz genau.

Der Geräuschpegel gegen Ende der Stunde geht hoch. Ich fange an, die Namen der störenden Schüler an die Tafel zu schreiben. Samantha steht dran und hat auch schon zwei Striche. Beim dritten Strich schreibe ich über den Namen:

Brief an die Eltern. Ich umkringele Samanthas Namen und ihre Striche: »So, Samantha, das war's. Du bist die Erste, die einen Brief bekommt.« Die Klasse in Schockstarre – Todesstille. Samantha: »Pfff, mir doch egal. Grüßen Sie meine Eltern schön. Ist mir doch egal.«

»Nein, ich glaube, es ist dir nicht egal.«

»Dann nehm ich halt die Brief aus dem Briefkasten und zerreiße den.«

»Okay, dann rufe ich deine Eltern eben gleich nach der Stunde an.«

»Ja, machen Sie doch. Dann sage ich auch, dass Sie mich bedroht haben und dass Sie mich angefasst haben.«

Daniel, der neben Samantha sitzt, wundert sich: »Aber das hat sie doch gar nicht. Frau Freitag hat dich doch gar nichts gemacht.«

Samantha eingeschnappt: »Na und, dann lüg ich halt. Mir doch egal.«

Jetzt reicht es mir: »Okay, Samantha, wir gehen gleich nach der Stunde zum Schulleiter.«

Nach der Stunde behalte ich sie im Raum. Ich empfehle ihr dringend, sich dieses Verhalten sofort wieder abzugewöhnen, weil ich ihr sonst eine Anzeige wegen Verleumdung anhängen werde. Sie entschuldigt sich, ich werde wieder milde, wir verlassen beide zufrieden den Raum, und ich bin mir ziemlich sicher, dass Samantha und ich in Zukunft keine Probleme mehr miteinander haben werden.

Handelskammer, voll hammer

Heute bin ich mit meinem Rollkoffer zur Schule getrottet. Ich kam mir vor, als würde ich verreisen, aber der Koffer war nur voll mit den Bewerbungsunterlagen, die ich auf der Ausbildungsmesse mühsam zusammengesammelt hatte. In der Schule habe ich zwei fette Aktenordner damit gefüllt. Die habe ich dann in der Hausaufgabenstunde in meiner Klasse auf den Tisch gewuchtet. Ich wusste durch ein kurzes Gespräch auf dem Hof, dass zum Beispiel Mariella aus meiner Klasse noch keine Ahnung hat, was sie werden will.

Ich also hin zum schnatternden Mädchentisch, an dem sie sich gerade wieder über sehr schulferne Dinge austauschen. Den einen Leitz-Ordner knalle ich Mariella direkt vor die Nase: »Hier, guck mal, was du werden willst.« Den anderen gebe ich Elif. »Da ist was drin zu Medizinische Fachangestellte. Das musst du mal suchen.«

Und jetzt geht das herrliche Treiben los. Begeistert blättern sie durch die Broschüren von Rossmann, Netto und Ikea. »Hier, Ayla, hier is Bürokauffrau, für dich. Willst du doch werden.« Vorher hatte ich die zwanzig Hausaufgabenhefte verteilt, die ich auf der Messe eingesackt hatte. Alle wollten unbedingt eins haben, und die blöden Stundenpläne von irgendeinem Bleiftifthersteller standen auch hoch im Kurs.

Ronnie, der immer nur auf seinem Platz sitzt und mit Peter quatscht und noch niiie irgendwas in der Schule oder für die Schule getan hat: »Ich will auch eins!«

Und endlich hatte ich mal die Gelegenheit für eine kleine persönliche Rache: »Ronnie, du machst doch gar keine Hausaufgaben. Da brauchst du auch kein Hausaufgabenheft.« Die anderen füllten begeistert ihre neuen Stundenpläne aus. Willst du glückliche Schüler, dann gib ihnen Formulare und Listen.

Auch die Ausbildungsplatzsuche gestaltete sich positiv: »Frau Freitag, *abooo*, kann ich den Zettel mitnehmen?«

»Miriam, guck hier, dis Heft hier von Handelskammer is voll hamma, da steht alles drin.«

»Frau Freitag, woher haben Sie dieses Buch *Berufe aktuell*?«

»Na, das müsstet ihr eigentlich alle bekommen haben. In der Berufsorientierung.«

»Nein, haben wir nicht. Ich schwör, wenn ich dieses Buch hätte, *abooo,* hier steht sooo viel drin. Wo kriegt man das, Frau Freitag?«

»Im Berufsinformationszentrum. Da waren wir auch schon. Da fandet ihr es sooo schlimm. Erinnert ihr euch?«

Als es klingelt, gehen alle beschwingt in die Pause. Ausbildungsplatzsuche kann ja so einen Spaß machen! Sie fühlen sich schon, als hätten sie bereits mehrere Ausbildungsplätze, nur weil sie mal durch ein paar Prospekte geblättert haben. Eine Bewerbung hat noch keiner geschrieben.

Adden Sie mich auf Facebook

Wenn der Lehrer das Internet entdeckt, dann hat es die Jugend schon fast wieder verlassen. Da ich zu den modernen jungen Menschen unserer Zeit gehöre, bin ich total für soziale Netzwerke.

Seit Jahren bin ich bei Facebook und besuche fast täglich meine Seite, auf der so gut wie gar nichts passiert. Vorbei sind die schönen Anfangszeiten, als ich noch Nachrichten bekam. Eigentlich bräuchte ich gar nicht zu checken – es schreibt mir sowieso niemand. Und neue Freundschaftsanfragen erhalte ich auch recht selten. Allerdings versuchen seit Jahren immer wieder Schüler, sich mit mir auf Facebook anzukumpeln. »Hiie, Frau Freitag, ich bin's, Erdal, aus Ihrer Englischklasse.« Gerührt klicke ich immer auf – »ablehnen«.

In der Schule dann: »Frau Freitag, warum adden Sie mich nicht auf Facebook?« – »Erdal, ich kann nicht mit Schülern befreundet sein. Ich habe da meine Urlaubsfotos, und das ist dann doch etwas zu privat.«

Erdal: »Ah, Frau Freitag kifft.«

»Nein, darum geht es gar nicht. Aber Lehrer dürfen nicht mit Schülern befreundet sein.«

Aber eines langweiligen Abends habe ich mir dann ein Frau-Freitag-Facebook-Profil eingerichtet und meine Schüler gesucht. Stundenlang habe ich Freundschaftsanfragen verschickt und wurde herzlichst im Kinder-Facebook aufgenommen. Im Gegensatz zu den Schülern von Fräulein Krise trauen mir meine Schüler doch den Grad an Modernität zu, der zum Einrichten eines Profils dazugehört.

Und als ich endlich drin war – *Abooo*, ich muss schon sagen –, mein Leben hat sich verändert. Im Gegensatz zu meinem erwachsenen Facebook-Leben ist ja auf der Schülerseite geradezu die Hölle los. Da wird gechattet und geaddet, dass es einem nie langweilig wird. Da gibt es Kommunikation nonstop. Und alle sind voll freundlich zu mir: »Frau Freitag, darf ich Sie hier in Facebook duzen?« Meine Standardantwort: »Geduzt wird erst mit Schulabschluss.«

Das Allerschönste allerdings ist, dass sich niemand über meine schlechte Rechtschreibung aufregt. Die gehört einfach dazu.

Manchmal erinnere ich meine Schüler persönlich daran, dass sie die Englischarbeit nachschreiben müssen, erkundige mich aufopfernd und mitfühlend nach ihrer Genesung, wenn sie mal wieder nicht im Unterricht erschienen sind, oder ich vertrödele einfach Zeit, indem ich mit ihnen über sinnlosen Quatsch chatte.

Konflikte mit anderen Lehrern bekomme ich in ausführlichsten Berichten: »Und dann hat sie gesagt und dann hab ich gesagt, und dann hat sie gesagt ...« Ich habe immer aufmunternde Worte und bin mir auch nicht zu schade, die Schüler für alles Mögliche im Nachhinein zu loben. »Ayla, heute hast du super mitgemacht in Englisch! So muss das immer sein.«

Ich kann nur sagen, die Einrichtung dieser Überwachungsseite hat sich voll gelohnt. Man sieht, was die sich untereinander erzählen. Ich muss mich jetzt nicht mehr in der Pause an meine Schüler ranschleichen, um sie zu belauschen, sie liefern mir alles frei Haus – inklusive Urlaubsfotos aus Palästina und Kurdistan. Ich bin begeistert!

Wenn Fakten überfordern

»Frau Freitag, wissen Sie eigentlich, dass dieser Obama Muslim ist?«

»Ja, *vallah*, er heißt Hüssein mit zweite Name. Er ist voll einer von uns, aber auch schwarz und auch Präsident.« Emre und Abdul picken sich aus dem Weltgeschehen mal wieder nur die Details heraus, die sie interessieren. Machen wir ja alle. Wir sitzen zusammen an einem großen Gruppentisch. Das Gute, wenn man die Klassenlehrerin einer professionellen Schwänzertruppe sein darf: Manchmal erscheinen nur so wenige Schüler, dass man bequem um einen Tisch herum sitzen kann.

Keiner von uns hat Lust auf Unterricht. Also pflegen wir mal wieder die Beziehungsebene.

»Frau Freitag, haben Sie gehört, dass es jetzt so einen Facebook-Film gibt?«, fragt Funda.

»Ja, is über so einen Mann, der voll viel Geld mit Facebook verdient hat«, ergänzt Asmaa.

»Ja, habe ich von gehört. Der Mann hat nicht damit Geld verdient, also schon, aber der Film ist *über* den Mann, der sich

Facebook ausgedacht hat.« Ich verstehe manchmal nicht, wie meine Schüler immer nur die Hälfte von den Nachrichten mitbekommen können und diese Hälfte dann auch noch falsch wiedergeben. Aber um ihre Wissenslücken zu schließen, bin ich ja Lehrerin geworden. Also berichte ich von weiteren unbekannten Details: »Mark Zuckerberg. So heißt der Erfinder von Facebook. Zuckerberg. Ein Jude.« Stille. Verwunderung. Ein Jude?!

»Ein Jude?«, fragt Abdul stellvertretend für seine verwirrten Mitschüler.

»Na, sagen wir, ein Amerikaner. Aber ja, ich glaube, der ist jüdisch. Zuckerberg…«

In Abduls Gesicht erkenne ich, dass sein Hirn auf Hochtouren läuft. Vernetzungen und Verknüpfungen werden hergestellt, die vorher noch nicht da waren. Facebook. Amerika. Jude. Facebook. Plötzlich trifft ihn ein Geistesblitz: »Ah, darum ist Facebook auch blau-weiß. Wie Judenfahne.«

»Du meinst, die israelische Flagge. Und, na ja, ich weiß nicht, ob das nicht Zufall ist. Das Blau ist ja auch viel dunkler.«

Elif scheint mit ihren Verknüpfungen noch nicht klarzukommen: »Frau Freitag, is der echt Jude?«

Auch Abdul ist wieder in Überlegungen versunken. »Na Abdul, was denkst du jetzt?« Abdul ist nicht gerade der größte semitophile Schüler meiner Klasse. Seine Familie kommt aus dem Libanon, und alle sind stolze Palästinenser. »Meldest du dich jetzt ab bei Facebook? Geh doch zum palästinensischen Facebook.« Abdul hört mir gar nicht richtig zu. Alle sind von dieser Neuigkeit geschockt. Jeder wiegt für sich im Kopf ab: »Facebook – super. Jude – nicht super. Kein Facebook – auch nicht super.«

Irgendwann beginne ich in die entsetzte Stille hinein doch noch mit dem Unterricht. Ich bin mir sicher, dass meine Schüler auch dieses Dilemma ganz pragmatisch lösen werden. Ihr Ansatz ist ja: »Darf ich nicht, will ich aber, mach ich also trotzdem, nur heimlich, und dann geht das schon.« So handhaben sie alles, was ihnen ihre Religion, Kultur oder die soziale Kontrolle verbietet: Alkohol, Schminken, Fluchen während Ramadan, Rauchen, Respektlosigkeit gegenüber Älteren und so weiter. Es funktioniert ganz gut.

Haben Sie auch Deutschfeindlichkeit?

Wir befinden uns medial mitten in einer Deutschenfeindlichkeitsdebatte. Im Fernsehen wird darüber diskutiert, ob Kinder ohne Migrationshintergrund von Kindern mit Migrationshintergrund diskriminiert werden. Da frage ich mich natürlich: Wie sieht es denn bei Frau Freitag und ihrer Klasse damit aus? Ist meine Klasse deutschenfeindlich?

Also, ich bin deutsch – das gebe ich hier mal offen zu. Auch, wenn die Schüler das gerne hätten und oft vermuten, kann ich keinen nennenswerten Migrationshintergrund aufweisen. Wenn die Schüler einen Lehrer oder eine Lehrerin mögen, dann wäre es das Größte für sie, wenn man auch »einer von ihnen« wäre. Sind die Schüler mir gegenüber feindlich, weil ich deutsch bin? Sagen sie Sachen wie: »Sie deutsche Schlampe«?

Nein! Habe ich noch nie gehört. Noch nie habe ich im Lehrerzimmer gehört, dass eine Kollegin oder ein Kollege von einem Schüler beleidigt wurde, weil er oder sie deutsch ist.

Unsere Schüler sind sehr distanzlos. Im Positiven (»Ich hab Sie lieb«) wie im Negativen (»Ich hab Sie nicht lieb«). Wenn sie sich über mich oder einen anderen Lehrer ärgern, dann nehmen sie kein Blatt vor den Mund. Und ja, manchmal schießen sie übers Ziel hinaus. Sie werden beleidigend, aber das hat dann nichts mit der Staatsangehörigkeit zu tun. Jede Beleidigung wird von uns geahndet und pädagogisch bearbeitet.

Kurzum, was die Familienministerin sagt, habe ich so nicht erlebt. Und die Schüler untereinander? Vorweg muss eigentlich geklärt werden, was denn überhaupt deutsch ist. Abdul, Emre, Samira, Funda, Elif und die meisten anderen haben einen deutschen Pass. Und für mich sind alle Schüler meiner Klasse deutsch, sie leben schließlich hier. Aber machen wir hier ruhig mal die Unterscheidung zwischen solchen und solchen. Ich würde aber lieber sagen: Schülern mit und Schülern ohne Migrationshintergrund. Das trifft die Sache eher. In meiner Klasse haben Christine, Ronnie, Peter und Sven einen Schonimmerhiergewesen-Hintergrund. Werden sie von den anderen deshalb abgelehnt? Auf keinen Fall. Wie denn auch? Alle vier sind doch ganz unterschiedliche Menschen.

Peter ist recht schüchtern und versucht, nicht weiter aufzufallen. Er hatte noch nie Stress mit einem anderen Schüler. Sven ist gut in Mathe und hilft seinen Mitschülern gerne bei den Hausaufgaben. Ronnie ist stressig und eckt deshalb schon öfter mal an. Weil er deutsch ist? Nein, weil er stresst.

Na, Frau Freitag, das klingt ja, als hätten Sie an Ihrer Schule und in Ihrer Klasse eine schöne heile Welt und als sei Ihnen die ganze Debatte, die da im Fernsehen rauf- und runtergenudelt wird, völlig fremd. Leider kann ich dem aber auch nicht aus vollem Herzen zustimmen. Wenn ich über den Hof gehe, dann fallen mir natürlich die verschiedenen Schülergruppen auf. Klar sind da einzelne »türkische«, »arabische« und »deutsche« Schüler miteinander befreundet, aber es gibt auch einige Gruppen, die ganz »unter sich« bleiben. Woran das liegt? Keine Ahnung.

Vielleicht sind die Lebenswelten außerhalb der Schule zu unterschiedlich. Obwohl ... eigentlich sind sie das gar nicht.

Sie haben doch zum Beispiel alle einen ganz ähnlichen sozio-
ökonomischen Hintergrund.

Ich glaube einfach, dass es zu viele Schüler von »der einen
Gruppe« – also mit Migrationserfahrung – gibt. Das tut der
Integration nicht besonders gut. Die Mehrheit unserer Schüler
ist muslimisch und muss sich überhaupt nicht mit irgendeiner
anderen Lebensweise oder Kultur auseinandersetzen, wenn sie
nicht will. Wäre die Quote fifty-fifty, wäre das sicher anders.

Ich will gar nicht sagen, dass es für »deutsche« Schüler an
unseren Schulen mitunter nicht auch sehr anstrengend sein
kann, weil man ja permanent zu einer Minderheit gehört,
aber was ist mit Schülern wie Salma – Mutter deutsch, Vater
Pakistani, beste Freundinnen: Christine, Funda (Mutter Rus-
sin, Vater Türke) und Elif (deutscher Pass, Eltern Türken)?
Wie passen die in unsere kuscheligen Vorurteile?

Wenn wir in meiner Klasse über DEUTSCHSEIN und
DEUTSCHE sprechen, dann haben meine Schüler genauso
viele Klischees im Kopf wie die Gäste in den Talkshows, wenn
es um Muslime geht. Ich würde mir einfach wünschen, wir
würden diese Debatte etwas entspannter führen, denn man tut
den einzelnen Schülern keinen Gefallen, wenn man sie immer
in irgendwelche Schubladen schmeißt, in die sie eigentlich gar
nicht gehören.

Ich hoffe, dass ich in spätestens zwanzig Jahren den Kindern
von Abdul, Samira, Christine und Ronnie im Unterricht sagen
kann: »Und dann gab es mal so was, das nannte sich Deut-
schenfeindlichkeit.« Und die Schüler gucken mich ungläubig
an: »Äh, was soll denn das gewesen sein? Waren denn damals
nicht alle Deutsche so wie heute?«

In der Pause stürzt sich Samira in meine Arme und verspricht
mir, in ihrer neuen Klasse gut mitzuarbeiten. Ich habe ihr das

Buch *Arabboy* geliehen. Vorher hatte es Elif. Disko-Islam Elif, die immer alles »voll schön« findet. »Heidepark war voooll schön!« – »Frühstücken, Frau Freitag, war voll schön.« – »Wir waren in den Ferien Türkei, voll schön.« Dann gab sie mir das Buch über diesen brutalen, kriminellen, vergewaltigenden Typen zurück mit den Worten: »Frau Freitag, das Buch ... voll schön.«

»Aber Elif, der Typ ist doch schrecklich.«

In der Hoffnung auf eine etwas differenziertere Meinung, lieh ich das Buch Samira.

»Samira, bitte lies das mal, und dann sag mir, dass nicht alle arabischen Jungs so bescheuert sind wie der und dass nicht alle Araber so schlecht von uns Deutschen denken!«

Ihr Kommentar zu den ersten Seiten: »Na ja, stimmt so halb. Aber nicht alle dürfen nicht raus. Ich darf nach der Schule immer raus.«

»Wahrscheinlich, weil du so stressig bist. Die lieben Mädchen, die immer ruhig sind und mithelfen, die müssen drinbleiben. Aber so Nervtöter wie du, da ist man froh, wenn die rausgehen.« Sie grinst und nickt. Wieder mit einem Vorurteil aufgeräumt.

»Und diese schlechte Meinung über die Deutschen. Gibt's die wirklich?«

»Vielleicht. Aber bestimmt nicht hier bei uns in Deutschland.«

Hol dir was auf die Hand

Ich komme gerade vom Sport mit meiner anderen Lehrerfreundin Frau Dienstag. Hungrig wie ein Bär, nutze ich die modernen Medien – ich habe ja seit diesem Sommer auch ein

Handy – und rufe den Freund an. Ich will ihn fragen, ob er schon für meine Verpflegung gesorgt hat. Hatte er versprochen, da die Schule ja wieder angefangen hat und ich wieder »*hardest working woman in show business*« bin, wie er immer sagt. Er sagt, er wolle gerade einkaufen gehen und wir könnten uns unten treffen.

Ich warte vor dem Laden – dem teuren – und warte und warte, und er kommt nicht, dann denke ich, na, ich kann ja schon mal anfangen mit dem Einkaufen. Es soll einen griechischen Salat geben – Scheiße, ich habe solchen Hunger –, jedenfalls kaufe ich alles ein und stelle mich dann wieder vor den Laden, um ihn abzufangen. Er kommt nicht, ich warte, er kommt nicht. Die Tüten und die Sporttasche sind schwer. Trotzdem kommt er nicht. Ich rufe ihn mit meinem Handy zu Hause an – vielleicht ist er noch gar nicht losgegangen. Auf seinem Handy kann ich nicht anrufen, er hat keins.

Aber dann kommt SIE mit IHM aus dem Laden. SIE: langer Mantel in so Naturfarbe, lange, stressig aussehende rote Locken. Zerbrechlich, hypersensibel, zart – so wirkt sie. In der Hand hat sie irgendein Essen, zum Mitnehmen. In einer Plastikschale mit Alufolie drüber.

Also SIE sieht nicht nach *easy going* aus.

ER: schlumpfige Jacke, praktisch, so gegen Kälte, die Haare halblang, leicht ergraut. Die sind beide Anfang vierzig, würde ich sagen. Sie kommen also zusammen aus dem Laden, und plötzlich knallt sie ihr Essen auf den Boden, alles spritzt durch die Gegend, und dann fängt sie an zu schreien: »DU HAST GESAGT, ICH SOLL MIR WAS AUF DIE HAND HOLEN, UND DANN HABE ICH DAS GEMACHT, UND JETZT KANN ICH DAS NICHT ESSEN!«

Auf die Hand – wie ich diesen Ausdruck hasse … man hält doch nicht die Hand hin und bekommt sein Essen drauf. Egal.

Jedenfalls ist IHM das wohl sehr peinlich, und er nuschelt was zu ihr rüber.

SIE daraufhin, noch lauter: »WAS HEISST HIER, ICH SOLL MICH NICHT SO AUFFÜHREN. DU WEISST GANZ GENAU, DASS ICH NICHT IM GEHEN ESSEN KANN … ICH KOMME EXTRA MIT DEM TAXI. DU HAST GESAGT: HOL DIR WAS AUF DIE HAND, UND DANN HAST DU MICH DORT ALLEIN GELASSEN. WIE KONNTEST DU MICH DA ALLEIN LASSEN? DU HAST DOCH GESAGT: HOL DIR WAS AUF DIE HAND. DU WEISST GENAU, DASS ICH IN DEM RESTAURANT NICHT ESSEN KANN, DAS HABE ICH LETZTES MAL ALLES ERBROCHEN.«

Er weicht einige Schritte zurück. Ich bleib dran. Tue so, als wartete ich auf jemanden. Ich versichere mir innerlich, dass ich meinen Freund nicht anmache, dass er sich verspätet hat. Liebesschwüre werde ich ihm zur Begrüßung entgegensäuseln.

SIE schreit immer noch rum. Und ER? ER reagiert gar nicht.

SIE: »JETZT SAG DOCH MAL WAS! NIE REAGIERST DU, DAS IST SO TYPISCH. DU HAST GESAGT, DANN HOL DIR WAS AUF DIE HAND …«

So ganz verstehe ich eigentlich nicht, warum sie so sauer ist. Aber jetzt wird sie richtig sauer: »DANN FAHRE ICH EBEN INS HOTEL ZURÜCK! DANN NEHME ICH MIR JETZT EIN TAXI!«

Er reagiert irgendwie immer noch nicht. Ist vielleicht Nicht-Reagieren auch eine Reaktion?

Plötzlich dackelt sie ab. Ich setze mich auch in Bewegung, damit ich mit ihr zusammen an der Ampel stehen kann. Ich habe das dringende Bedürfnis, sie zu fragen, warum sie ihr Essen weggeschmissen hat, was es war, was sie jetzt essen wird und vielleicht sogar, warum sie so sauer ist. Aber sie weint vor Wut, und ich schleppe mich nach Hause.

Dann kommt der Freund in die Wohnung. Der soll mir was Essbares machen. Wir haben übrigens alles doppelt, weil er in einem anderen Laden war, nun ja, lieber doppelt als nichts oder irgendwas AUF DIE HAND.

Können wir den nicht auf Deutsch gucken?

Erste Englischstunde nach den Herbstferien. Ich zeige einen Film. Ronnie: »Dreckskacke, ich verstehe gar nichts. Können wir den nicht auf Deutsch gucken?«

Didaktisch auf der Höhe der Zeit, lasse ich mich nicht erweichen und zeige den Film gnadenlos auf Englisch, mit englischen Untertiteln. Effekt: Drei Schüler scheinen einzelne Wörter zu verstehen, ein paar andere fangen an zu quatschen, und der Rest liegt mit dem Kopf auf dem Tisch und wacht immer nur kurz auf, wenn ich beziehungsweise Marcella einzelne Szenen auf Deutsch nacherzählen. Aber irgendwie wirken sie doch ganz interessiert. Gegen Ende der Stunde sind sie voll drin. Es entspinnt sich eine herrliche Diskussion, wie der Film über die sechzehnjährige Juno, die mehr oder weniger aus Langeweile schwanger wird und recht pragmatisch neue Eltern für ihr ungeborenes Baby sucht, wohl weitergehen wird (leider auf Deutsch, aber egal, immerhin diskutieren wir). Das Ende können wir nämlich erst in der nächsten Stunde gucken.

Bilal über die coole, grungige Hauptdarstellerin: »Sie ist irgendwie komisch.«

»Was meinst du?«

»Na, sie passt gar nicht zu uns. Sie ist voll nicht wie wir.«
Lernziel: Toleranz – durch die Auseinandersetzung mit ande-

ren Lebensweisen – mal wieder durch Irritation erreicht. Und gleich am Anfang des Films gab es Sex. Fundas Aufschrei »Ih, die Schweine« wurde von mir durch ein schnelles »Das haben deine Eltern auch gemacht, sonst wärst du jetzt nicht hier« gestoppt.

Ein paar Tage später schauen wir den zweiten Teil des Films. Weil ich mich noch so gut daran erinnere, wie ich es gehasst habe, wenn meine Lehrer einen Film unterbrochen haben, um ihre langweiligen Verständnisfragen loszuwerden, habe ich die ganze Stunde nur den Beamer arbeiten lassen. Kein Wunder, dass es eine ruhige Stunde war. Aber diesmal zumindest mit deutschen Untertiteln. Sollen die Schüler doch wenigstens Deutsch in meinem Englischunterricht lernen. Englisch haben sie ja schon die letzten drei Jahre nicht kapiert. Ohne die verständlichen Untertitel wären sie mir heute sonst alle abgekackt. Die nervtötende Marcella hat nämlich die erste halbe Stunde gefehlt, und somit hatten wir niemanden mehr, der uns zwischendurch alles erklärt. Wenn ich das immer mache, dann wird das Ganze doch sehr lehrerzentriert. Hausaufgabe bis nächste Stunde: eine Seite schreiben, wie der Film ausgehen könnte. Ich bin sehr gespannt.

Schantalle nervt

Schantalle! Vor den Herbstferien hatte ich mir ja erlaubt, in ihrem Kurs einen kleinen Test schreiben zu lassen. Außerdem hatte ich alle Schüler fotografiert, weil ich sie Selbstporträts zeichnen lassen wollte.

Wer das schon mal versucht hat, weiß, dass sich Schüler nicht gerne ohne Vorwarnung fotografieren lassen. Vor allem die Mädchen nicht, weil »Gerade heute sehe ich so scheiße aus!« und »Ich habe mir nicht die Haare gemacht, können wir das nicht nächste Stunde machen« oder »Ich habe den Überpickel am Kinn, niemaaals lasse ich heute Foto machen«.

Beliebt bei Referendaren: Erst mal Fotos von den neuen Lerngruppen machen, damit man dann zu Hause die Namen auswendig lernen kann. Das geht normalerweise ziemlich in die Hose, da sich die Schüler ja nicht ablichten lassen wollen.

Ich also, voll schlau, habe einfach ganz leise und unauffällig jeden Schüler kurz vor die Tür gebeten und ihn dort schnell fotografiert. Ging super.

Bis Schantalle an der Reihe war: »Ach nein, nö, bitte … nicht heute …« Als Einzige hat sie sich geweigert. Ausgerechnet Schantalle, typisch. »Ich bringe Ihnen ein Foto von mir mit. Versprochen!«

»Dann muss ich das aber einscannen und bearbeiten, und ich habe keinen Scanner. Du musst also einen Ausdruck auf DIN A4 mitbringen«, drohe ich ihr an.

»Okay.«

Schon während sie das sagte, wusste ich, dass sie das Foto vergessen würde. Und siehe da, in der folgenden Stunde verteile ich die Porträts und sage zu Schantalle, die leicht angegriffen aussieht: »Du hast ja dein eigenes Bild mitgebracht, das kannst du jetzt rausholen.« Und klar: Sie hatte keins dabei!

»Tja, dann kannst du jetzt wohl nicht mitarbeiten.« Triumph der Macht! »Es sei denn, jemand gibt dir ein Bild von sich ab.« Ich hatte mehrere Versionen der Porträts ausgedruckt. Widerwillig musste Schantalle das Bild vom recht unbeliebten und nicht gerade gutaussehenden Oliver abzeichnen. Ha!

Und am Montag wurde ich gleich mit »Haben Sie unsere Tests mit?« von ihr begrüßt.

»Ja, habe ich, die bekommt ihr am Ende der Stunde.« Niemals sollte man Tests oder Arbeiten am Anfang ausgeben! Es kann sonst zu stundenlangen Diskussionen über die Punkteverteilung und die Noten kommen.

Irgendwann musste ich die Tests dann aber doch rausrücken. Widerwillig überreichte ich ihr die Arbeit. Ich habe mich wirklich bemüht, so streng und pingelig wie möglich zu zensieren. War nichts zu machen. Schantalle hatte eine glatte EINS. Sie ist tatsächlich unterfordert! Und zeichnen kann sie auch ziemlich gut. Aber Farbe liegt ihr nicht so, hat sie gesagt. Nächste Stunde wird gemalt.

Lahmacun, Börek und Red Bull

Ich bin platt. Als ich eben die Schule verlassen habe, war es schon dunkel! Das geht doch nicht! Da finde ich doch gar nicht mehr zum Tennisplatz. Ich dachte immer, Lehrer haben nachmittags frei.

Ich wurde mal wieder an meine Grenzen gebracht. 7. Klasse. Sie kommen rein – nein, sie stürzen rein, rennen, schreien, schmeißen sich auf die Tische, verrücken die Tische in schiefe Anordnungen, sie hauen sich, kreischen, machen Geräusche, die Luft wird dünn. Ich gucke mir das an und denke: Warum machen die so? Macht nicht so! Seid ruhig! Seid lieb! Bewegt euch nicht so viel! Das ist mir hier alles zu wuselig, zu hektisch. Die sollen sich hinsetzen.

»Hinsetzen, bitte«, sage ich. Mist, wo ist der Sitzplan? Ich suche, aber er bleibt verschwunden. Nervosität! Wenn ich den nicht finde, dann weiß ich gar nicht mehr, wie die vor den Ferien gesessen haben. Scheiße, verdammt.

Aber dann gehen sie irgendwie von selbst auf die Plätze, auf die ich sie gesetzt hatte. Ohne Murren. Ich lasse sofort einen

Sitzplan aufzeichnen. Murat soll das machen, dann stresst der mich wenigstens in den nächsten vier Minuten nicht. Es klingelt zur Stunde.

Ich möchte, dass alle ihre Sachen für den Englischunterricht auf den Tisch legen. Zu Stundenbeginn haben das nur vier Schüler getan. Innerlich rege ich mich schon darüber auf, sage aber: »Toll, Vanessa hat ihre Sachen schon draußen, Cindy auch und Tarkan ebenfalls.« Die Kleinen wittern leicht verdientes Lob und holen sofort ihr Zeug raus. »Ich hab auch!« – »Ich auch, gucken Sie!« Und in Nullkommanix können wir anfangen.

Thema: *food and drinks* – ein sehr dankbares Thema. Wir beginnen mit einem Spiel.

»*I tell you a word and you have to say a word that is related to my word.*«

Schüler: »??? Sagen Sie auf Deutsch!«

Nachdem wir die Regeln dieses Spiels geklärt haben und nachdem ich mal wieder froh bin, denen nicht Skat beibringen zu müssen, fangen wir an.

»*I say spaghetti.*«

Einige Schüler melden sich sofort.

»Ja, Murat.«

»Döner!«

»*No*, erstens ist Döner kein englisches Wort, und zweitens hat das nichts mit Spaghetti zu tun. Noch mal: *I say spaghetti. Yes, Vanessa.*« – »*Tomato soup.*« Tomatensuppe hat zwar auch nicht so viel mit Spaghetti zu tun, aber wegen der Tomaten lasse ich es gelten. Tarkan: »*Cheese*!« Dann kommt nur noch »Lahmacun«, »Börek« und »Red Bull«, gepaart mit einem erheblichen Motivationsabfall.

Ich baue spontan einen Phasenwechsel ein. Wahrscheinlich fetzt das Spiel nicht, weil dabei niemand gewinnen kann. Also

mehr Wettbewerb. »*I need three girls and three boys up here.*«
Alle wollen nach vorne. Ich nehme die Nervtöter, denn dann
habe ich sie in meiner Nähe.

»*Okay, tell me a food or drink word with e.*« – »*Ice cream!*«

»E – i gesprochen, wir sind im Englischunterricht! Schon
vergessen?«

Mädchengruppe: »Mit i (e) gibt es kein Wort.« Irgendwann
finden wir dann noch *egg*. Nach einigem mehr oder weniger
spannenden Hin und Her haben die Mädchen knapp gewonnen. Nun wird es höchste Zeit für ruhige Einzelarbeit. Um das
zu merken, muss man nicht mal studiert haben. *Food alphabet.*
Um den Einstieg in diese Phase zu erleichtern, habe ich ihnen
ein Blatt mit dem Alphabet drauf kopiert und lasse es verteilen.

»Wie wird *cucumber* geschrieben, wie schreibt man *apple*, es
gibt nichts mit b. Wie schreibt man Ananas, Frau Freitag?«

»Ich bin kein Wörterbuch, guckt im *dictionary* nach!«

Letzte Phase – Sicherung an der Tafel. Ein Riesenspaß!
»Schreibt bitte die Wörter mit, ich habe schon gesehen, dass
ihr viele Fehler gemacht habt. Also: *Which words did you find
with a?*«

»Ananas!«

»Ananas heißt aber *pineapple*«, korrigiere ich und schreibe
es bei p hin. Sofort ein Aufschrei von einem Schüler hinten:
»Aber da habe ich *potato*!«

»Wir sammeln ja auch möglichst viele Wörter.«

Nachdem ich dreimal gesagt habe, dass sie mitschreiben sollen, und es bei niemandem angekommen ist, schreibe ich die
ganze Tafel mit Essen und Trinken voll, setze ich mich hin und
zische: »Ich sammle die Blätter in zwei Minuten ein, und da
müssen mindestens die Wörter von der Tafel draufstehen. Und
das zensiere ich, und das wird eure Mitarbeitsnote für diese

Stunde.« Ruhe, ein paar *abos*, *tschüchs* und *ohas*, und dann klingelt es endlich.

Trübe Zukunftsaussichten?

»Hat sich eigentlich schon jemand von euch irgendwo beworben?«

Stille.

Dann gezielte Anfrage an Elif: »Elif, was willst du werden?«

»Beim Arzt.«

»Gut, und warum hast du noch keine Bewerbung abgeschickt?«

»Wer nimmt denn mit Kopftuch, Frau Freitag?«

»Na, vielleicht ein türkischer oder arabischer Arzt.«

»*Abooo*, bei türkischer Arzt, wissen Sie, was da immer los ist? Da kommen immer sooo viele Leute.« Kann ich mir vorstellen, wenn ich mir alleine die gesammelten Krankschreibungen meiner Schüler ansehe.

»Elif, warum bewirbst du dich nicht? Du musst dich mal ranhalten.«

»Aber ich weiß doch gar nicht, ob ich Realschulabschluss schaffe.«

»Na, willst du denn warten, bis du den Realschulabschluss n-i-c-h-t geschafft hast und dich erst dann bewerben? Dann gibt es nichts mehr. Ihr müsst das j-e-t-z-t machen.«

Ich gehe durch den Raum. Da war doch noch ein Schüler mit einem Berufswunsch – wer war das noch gleich? Ach ja, Mustafa, der wollte Mechatroniker werden.

»Mustafa, was ist mit dir – schon Bewerbungen geschrieben?«

Mustafa liegt mit dem Kopf auf dem Tisch. So wie eigentlich in jeder meiner Stunden. Ich vermute Nachtarbeit. Wenn der nachts schläft und tagsüber trotzdem so müde ist, dann muss es was Medizinisches sein. »*Janeee*, Frau Freitag…«

»Was JANEE? Ja oder nein?«

»*Üfff*, Frau Freitag.« Mit letzter Kraft dreht er den Kopf auf die andere Seite und schließt wieder die Augen. Ich traue mich nicht weiterzufragen. Es kommen nur noch Seufzer.

Miriam kommt gerade rein, sie war bei der schulinternen Berufsberatung. »Miriam, und wie sieht es aus?«

»Wie?«

»Na, worüber habt ihr geredet? Wo willst du dich bewerben? Was hast du Herrn Mahrold erzählt, was sind deine Berufsvorstellungen?«

»Na, ich will Apothekerin.«

»Miriam, dazu brauchst du ein Studium. Du machst ja nicht mal den Realschulabschluss.«

»*Janeee*, Apothekenhelferin.«

»Und?«

»Nichts und.«

Zufrieden sitzt sie da. Anscheinend reicht es, dem Berufsberater zu sagen, was man werden möchte. Zugegeben, damit liegt Miriam schon ganz weit vorn, denn die meisten in meiner Klasse haben noch gar keinen Zukunftsplan.

»Miriam, hast du dich denn schon irgendwo beworben?«

»Nein, wieso?«

»Wieso??? Na, denkst du, das reicht zu sagen, was du werden willst? Meinst du, Herr Mahrold schreibt jetzt deine Bewerbungen?« Miriam verdreht nur die Augen, holt ihren Spiegel raus und zieht sich den Lidstrich nach.

»Was ist mit dir, Ayla, hast du dich schon beworben?«

»Nein.«

»Warum nicht?«

»Weil ich noch gar nicht weiß, was ich werden will.«

Ich plädiere dafür, die Schulzeit auf reguläre sechzehn Jahre auszudehnen. Die Schüler hätten nichts dagegen. Ach, lassen wir sie doch gleich so lange in der Schule, bis sie selbst Kinder bekommen. Sie könnten auch mit ihren eigenen Kindern in einer Klasse sitzen. Disziplinierend auf sie einwirken und so. Ob die nun von einer Maßnahme in die nächste wandern oder jahrelang kuschelig bei Frau Freitag in der Klasse sitzen und alle paar Wochen fragen »Gehen wir Klassenfahrt?«, ist doch eigentlich egal.

Das Leben meiner Schüler in dieser heimeligen, eskapistischen Parallelwelt, in der es fürs Schwänzen keine Sanktionen gibt, in der gruselige Dinge wie Bewerbungsschreiben und die Anmeldung zur Realschulprüfung nicht vorkommen, beschäftigt mich sehr. Wenn ich darüber spreche, bekomme ich schlechte Laune und ein schlechtes Gewissen und frage mich: Warum fühle ich mich dafür so verantwortlich?

Ist das mein Job? Bin ich denn für das weitere Leben und die Zukunftsplanung meiner Schüler verantwortlich? Sollten das nicht die Eltern sein? Was denken die sich eigentlich? Sprechen die mit ihren Kindern über deren Berufswünsche? Das muss ich die Schüler unbedingt am Montag fragen, und beim Elternsprechtag werde ich die Eltern auch noch persönlich dazu interviewen.

Was ist das für ein komischer Beruf, die Verantwortung für 28 Teenager und ihr Leben zu haben? Wie fühlen sich denn Menschen in anderen Berufen? Fühlen sich die Leute im Jobcenter auch so verantwortlich, wenn sie jemanden in eine Maßnahme schicken und der da nicht ankommt? Ärgern sich Ärzte darüber, wenn der Patient mit chronischem Lungenleiden nicht mit dem Rauchen aufhört? Kann der Finanzminister nachts nicht schlafen, weil Deutschland so viele Schulden macht? Hilft Supervision?

Ich verstehe schon, warum ich mich so fühle, so verantwortlich. Wenn ich diese Verantwortung nicht übernehmen würde, könnte ich gar keine Klassenlehrerin sein. Jedenfalls nicht an unserer Schule. Wenn mir deren Zukunft egal wäre, wer würde sich denn dann überhaupt noch um die Schüler kümmern? Sie selbst übernehmen ja keine Verantwortung – oder täten sie das, wenn ich mich zurückziehen würde? Kann ich ja mal ausprobieren. Aber ich weiß jetzt schon, dass ich das nicht schaffen werde. Es regt mich einfach zu sehr auf, wenn ich sehe, wie sie eine letzte Chance nach der nächsten verstreichen lassen.

Ich könnte natürlich sagen: Mein Job ist es, ihnen mitzuteilen, was sie wann wie machen müssen, und dann ist gut. Wenn sie das nicht tun … Pech. Aber ist das nicht zynisch und gemein? Geht das allen Lehrern so? Ich weiß, dass es bei uns an der Schule auch den Ich-grenze-das-alles-von-mir-ab-Typus gibt. Die haben dann aber meistens keine eigene Klasse und ein recht ruhiges Leben. Vielleicht ist das die Lösung. Erscheint mir aber tendenziell langweilig.

So frustriert, wie ich zurzeit von dem nicht existierenden Engagement meiner Klasse bin, so sicher bin ich mir trotzdem, dass sie ihren Weg irgendwie machen werden. Über viele Maßnahmen-Umwege werden sie irgendwann irgendwo landen und irgendwas machen. Viele von ihnen werden bestimmt sogar einer geregelten Arbeit nachgehen. Wenn ich nur die Möglichkeit hätte, mal einen Blick auf ihr Leben in zehn Jahren zu werfen, dann würde ich mich jetzt vielleicht nicht so aufregen. Vielleicht wird man auch entspannter, wenn man schon zig Klassen gehabt hat und im Laufe der Jahre erleben konnte, wie die dann doch alle noch die Kurve gekriegt haben. Na ja, wahrscheinlich nicht alle, aber doch viele.

Vielleicht sehe ich alles einfach zu schwarz. Morgen komme ich bestimmt in die Schule, und alle meine Schüler erzählen mir freudig, dass sie sich am Wochenende auf mehrere Ausbildungsplätze beworben haben. Und wenn nicht, dann ist das auch nicht so schlimm, denn irgendwo müssen diese Millionen von Arbeitslosen ja herkommen.

Stellen wir uns mal vor, wir hätten gerade Vollbeschäftigung, und meine Schüler müssten sich gar nicht bewerben. Die Ausbilder würden zu uns in die Schule kommen und mit Geschenken um unsere Schüler buhlen. Keiner müsste einen Lebenslauf schreiben, man bekäme den Ausbildungsvertrag gleich vor Ort auf dem Hof in der großen Pause. Wie stünde ich denn dann da?

»Sehen Sie, Frau Freitag, das stimmt alles nicht, was Sie immer sagen. Gucken Sie, ich habe gleich zwei Plätze als Mechatroniker bekommen, und sogar Mehmet hat ein Angebot von Lufthansa, er kann da Pilot oder Stewardess machen. Und zwei Kulis, und diese Ballons gab es auch noch. Gucken Sie!«

Schlimm wäre das. Unglaubwürdig würde ich wirken. Die Schüler würden mir gar nichts mehr glauben. »Pah, *think* soll ein unregelmäßiges Verb sein? Wahrscheinlich lügt sie wieder.« Nein, nein, also Vollbeschäftigung – ohne mich.

Ich freue mich sehr auf die kommende Woche. Denn meine Klasse hat mal wieder die Chance, mich zu verblüffen. Am Freitag sollen sie die Anmeldung für ihre Realschulprüfung abgeben. Wenn sie das bis Freitag nicht machen, können sie nicht an den Prüfungen teilnehmen, und vor allem können sie dann bei Nichtbestehen nicht automatisch das 10. Schuljahr wiederholen. Okay, wenn die Lehrer zustimmen, darf auch jemand, der nicht durch die Prüfung gefallen ist oder sogar nicht einmal teilgenommen hat, das Jahr wiederholen. Aber das muss abgestimmt werden, und ich werde bei keinem meiner Schüler dafür stimmen. Bis Freitag heißt bis Freitag! Ich werde nur ihren eigenen Tod als Entschuldigung gelten lassen, obwohl, da könnten ja auch immer noch die Eltern die Anmeldung vorbeibringen.

Das Wiederholen der 10. Klasse ist bei uns schwer in Mode gekommen, da es so bequem ist. Man muss sich um nichts kümmern und darf noch ein Jahr kuschelig in der Schule sitzen, und Kindergeld gibt es auch noch weitere zwölf Monate.

Am Freitag werde ich sehen, ob meiner Klasse ein qualifizierter Schulabschluss genauso wichtig ist wie der Besuch im Heidepark Soltau. Eigentlich sollte man doch meinen, dass bessere Berufschancen einen Dreifachlooping und eine Holzachterbahn schlagen würden, aber ich bin mir da bei meinen Schülern gar nicht so sicher.

Am Ende des letzten Schuljahres – ich erinnere mich, als sei es gestern gewesen – haben meine Schüler mich echt überrascht, als sie von einem Tag auf den anderen 40 Euro für unseren Vergnügungsparkausflug und einen unterschriebenen Elternbrief mitbrachten.

Ich hab's, wir machen die Realschulprüfung im Heidepark! Zwischen den schriftlichen Arbeiten ist jeweils eine Stunde Zeit, mit der Achterbahn zu fahren, und vor der Mündlichen entspannen sich die lieben Kleinen bei einer Runde *Scream*. Wenn das nicht schülerrelevanter Lebensweltbezug ist, dann weiß ich auch nicht weiter.

Wer noch was lernen möchte, kommt bitte zu mir

»Frau Freitag, deine Klasse …« Frau Hinrich rennt mir auf dem Flur hinterher. »Die haben wieder nicht die …«

»Ach, lass mich mit denen in Ruhe.«

Ich bin in letzter Zeit echt nicht gut auf meine Klasse zu sprechen. Nicht nur, weil ich schon jetzt sauer darüber bin, wie viele Schüler am Freitag ihre Anmeldung für die Prüfung NICHT abgeben werden – dabei ist erst Montag. Nicht nur, weil sie sich nicht um einen Ausbildungsplatz bewerben und dauernd krank sind, nein, auch ihre unendliche Faulheit geht mir gegen den Strich.

Heute wollte ich ihnen ein besonderes Bonbon der englischen Grammatik näherbringen. Die Fremdsprachendidaktik behauptet zwar etwas anderes, aber eigentlich mögen Schüler reine Grammatikstunden ganz gerne. Wenn sie einmal die Formel verstanden haben, lechzen sie geradezu nach Beispielsätzen, die sie dann regelkonform umwandeln können.

Heute soll man den Schülern die Grammatik eher unterjubeln. Die sollen gar nicht merken, dass sie ein grammatikalisches Phänomen vor sich haben. Ich liebe aber diesen Old-School-Style: an der Tafel oben *Adjektive* und *Adverbien* oder *Comparison of Adjectives* oder *Direct Speech and Reported Speech*. Darunter schön Beispielsätze. Dann die Schüler die Regel erarbeiten lassen, die Formel anschreiben und danach ohne Ende Beispielsätze. Darf aber niemand wissen, dass ich ab und zu noch so unterrichte.

Also, wir sitzen beziehungsweise die Schüler sitzen da, und ich stehe an der Tafel und produziere Sätze zum Umformen. Ronnie, Peter und Abdul sind voll dabei. Hinten unterhalten sich Elif, Fatma und Miriam über ihr spannendes Wochenende. So toll kann das gar nicht gewesen sein, denn die meiste Zeit hat Elif nur immer wieder: *Ich liiiiIIIbe DicH meIn SchaTzzzz!* an Fundas Pinnwand gepostet, die dann tausend Mal: *Ich dIIIch auCCh mein DarrrLing fÜR iMMer und EwiG* zurückpostete.

Trotzdem haben sie sich offenbar viel zu erzählen. Unter anderem höre ich: »Halloween war so hammer« und »Echt, dis hat er gesagt?«

Ständig muss ich Elif ermahnen: »Eeelif, *page 17 in your textbook! No, that's your workbook. Stop talking, please!*«

Es nervt mich echt total. Ab und zu schleudere ich eine Ich-Botschaft nach hinten: »Miriam, ich habe echt Schwierigkeiten, hier was zu erklären, wenn ihr da hinten immer nur quatscht.« Das nehmen sie zur Kenntnis, sind eine Minute still, tun so, als arbeiteten sie mit, um dann wieder die Köpfe zusammenzustecken.

Dann sollen sie die Regel aus dem Englischbuch und die Sätze von der Tafel abschreiben und noch fünf weitere Sätze im Buch bearbeiten. Echt eine Sache von 30 Sekunden. Nach zehn Minuten sehe ich die Mädchen hinten wieder quatschen.

»Hallo, die Damen, schreiben! Nicht quatschen!«

»Wir sind fertig.«

»Ach, mit allen Sätzen?«

»Welche Sätze?«

»Ihr solltet die Sätze von der Tafel abschreiben und die aus dem Buch bearbeiten.«

»Äh, ich dachte, wir sollten nur die Regel abschreiben.«

So geht das zwanzig Minuten lang. Ronnie, Peter und Abdul und noch ein paar Streber aus meiner Klasse brüten derweil über den Sätzen aus dem Buch, überschlagen sich bei der Ergebnissicherung an der Tafel. Als ich den ersten Satz, der mittlerweile über 30 Minuten dransteht, wegwischen will, um die Buchsätze anzuschreiben, blökt Miriam von hinten: »Haaalt, den habe ich noch gar nicht abgeschrieben!«

Als Ronnie, Peter und die anderen fertig sind, reicht es mir. Ich nehme das Workbook, setze mich an den Gruppentisch zu Marcella, die auch gut mitarbeitet, und sage: »Okay, wer noch was lernen möchte, kommt bitte zu mir.« Sofort kommen die Schüler, die schon die ganze Zeit mitgemacht haben, an den Tisch. Gemütlich sitzen wir dort und lösen gemeinsam noch mehr Übungsaufgaben im Workbook. Nach fünf Minuten merkt Fatma, dass ich nicht mehr vorne stehe, und fragt empört: »Äh? Und was ist mit uns?«

»Ihr könnt auch herkommen, wenn ihr arbeiten wollt.«

Keine der Damen bewegt sich. Bilal fragt, ob er rausgehen kann. Kann er nicht. Mit den Schülern am Gruppentisch arbeite ich intensiv, bis es klingelt. Gut gelaunt gehe ich in die Pause. Binnendifferenzierung, sage ich nur. Die, die arbeiten wollen, können arbeiten, und die anderen sollen bleiben, wo der Pfeffer wächst. Und morgen mache ich das wieder so.

Oki und asu

Ach, die Kinder … wenn die doch in der Schule auch so wären wie bei Facebook. Im Internet sind die echt top. Lustig, schlagfertig, gewitzt und freundlich. Aber in der Schule – OMG. Für alle, die sich mit dem Schülertalk auf Facebook noch nicht so gut auskennen, hier mal ein paar Besonderheiten. Hat etwas gedauert, bis ich alles so einigermaßen gecheckt habe. Also, meine Schüler schreiben zum Beispiel immer *oki* und *asu* (okay und ach so) oder *yetzt* oder *Ich liebe dich meine Pauerlocke*. Und sie fangen jeden Satz mit *hahahahaha* an und sie denken, *lol* heißt *lach opfer lach*. Wenn sie in meinem Englischunterricht besser aufgepasst hätten, wüssten sie, dass es *laughing out loud* heißt.

Ich begnüge mich die meiste Zeit mit der Beobachterrolle und kommentiere wenig (lesen tue ich aber ALLES). Aber manchmal kann ich nicht an mich halten. Marcella schrieb zum Beispiel neulich in ihrem Status: *I'm in love*. Da habe ich dann drunter geschrieben: *Mir wäre lieber, du wärst IN SCHOOL*. Prompt kam von ihr ein: *hahahahaha… Freitag, ich werde mich verbessern – sie werden sehen, aber ich muss ihnen was gestehen, ich bin in Geschichte eingeschlafen, aber ich werde mich verbessern.*

Am nächsten Tag kam sie wieder zu spät. Aber schön, dass wir drüber gesprochen haben.

Mariella schrieb mir vor einigen Tagen, dass sie noch immer nicht wüsste, was sie werden möchte. Ich habe ihr daraufhin gleich einen Link zur Arbeitsagentur geschickt. Sie hat sich sofort mit lauter Smileys bedankt und geschrieben: *Ich hab Sie ganz doll lieb. Auch wenn ich das in der schule nicht so zeige.*

Am nächsten Tag hat sie mich wieder angeranzt, weil ich sie während des Unterrichts nicht zum Klo lassen wollte.

Gestern war ich schon um 5 Uhr wach und checkte beim Kaffee, was meine Schüler bis spät in die Nacht auf Facebook so getrieben haben. Da sah ich, dass Bilal, der jeden Tag zu spät kommt, schon online war. Ich schrieb ihm sofort, dass er ja wohl mal pünktlich sein könne, wenn er sich schon so früh im Internet rumtreibt. Er kam auch pünktlich – breit grinsend wollte er mir dann während meiner Einführung ins Passiv erklären, dass er um 5 Uhr geduscht hätte und mir deshalb nicht gleich hatte antworten können.

Besuch macht kluch

Ich hatte Besuch in meinem Unterricht, bei der 7. Klasse in Englisch. Von Erwachsenen. Von Erwachsenen aus Dänemark. Lehramtsstudenten. Passte mir eigentlich gar nicht, denn ich wollte doch einen *food*-Vokabeltest schreiben und dann ein popliges Arbeitsblatt ausfüllen lassen. Spontan habe ich alles umgestellt, und es gab FOOD BINGO! Bevor die Studenten kamen, habe ich die Schüler geimpft: »Wir kriegen heute Besuch. Von Erwachsenen!«

Tarkan gleich: »Ah, da sollen wir uns benehmen.«

»Ihr sollt euch immer benehmen, nicht nur, wenn Besuch kommt.«

»Aber in der Grundschule hatten wir auch immer Besuch bei der einen Lehrerin, und die haben dann geguckt, wie die Unterricht gemacht hat, und da mussten wir uns immer gut benehmen.«

»Ah, eine Referendarin. Und habt ihr euch da benommen?«

»Ja, und dann gab es Schokolade.«

»Na, hier gibt es nichts.«

Der Besuch kommt. Drei Frauen und vier Männer. Sie wollen sich nach hinten setzen. Nichts da. Sie werden auf die Gruppentische verteilt und sollen sich vorstellen. Sie sprechen kein Deutsch. Günstig, dass wir Englischunterricht haben. Sie stellen sich vor – Name, Alter und was für ein Fach sie studieren. Sie sind jung. Anfang zwanzig. In dem Alter bin ich noch ahnungs- und orientierungslos durch die Welt geturnt. Niemals hätte ich mich mit zweiundzwanzig in eine Schule begeben. Na ja, jedem das Seine.

Wir fangen mit *Hangman* (Galgenraten) an – haben wir schon so oft mit angefangen, dass ich einen Schüler an der Tafel abstellen kann, der meine Rolle übernimmt. Ich setze mich neben Murat, der schon loslegt, seine Macken zu kriegen – wie Samira sagen würde. Es läuft wunderbar. Nur das mit dem Melden noch nicht. Aber egal, die Schüler sind voll dabei, schreien die Buchstaben in den Raum, erraten fast jeden Begriff, und ich bin stolz. Dann FOOD BINGO! Yeah, ich liebe Bingo! Weniger liebe ich es, das Spiel zu erklären. Die meisten

Schüler kennen es, und die, die es nicht kennen, werden es schon irgendwie raffen. Eigentlich ist dieses Omaspiel ja ganz einfach. Man schreibt Begriffe in Felder, wartet darauf, dass sie vorgelesen werden, und streicht sie dann ab. Wenn man eine ganze Reihe abgestrichener Wörter auf seinem Blatt hat, springt man auf und schreit: »Bingo«.

Es gibt leichte Verwirrung, die Lehramtsstudenten schreiben und schreiben. Sollen wahrscheinlich das Lehrerverhalten dokumentieren. Mir doch egal. Dann wird gespielt. Murat darf vorne sitzen und Kärtchen ziehen (aus einem Beutel, den mir Frau Dienstag genäht hat – die kann ja wirklich alles). *ham* – Schinken, *coffee* – Kaffee, *vegetables* – Gemüse, *meat* – Fleisch – BINGO! So geht das ungefähr zwanzig Minuten. Die Studenten spielen mit, gewinnen aber nie.

Als die Luft raus ist, hole ich das furzeinfache Arbeitsblatt raus (eigentlich sind es drei – sicher ist sicher) und lasse es verteilen. Konzentrierte Ruhe. Niemand ist überfordert, und man zeige mir mal den Schüler, der sich ernsthaft über Unterforderung beschweren würde – außer Schantalle natürlich.

Kurz vorm Klingeln lasse ich die Schüler sich in ihren Gruppen noch mal gegenseitig die Vokabeln abfragen. Zufrieden stolziere ich durch die Klasse. Plötzlich traue ich meinen Ohren nicht. An einem Tisch läuft eine angeregte Unterhaltung zwischen den Schülern und einer Lehramtsstudentin: »*And did you come with the plane?*«

»*No. By train.*«

»*And how many hours with train?*«

»*Eight.*«

»*You like the city?* Frau Freitag, was heißt Sehenswürdigkeiten?«

Ich verwirrt: »*Sights.*«

»*You see sights?*«

»*No, not yet.*«

Jetzt mischt sich Samantha ein. Ich hatte bei ihr gerade eine Fünf in die Zensurenliste eingetragen, weil sie nie mitmacht.

»*You like shopping?*«

»*Yes*«, antwortet die Studentin, und Samantha ruft begeistert: »Oh, *I love shopping, too.*«

Dann klingelt es. Die Schüler stürmen fröhlich aus dem Raum und lassen mich total verwirrt zurück. Woher soll ich denn wissen, dass die Englisch können? Meine Verwirrung lässt allerdings schnell nach, denn in der darauffolgenden Stunde kann ich mich wieder mal davon überzeugen, dass sich *meine* Klasse nach drei Jahren Englischunterricht bei mir jegliche Fremdsprachenkenntnisse abgewöhnt hat. Vielleicht sollte ich diese Siebtklässler schnell zur Realschulprüfung anmelden, bevor die genauso schlecht werden wie meine Schüler.

Tag der Wahrheit

So, Freitag, Tag der Abgabe. Deadline Realschulprüfungsanmeldung.

Gestern war ich schon so gespannt, wer seine Anmeldung abgeben wird, dass ich kaum schlafen konnte. Erste Stunde, meine Klasse: Schleppender Anfang, zehn Leute kommen zu spät. Als alle da sind, hole ich bedeutungsschwanger ein liniertes Blatt raus und schreibe *Realschulprüfung* drauf. Dann rufe ich der Reihe nach die Namen auf und lasse die Schüler nach vorne kommen und ihre Anmeldungen abgeben. »Abdul, Ayla, Elif …«

»Marcella.«

»Frau Freitag, ich habe nachher noch den Termin mit Herrn Schwarz.«

»Wie? Heute? Und wieso Herr Schwarz, ich dachte, du machst bei Herrn Werner.«

Ich wusste schon, dass Herr Werner und Marcella eine Auseinandersetzung über die Nutzung von Handys im Unterricht gehabt hatten. Die damit endete, dass sie ihn fragte: »Wer glauben Sie, wer Sie sind? Meinen Sie im Ernst, ich gebe Ihnen mein Handy?« Woraufhin er später im Lehrerzimmer zu mir sagte: »Marcella glaubt ja wohl nicht, dass ich sie freiwillig prüfen werde.« Nun hatte sich Marcella also den netten, harmlosen, gutmütigen Herrn Schwarz ausgesucht.

»Wie auch immer«, sage ich leicht genervt, da sie alles verzögert. »Heute muss deine Anmeldung in meinem Fach sein. Vor der Mittagspause, sonst bist du nicht angemeldet.«

Abdul und Bilal haben auch noch einen Termin mit Herrn Werner und tun so, als sei das ganz normal. Wie ich nur daran zweifeln könne, dass sie die Anmeldung rechtzeitig abgeben!

Am Ende der Stunde hatte ich zehn Anmeldungen und sieben Versprechungen mit Schwüren und allem Klimbim: »Warten Sie nur, Sie werden sehen, es liegt dann in Ihrem Fach!«

Ich hatte den Schülern zwar mitgeteilt, dass sie die Anmeldung samt eines Antrags auf Zulassung zur Teilnahme abgeben müssen. Was ich nicht erwähnt hatte: Sie müssen auch eine Gliederung für ihre mündliche Präsentationsprüfung einreichen. Das steht in Miniaturschrift auf dem Antrag – sozusagen das Kleingedruckte. Ich habe es nicht gelesen und nicht gewusst, weil ich ja den Antrag nicht ausgefüllt habe. Die Schüler hätten das allerdings lesen müssen.

Und natürlich habe ich auch nur vier lumpige Gliederungen bekommen. Die meisten waren wohl schon für das Mitbringen des Antrags bis an ihre Grenzen gegangen.

Okay, ich habe es ihnen nicht gesagt, aber ich habe auch

nicht gesagt, dass sie KEINE Gliederung abgeben müssen. Nun weiß ich nicht, ob die sich ohne Gliederung überhaupt anmelden dürfen. Und ich fühle mich mal wieder schuldig. Ich höre meine Klasse schon: »Hat uns niemand gesagt! Hätte doch Frau Freitag sagen müssen. Aber typisch, hat sie wieder vergessen...«

Na, ich bin gespannt, was daraus wird. Am Montag weiß ich mehr.

Aber dann kam ja noch der absolute Hammer des Tages. Ich unterrichte gerade die letzten Minuten in der 7. Klasse – alles ziemlich stressig und nervig. Plötzlich geht die Tür auf, und Mariella und Emre kommen rein und halten mir ihre Anmeldungen unter die Nase. Ich gucke drauf und sehe, dass die Unterschrift der Erziehungsberechtigten fehlt.

»Wo ist die Unterschrift eurer Eltern?«

»Ja, die bringen wir Montag.«

»Montag ist zu spät.«

»Aber meine Mutter ist jetzt gar nicht zu Hause.« Hätte ich auch gesagt. Draußen regnet es, und zu Mama, um die Unterschrift zu holen, und dann noch mal zurück zur Schule... Dazu hätte ich auch keinen Bock.

Sie nehmen die Anmeldungen wieder mit und gehen, überzeugt davon, dass ich ihnen eine verspätete Abgabe erlaubt hätte.

Zwei Stunden später stehe ich verwirrt im Lehrerzimmer. Was soll ich denn jetzt machen? Soll ich die Anmeldungen von Mariella und Emre am Montag doch noch annehmen und dem Prüfungsausschuss sagen, ich hätte sie noch in meiner Tasche gehabt und am Freitag übersehen? Oder soll ich sagen: Zu spät ist zu spät – und ich kann mir dann ein Dreivierteljahr anhören, dass ich den beiden die Zukunft versaut habe? In meinem

Fach lagen übrigens die fehlenden Anmeldungen von Marcella, Abdul, Bilal und den anderen.

Uiii, wie süß, meine Honigperle

Ich habe Mariella und Emre auf Facebook geschrieben, dass sie eigentlich zu spät dran sind. Ihre einzige Möglichkeit, sich noch anzumelden, ist, die Unterlagen vor der NULLTEN STUNDE in das Fach der Jahrgangsleiterin zu legen. Und selbst dann kann ich nicht garantieren, dass sie noch angenommen werden.

Und weil ich gerade so gut dabei war bei Facebook, habe ich allen anderen geschrieben, dass ich hoffe, dass sie ihre Gliederungen mit abgegeben haben, denn das stand ja bekanntlich auch auf den Anmeldungen. Dann war ich mit Fräulein Krise Kaffee trinken.

Danach checke ich meinen Facebook-Account. Alle haben sich zurückgemeldet. Alle außer Emre und Mariella. Alle schreiben mir, dass sie mit ihren Fachlehrern abgeklärt haben, dass sie die fehlenden Gliederungen nachreichen. Okay, das klingt alles gut. Mariellas und Emres Schweigen … ich weiß nicht, was ich davon halten soll.

Elif hat ein Bild von sich gepostet, woraufhin es 69 Kommentare gab. Auf dem Bild ist sie geschminkt – fett Lipgloss und Make-up ohne Ende – und trägt ein neues Kopftuch. Das Untertuch ist knallpink und das Drübertuch schwarz mit großen pinken Blumen.

Die Kommentare:

Asmaa: Elif duu hübschee schnekke sieht sehrr schöön aus
❤ ❤ ❤

Miriam: hihi ich auch an dich mein schazt ❤ dieses kopftuch steht dir so sehr eliii sieht voll schön aus ❤ ❤

Funda: Uiii wie süß meine HonigPerlee … ❤

Elif: Dankeeschööön ❤ ❤

Elif: Dankee meine Diloos

Elif: uiiii Funda ❤ ❤ ❤

Funda: uiii Elif ❤ ❤ ❤

Fatma: ey Elif du bist Prinzessin ya vallah ❤ ❤ ❤ ❤

Elif: ayyyy Fatma du schamööR

Fatma: häää was soll bitte schamör heissen? schleimer auf
türkisch oder was?

Elif: neiin neiin das sagt mann zu den diiee soo nette sprüche
sagen und es ist auf deutsch ❤

Fatma: asoh hahahah oki

Mona: aiiii Elif meine kleine Prinzessiiiin, du siehst sooooo
süüüüüß ❤ ich hoffe du denkst bisschen öfters also nur jetzt
an mich ❤ ❤ ❤

Elif: immer dooch meine Süßeeee

Jimmy PrinCe: uuhhhhh wie sexiiiii Babyyyyy du bis einfach nur süüüüssss einfach soooo ❤ ❤ ❤ ❤

Elif: Ayyyyy schatziiii iich lieb dich voll & und danke-
schööön

Jimmy PrinCe: baby is sehr schlimm … hab mich selber auf
deinem Foto markiert hahahah ❤ ❤ nur aus liebe zu dir du
weiss ❤
❤ ❤ ❤ ❤ ☺

Fatma: okeeyyy und wer bist du?! kommst einfach von ecke
keiner kennt dich?!

Jimmy PrinCe: Elif kennt mich … mehr brauch ich nicht …

Und so geht das endlos weiter. Es gibt noch kleine Verwirrun-
gen darüber, wer denn eigentlich Jimmy Prince ist. Am Ende

stellt sich raus, dass es sich um Funda mit einem neuen Profil-bild und neuem Namen handelt. Dann wird sich mit 1.000 Liebesschwüren entschuldigt und so weiter.

Auffallend ist, wie höflich und nett die miteinander sind auf ihrem Facebook. Auf meinem Erwachsenen-Facebook hat mir noch nie jemand: *Schatziii ich liebe dich!!!* geschrieben, die machen das dauernd. Wenn ich ein Bild poste, bekomme ich höchstens *zwei Daumen hoch, gefällt mir* von irgendwem. Das war's dann. Bei Kinder-Facebook ist es echt viel lustiger. Viel wärmer und freundlicher und viel mehr Action.

Frau Freitag und Fräulein Krise im Integrationsexperiment

Seit Jahren verspricht mir Fräulein Krise, dass sie mit mir hupend im Autokorso fährt, wenn die Türken beim Fußball gewinnen. Und wir haben verabredet, dass wir dann Kopf-tücher tragen, damit wir unter den jubelnden Türken nicht so auffallen. Ist bisher noch nie dazu gekommen. Da die Türkei seit längerem wohl nicht so grandios spielt, haben wir unser Vorhaben jetzt vom Fußball abgekoppelt.

Fräulein Krise hat uns Kopftücher und den ganzen Schnick-schnack besorgt, den man dazu braucht. Als hätte sie in ihrem Leben nichts anderes gemacht, bindet sie mir mehrere Tücher um den Kopf und schiebt mich ins Badezimmer:

»Voilà, die Türkin.« Und wahrhaftig sehe ich aus, als hätte ich den fettesten Migrationshintergrund, den man nur haben kann. Leider ohne Homer-Simpson-mäßigen Hinterkopf.

»Ich will einen Hinterkopf!«

»Kein Problem, warte mal, da stopf ich eine Socke rein.«

Gesagt, getan. Dank Fräulein Krise und der Socke habe ich

das erste Mal in meinem Leben einen formschönen Hinterkopf. Ich bin begeistert. Schon finde ich Gefallen an meiner Verkleidung. Schön warm, man braucht weder Mütze noch Schal, und die Haare musste ich mir auch nicht waschen.

Dann verwandelt sich Fräulein Krise vor meinen Augen zu einer so was von echt aussehenden türkischen Anne, dass ich an ihrer Deutschheit zweifele. »Bist du sicher, dass deine Eltern nicht eingewandert sind? Frag doch noch mal nach!«

Als wir fertig sind, fotografieren wir uns von allen Seiten. Ich trage hautenge Jeans, hochhackige Stiefel und eine schicke schwarze Lederjacke. Mein Kopftuch ist auch schwarz, und um unerkannt aus dem Haus zu kommen, setze ich erst mal die Sonnenbrille auf. Fräulein Krise hingegen trägt einen dicken, langen Mantel, sie wollte alles ganz authentisch machen, und ein braunes Kopftuch. Sie sieht irgendwie ein bisschen armselig aus. Ihr Gesicht wirkt traurig, wie es so aus dem braunen Tuch hervorguckt. Und ihre Sonnenbrille hat sie auch vergessen.

Dann kommt der schwerste Teil unseres Integrationsexperiments: Aus meiner Wohnung auf die Straße kommen, ohne dass uns ein Nachbar sieht. Wir fliegen förmlich die Treppen hinunter und rennen fast zu Fräulein Krises Auto. Die ganze Aktion ist mit hysterischem Kichern unterlegt. Je weiter wir uns von meiner Straße entfernen, desto mehr genieße ich mein neues Ich. Nur wenn ich zu Fräulein Krise rübergucke, könnte ich mich totlachen.

Wir gurken ziemlich unmotiviert mit dem Auto durch die Gegend und kommentieren den Kleidungsstil der Passantinnen: »Guck, guck, wieder eine mit Shorts«, ruft Fräulein Krise empört.

»Ja, *vallah*, voll Schlampe!«

Dann geht es zu einer großen Einkaufsmeile. Wir wollen

shoppen gehen. Wir parken in einem Parkhaus und stürzen uns in die Einkaufsmeute.

Was erwarten wir eigentlich? Wir wollen sehen, wie sich das so anfühlt mit Kopftuch in Deutschland. Wird man da anders angeguckt, anders behandelt, wie fühlt man sich selbst?

Und während ich so an den Geschäften vorbeilaufe und mir die Menschenmassen entgegenkommen, merke ich, dass ich mich ganz komisch fühle. Ich fühle mich gut. Äußerst gut. Arrogant und überheblich fühle ich mich. Ich komme mir vor, als sei ich was Besseres als alle anderen. Wie eine saudi-arabische Selbstmordattentäterin fühle ich mich, und so sehe ich auch aus. Liegt vielleicht am schwarzen Kopftuch und der Sonnenbrille, die ich immer noch trage. Wenn ich dann allerdings den Kopf drehe und sehe, wie das klägliche Fräulein Krise neben mir latscht, dann merke ich deutlich den Unterschied. Sie ist türkische Mama, und ich bin definitiv arabisch.

Fräulein Krise spielt ihre Rolle aber auch meisterhaft. Immer, wenn uns ein Mann entgegenkommt, senkt sie schüchtern und keusch ihren Blick. Ich rauche, mache große Schritte und gucke jedem, der mir entgegenkommt, direkt in die Augen. Na, spüre ich von dem da Ablehnung? Rieche ich den Rassismus? Und du, linkstolerante Kleinfamilienmutti, willst du besonders pro multikulti rüberkommen und lächelst mich deshalb so breit an?

Rumlaufen klappt gut. Aber wie sieht es mit direkter Interaktion aus? Wir gehen in eine große Buchhandlung. Wie gewohnt fasse ich jedes Buch an, das mich interessiert. Ich bin ein eher haptischer Wahrnehmer. Ich muss immer alles angrapschen, bevor ich es verstehe. Deshalb begreife ich also jede Schutzhülle, jeden Prägedruck, und bei Büchern kommt ja noch das Olfaktorische hinzu. An vielen Romanen muss ich

73

erst mal riechen, bevor ich bereit bin, den Klappentext zu lesen. Die Buchhandlung, in der wir sind, hat sogar ein Café. »Komm, wir holen uns was zu trinken«, schlägt Fräulein Krise vor und stürmt schon an die Theke. »Zwei Cola light, bitte«, sagt sie, ohne mich zu fragen. Wir trinken immer Cola light – warum sollte sie mich also vor der Bestellung konsultieren?

Wir setzen uns so, dass wir die anderen Tische im Blick haben. »Meinst du nicht, dass die Leute sich wundern, dass wir so gut deutsch sprechen?«, frage ich. »Konvertiert«, erklärt das Fräulein lässig. »Wir sind Konvertiten.« Wir trinken unsere Imperialisten-Limo und sehen uns die anderen Kunden an. An einem Tisch sitzt ein älterer Mann und liest ein kleines dünnes Buch. Fräulein Krise haut mir etwas zu doll auf den Arm: »Guck mal, guck mal, was das für ein Buch ist. *Der Untergang des Islams*. Soll ich mal hingehen und sagen: Nix gut Buch. Du nicht lesen böse Buch von Islam.« Sie kichert. »Traust du dich doch eh nicht«, versuche ich sie herauszufordern. Und leider traut sie sich wirklich nicht. Da uns niemand komisch anguckt oder anspricht, gehen wir und suchen einen Klamottenladen. »Lass mal gucken, ob uns bei C&A jemand ausgrenzt wegen Kopftuch.«

Irgendwie stört es mich fast, dass wir so gar nicht komisch angeguckt werden. Nicht mal, als ich jedes T-Shirt auseinanderfalte und unordentlich wieder zusammenknülle, weil keins meinen Vorstellungen entspricht. Ich probiere Pullis und Jacken an. Mein Kopftuch sitzt perfekt und verrutscht auch nicht bei der Anprobe von engen Rollkragenpullovern. Fräulein Krise steht vor der Kabine und hält meine Tasche und meine Jacke. Sie will nichts anprobieren. Sie hat aufsteigende Hitze und jammert. »Das ist das Kopftuch, da kann die Wärme ja gar nicht entweichen. Mann, ist das heiß. Beeil dich jetzt bitte, ich kann nicht mehr.« Nachdem ich mal wieder nichts gefunden habe, was mir gefällt, begeben wir uns zum Ausgang. Auf dem Weg dorthin grapscht sich Fräulein Krise ein T-Shirt und geht zur Kasse. Einfach so, ohne Anprobieren. Die Frau weiß eben, was sie will. Neben der Kasse probiert eine ältere Frau einen Wintermantel an. Sie steht vor dem Spiegel und dreht sich hin und her. Neben ihr steht eine Verkäuferin und guckt anerkennend in den Spiegel. »Sieht sehr gut aus, wirklich.« An der Kasse steht eine junge Verkäuferin und langweilt sich. Sie ist stark geschminkt und hat extrem blondierte Haare. Als sie sieht, dass wir im Anmarsch auf ihre Kasse sind, dreht sie sich zu ihrer Kollegin und mischt sich in den Mantelkauf ein. Fräulein Krise und ich gucken uns verwirrt an. Wir denken beide das Gleiche. »Klarer Fall: Diskriminierung!« Aber nicht mit uns! Wütend stürze ich mich an den Tresen und rufe: »Haaaallooo, arbeitet hier jemand?«

Etwas zu langsam und extrem genervt kommt die Blondierte zu uns. Fräulein Krise schiebt wortlos das T-Shirt und 20 Euro rüber. Die Verkäuferin nimmt das Geld und tut das T-Shirt in eine viel zu große Tüte. Fräulein Krise senkt ihren Blick auf den Boden und flüstert unterwürfig: »Kleine Tüte!« Ihr Wunsch wird erfüllt, und ich ziehe sie am Mantelärmel aus dem Laden, weil ich sonst einen Lachkrampf kriege.

Draußen pruste ich los: »KLEINE TÜTE … ach bitteeeschönnn kleine Tüte. Oh Mann, Fräulein Krise, du bist so eine Schauspielerin, unglaublich. Ich könnte mich wegschmeißen. Das macht so einen Spaß. Das müssen wir jetzt immer machen!« Fräulein Krise grinst zufrieden und sagt: »Aber nächstes Mal will ich ein Kopftuch aus Seide und dann nicht in Braun!«

Schlau kommt weiter,
geht aber nicht früher

Unsere Schule hat eine Sprechanlage. Wenn wir Glück haben, sagt der Schulleiter da so schöne Sachen durch wie: »Aufgrund der starken Hitze endet der Unterricht nach der 5. Stunde.« Meistens kommen allerdings Durchsagen wie: »Frau Schwalle, bitte im Büro melden«, oder: »Herr Werner, schicken Sie bitte einen Schüler.« Ich frage mich dann immer, was wohl passiert ist, und bin manchmal ein bisschen neidisch auf die Kollegen, um die es geht. Oft versteht man den Namen nicht richtig, dann wollen die Schüler mich immer überzeugen, dass ich ausgerufen wurde:

»Doch, ganz sicher, ich schwöre, er hat gesagt: Frau Freitag, bitte im Büro melden.« Am Kichern der anderen Schüler kann ich erkennen, dass ich wieder mal nicht ausgerufen wurde.

Aber heute – die großen Schüler zeichnen so vor sich hin –, plötzlich in die herrliche Stille hinein: »Frau Freitag, bitte im Büro melden!«

Ich wurde ausgerufen, ich wurde ausgerufen! Wie spannend!

»Tja, Leute, ich muss mal kurz ins Büro, ihr arbeitet bitte genauso still weiter.«

Im Büro treffe ich dann die Mutter von Ronnie, der einen seiner Tobsuchtsanfälle hatte. Wir hatten schon eine Stunde (meine Freistunde) lang versucht, sie zu erreichen, und nun ist sie endlich da. Wir begrüßen uns. Der Schulleiter steht neben uns. Die Mutter will mit mir sprechen. Ich auch mit ihr.

»Aber Herr Kaleu, geht das denn jetzt, ich habe doch gerade Unterricht?«

»Wen haben Sie denn?«

»Die Großen, Kunst.«

»Na, meinen Sie denn, die nehmen Ihnen jetzt den Raum auseinander?«

»Nein, das nicht, aber man sollte sie schon kurz informieren.«

Der Schulleiter erklärt sich bereit, schnell Bescheid zu sagen. Mir wäre es eigentlich lieber, wenn sich jemand in den Raum setzen würde, aber es bietet sich keiner an. Also quatsche ich erst mal mit Ronnies Mutter über den Vorfall zwischen Ronnie und Frau Hinrich, der anscheinend doch noch nicht geklärt ist. Ronnie hatte sich geweigert, seine Jacke im Unterricht auszuziehen. Er und Frau Hinrich steigerten sich daraufhin in eine Art Endloskonflikt hinein, der anscheinend nicht mehr zu lösen war.

Wir reden, Frau Hinrich kommt zufällig vorbei, setzt sich zu uns, dann muss ich Ronnie holen, der soll auch noch mal alles aus seiner Sicht schildern ... es dauert und dauert. Ich werde langsam unruhig, weil ich die Schüler schon eine halbe Stunde in meinem Raum allein gelassen habe. Um kurz vor drei sage ich, dass ich jetzt echt mal schnell nachsehen muss.

Der Unterricht geht bis 15:10 Uhr. Ich werde kurz reingehen, die Arbeiten einsammeln und sie dann ausnahmsweise zehn Minuten früher gehen lassen.

Aber als ich den Gang entlangkomme, sehe ich, wie einige Schüler mit Jacken und Taschen meinen Raum verlassen.

»Äh, wo wollt ihr denn hin?«

Die Schüler drehen sich zu mir um: »Wieso, ist doch Schluss.«

Ich gucke auf die Uhr, die oben im Flur an der Wand hängt. Auf der Uhr ist es bereits 15:10 Uhr. Ich gucke auf meine Armbanduhr – 15:00 Uhr. Scheiße, denke ich, stehengeblieben. In meinem Raum hängt auch eine Uhr, ebenfalls 15:10 Uhr. Alle Schüler packen ihre Sachen ein. Ich checke den Sekundenzeiger auf meiner Uhr. Komisch, der läuft noch, dann fällt mein Blick auf Ahmets Armbanduhr: 15:00 Uhr! Genau wie bei mir. Carsten holt sein Handy raus und guckt drauf. Ich frage ihn: »Na, wie spät ist es denn auf deiner Uhr?«

Er grinst nur und steckt sein Handy wieder ein.

»Tja, Leute, ich wollte euch eigentlich früher gehen lassen, aber jetzt machen wir Unterricht bis zum bitteren Ende. Alle wieder hinsetzen und weiterarbeiten.«

Insgeheim freue ich mich. Darüber, dass meine Uhr doch tadellos funktioniert und dass die Schüler so schlau waren, auch die Uhr im Flur zu verstellen. Daran zeigt sich, dass DIE Abitur machen werden. Meine Klasse hätte auf jeden Fall nur eine Uhr verstellt.

Wenigstens sitzen Ronnie, seine Mutter und Frau Hinrich zufrieden grinsend am Tisch, als ich zu ihnen zurückkomme. Auf wundersame Weise hat sich zumindest dieses Problem in den letzten zehn Minuten aufgelöst.

Und dann kommt mir auch noch die Jahrgangsleiterin entgegen und sagt, dass sie Mariellas und Emres Anmeldungen zur Realschulprüfung noch akzeptiert hätte, da die beiden am Montag anscheinend wirklich um 7 Uhr in der Schule waren, um alles abzugeben.

Endgültigkeit schmeckt bitter

Ein guter Tag. Ich bin sehr zufrieden mit mir. Erst eine schöne Kunststunde gehalten, mit sehr schönen Arbeitsergebnissen und zufriedenen Kindern, dann eine bombenmäßig gute Englischstunde in meiner Klasse. Das Geheimnis: *Cut and Paste!* Beruf auf der einen Seite – was man in dem Beruf macht, auf der anderen Seite. Aufgabe: ausschneiden, zuordnen, aufkleben. Freiwillig benutzen die Schüler die Wörterbücher. Alle arbeiten mit, die Stimmung ist gut, während sie ausschneiden, quatschen wir über alles Mögliche, es wird ganz heimelig. Ayla füttert mich mit Toffifee. Und am Ende sind wir alle schlauer.

Dann der große Schock – die Zensuren. Eigentlich wollte ich den Schülern ihre Prognosen ausdrucken, aber der Computer hat gesponnen – das ganze Zeugnisprogramm war blockiert. Deshalb musste ich die gesamte Hausaufgabenstunde rumlaufen und den Schülern einzeln ihre Noten vorlesen. Heilsames Erwachen: »*Abooo*, ich muss mich voll anstrengen!« – »Ich schwöre, ich schwänze nicht mehr.« – »Ich brauch nur noch 15 Punkte …«

Plötzlich steht Mariella neben mir und reicht mir einen Zettel. Ich denke: Entschuldigung oder eine Bewerbung, die ich verbessern soll. Aber dann trifft mich der Schlag. Auf dem Zettel steht: »Hiermit beantrage ich die Zulassung zur Teilnahme an der Realschulprüfung.«

»Mariella, was ist das denn?«

»Na, den Zettel sollte ich doch noch abgeben.«

»Den solltest du doch schon letzten Freitag mit der Anmeldung zusammen abgeben. Warum war der nicht bei der Anmeldung dabei?«

»Ich wusste ja nicht …«

»Was wusstest du nicht? Das habe ich euch doch tausend Mal gesagt: die Anmeldung UND die Zulassungsanfrage. Die anderen haben das doch auch gleich mit abgegeben.«

Mariella guckt mich entgeistert an. »Und jetzt?«, fragt sie.

»Tja, jetzt weiß ich auch nicht. Du und Emre, ihr habt ja schon die Anmeldung erst am Montag abgegeben. Und jetzt fehlt auch noch dieser Zettel. Ich weiß nicht, ob die Prüfungskommission dich jetzt noch zulässt. Du musst den Zettel bei der Jahrgangsleiterin ins Fach legen.«

»Kann ich das jetzt machen?«

»Nein, in der Pause.«

Im Lehrerzimmer treffe ich die Jahrgangsleiterin. »Anita, hast du das mitgekriegt mit Mariella? Erst gibt sie die Anmeldung voll verspätet am Montag ab, und jetzt fehlt auch noch der Elternzettel, also die Zulassungsanfrage.«

»Ja, ich habe sie gerade draußen getroffen. Ich habe gesagt, dass sie wahrscheinlich nicht zugelassen wird. Also, ich bin dagegen und Hannelore auch.«

»Tja«, sage ich, »zu spät ist eben einfach mal zu spät.«

Allerdings tut mir Mariella jetzt schon wieder leid. Hätte ich den Zettel vielleicht doch irgendwie unter die Anmeldungen schmuggeln sollen? Wäre bestimmt gegangen. Ich hatte die zwar schon alle abgegeben, aber es hätte bestimmt die Möglichkeit gegeben, den Antrag noch nachzureichen – so »Huch, habe ich voll übersehen, hier ist ja noch einer ...«

Aber auf diese Idee bin ich gar nicht gekommen, weil ich so entgeistert war, wie locker Mariella alle meine Ermahnungen genommen und mir anscheinend als Einzige seit Wochen überhaupt nicht zugehört hat.

Als ich gerade gehen will, kommt mir Herr Werner entgegen. »Frau Freitag, was hast du denn mit Mariella gemacht?«

»Ich, wieso? Gar nichts.«

»Sie heult draußen. Sie ist völlig fertig, weil sie nicht an der Prüfung teilnehmen darf. Anita hat ihr wohl schon gesagt, dass sie nicht zugelassen wird.«

Ich erkläre ihm die ganze Geschichte. »Ja, ich verstehe«, sagt er. »Aber das ist deine Verantwortung. Du bist für sie verantwortlich. Du musst dich darum kümmern.«

»Ich? Aber ich sage denen seit Wochen, dass sie das ernst nehmen sollen. Jetzt kann ich da auch nichts mehr machen. Jetzt muss das die Prüfungskommission entscheiden. Vielleicht sind die ja gnädig, sie hat schließlich ziemlich gute Noten.«

Als ich das Schulgebäude verlassen will, kommt mir die völlig verheulte Mariella hinterhergerannt: »Frau Freitag, kann ich jetzt nicht die Realschulprüfung schreiben?«

»Das weiß ich nicht. Das entscheide nicht ich. Wahrscheinlich nicht, denn du hast einfach zu spät abgegeben.«

»Aber mir ist das total wichtig.«

»Ach, wenn dir das so wichtig ist, warum hast du dir dann erst am Abgabetag einen Prüfer gesucht und die Anmeldung dann auch noch verspätet abgegeben.«

»Na, ich wusste ja nicht.«

»Was wusstest du nicht? Seit WOCHEN rede ich über nichts anderes mehr. Ich kann irgendwie nicht erkennen, dass dir diese Prüfung so wichtig ist.«

Sie guckt mich völlig entsetzt an. Schon habe ich wieder Mitleid. »Na, jetzt lass mal den Kopf nicht hängen, vielleicht lassen sie dich ja doch zu, du hast ja gute Noten.«

Damit lasse ich sie stehen. Auf dem Nachhauseweg grübele ich darüber nach, ob ich mich anders hätte verhalten sollen. War ich jetzt zu hart? Endgültigkeit schmeckt wahrscheinlich echt bitter. Konsequenz aber auch.

Abends schickt mir Mariella eine herzzerreißende Nachricht auf Facebook. Sie gibt nur sich die Schuld und nicht mir. Und ob ich ihr nicht helfen könnte, sie würde mich jetzt wirklich BRAUCHEN. Knack, aua, das Mutterherz … Was mache ich?

Ich nehme mir das Schulgesetz und gucke nach, ob das überhaupt rechtens ist, dass die Schule den Anmeldetermin bestimmt. Und siehe da – die dürfen den zwar bestimmen, aber eigentlich erst nach den Halbjahreszeugnissen.

Ich werde jetzt erst mal abwarten, was die Prüfungskommission sagt. Wenn die sie nicht zulassen, dann werde ich Herrn Werner bitten, Mariella zu stecken, dass sie mit ihrer Mutter zur Schulbehörde gehen soll. Aber vorher soll sie noch schlottern und Buße tun.

Und falls sie am Ende doch zugelassen wird, fangen ihre Probleme ja erst richtig an, weil sie sich so wenig um ihre Prüfung und das Thema gekümmert hat, dass sie jetzt in einem Bereich geprüft werden soll, von dem sie nicht nur so dermaßen gar keine Ahnung hat, sondern an dem sie auch nicht interessiert ist. Sie hat sich ja mit Emre zusammen angemeldet. Und das Thema lautet ungefähr: *Der Vergleich von Westcoast-Hip-Hop mit deutschem Gangsta Rap*. Tja, Emre könnte dazu viel sagen, aber der ist ja nun gar nicht zugelassen, weil er mir den Elternzettel nicht mal am Dienstag gegeben hat. Außerdem hat er im Moment so viele Fünfen und Sechsen, dass er nicht zugelassen werden würde.

Mrs Konsequenz

Ich hatte einen Superaneinanderrassler mit Marcella. Ich liebe Marcella, aber sie raubt mir den letzten Nerv. Heute hat sie in der Englischstunde nonstop gequatscht. Ihre Zensuren sind ein Graus. Sie hätte echt das Potential, Abitur zu machen, aber momentan sieht es leider nur nach schlechtem Hauptschulabschluss aus. Jedenfalls macht sie heute gaaar nichts außer quatschen. Als ich sage: »So, ich sammle jetzt eure Ergebnisse ein«, fängt sie plötzlich an zu schreiben. Dreißig Minuten nur rumgesessen und gelabert – und dann fängt sie an. Da habe ich ihr wütend das Blatt weggerissen, auf dem natürlich fast nichts stand. Und weil ich so sauer war, habe ich keine gute

Figur gemacht und in meiner Wut ein Stück von dem Blatt abgerissen.

»Ja toll, Frau Freitag!«, schreit sie mich an. »Nur weil Sie Ihre Tage haben, brauchen Sie nicht mein Blatt kaputtzumachen.«

»Erstens habe ich die gar nicht, und zweitens ist das kein angemessener Ton. RAUS!« Irgendwie geht sie nicht aus dem Raum. Ich ignoriere sie, sie kommt wieder angeschleimt und wischt mir die Tafel. Ich werde das später auf Facebook mit ihr klären. Easy.

Und dann habe ich noch voll den gut vorbereiteten Unterricht in der 7. Klasse gehalten. Voll strukturiert, mit informierendem Unterrichtseinstieg (alles, was in der Stunde passieren soll, steht als Ablauf an der Tafel – sozusagen ein Stundenprogramm – und wird sukzessive abgehakt).

Dann habe ich richtig geil unterrichtet. Muss ich echt sagen. Mit übertriebenen Gesten und Mimik, voll präsent und ruhig. Die Schüler voll leise und so und voll mitgemacht, und alles war super. Dann war ich auch noch voll Mrs Konsequent. Drei Schüler stehen zu Beginn einer schriftlichen Phase auf und holen sich von Mitschülern Blätter.

»Tarkan, Murat und Daniel, wo sind EURE Blöcke?«

»Zu Hause.«

»Okay, dann geht ihr jetzt nach Hause und holt euer Arbeitsmaterial.«

Murat findet plötzlich doch noch seinen Block.

Tarkan: »Meinen Sie das ernst?«

»Und ob!«

Die Klasse hält den Atem an. Dann: »Ohaaa, er wohnt voll weit.«

Ich: »Pech. Muss er sich halt beeilen.«

So viel Konsequenz hatten weder die Schüler noch ich mir zugetraut. Ehrfürchtig arbeiten sie unter meinem Kommando wie die Guppys. Ich bin in ihrer Achtung meilenweit gestiegen. Nach zwanzig Minuten kommen sogar Tarkan und Daniel mit ihren Blöcken, die sie allerdings nicht mehr brauchen, da die Stunde schon fast vorbei ist.

Ab jetzt nur noch so.

Frau Freitag, warum machen Sie so?

»Frau Freitag, vielen Dank! Sie können sich gar nicht vorstellen, was wir gestern Abend für einen Ärger von unseren Eltern bekommen haben.« Funda steht vor mir und bebt vor Wut. Ihre Augen sind schon ganz wässrig. Gleich fängt sie noch an zu heulen.

»Sie haben unser Leben ruiniert. Nur, weil wir Ihnen egal sind.«

»Funda, warte mal, gerade weil ihr mir NICHT egal seid, habe ich angerufen.«

Funda ist sauer. Elda auch. Sie wollen mir nicht mehr zuhören. Alle Erklärungsversuche werden abgeblockt.

»Wissen Sie, was Eldas Mutter mit ihr gemacht hat? Das glauben Sie gar nicht. Warum haben Sie angerufen?«

»Funda, ich …«

»Sie hätten ihre Mutter mal sehen müssen!«

»Lass doch Frau Freitag mal ausreden«, mischt Elif sich ein.

»Danke, Elif, aber ich glaube, das bringt jetzt gar nichts. Wir reden später darüber.«

Was war passiert? Inspektorin Freitag war wieder aktiv: Ich finde eine Notiz in meinem Fach, dass Funda und Elda am Dienstag in der ersten Stunde gefehlt haben. In Geschichte wurde ein angekündigter Test geschrieben. Die Geschichtslehrerin will von mir wissen, wer unentschuldigt und wer entschuldigt gefehlt hat – wegen des Nachschreibens, denn bei unentschuldigtem Fernbleiben während einer Arbeit kassiert man natürlich gleich 0 Punkte.

Funda und Elda kleben aneinander wie Pech und Schwefel. Wie Hundekot an Profilschuhsohle, wie siamesische Zwillinge. Sie haben jeden Tag die gleichen Klamotten an – meistens Durchsichtiges im Animalprintlook. Zurzeit viel Schwarz und Beige, Sandfarbe oder Kamel.

Seit einigen Wochen fällt mir auf, dass die beiden oft in den ersten Stunden fehlen, und zwar immer gemeinsam. Von Elda bekomme ich ganz abstruse Zettel: Elda hatte in der ersten Stunde Bauch-, Zahn-, Kopfschmerzen. Ich habe mich jetzt schon des Öfteren gefragt, weshalb diese Schmerzen in der zweiten Stunde verschwinden. Ich wache selten mit Bauchschmerzen auf, und mein Kopf tut auch erst nach der Arbeit weh. Ich vermute seit langem, dass Elda die Entschuldigungen selbst unterschreibt. Die Unterschrift der Mutter wirkt recht kindlich.

Jedenfalls bekomme ich also in meiner Freistunde einen investigativen Anflug, schnappe mir die Türkischlehrerin unserer Schule und bitte sie, bei Eldas Mutter anzurufen und zu fragen, ob ihre Tochter das Haus am Dienstag pünktlich verlassen hat. Ich stehe gespannt neben dem Telefon und lausche dem Türkischtürkischtürkischtürkisch ... Entschuldigungszettel ... Türkischtürkischtürkischtürkisch.

Eldas Mutter fragt, ob Funda auch gefehlt habe, bedankt sich und bittet uns darum, immer gleich anzurufen, wenn so etwas noch mal vorkommt. Dann telefoniere ich noch mit Fundas Mutter. Auch sie hat ihre Tochter pünktlich aus dem Haus geschickt.

In der Pause laufen mir Elda und Funda ahnungslos über den Weg. »Sagt mal, ihr zwei Hübschen, wo wart ihr denn am Dienstag in Geschichte?« Ich antizipiere schuldbewusstes Grinsen. Aber nichts da.

Selbstgerecht gucken sie mich an und legen gleich los. Funda sagt, dass sie beim Frauenarzt war. Elda, dass sie mit Bauchschmerzen zu Hause saß. Erwartungsvoll beobachten sie, ob ich das schlucke. Ich warte – und dann kommt noch das i-Tüpfelchen auf ihrem Lügengebilde: »Sie waren doch nicht da. Hat Ihnen Herr Werner nicht die Entschuldigungen gegeben?«

»Nein, hat er nicht.«

Gemeinsam blöken sie nun los: »Oh Mann, was können wir dafür, dass er das nicht macht?«

Mir platzt der Kragen: »Okay, Schluss jetzt. Ich habe eben mit euren Müttern telefoniert. Es reicht. Lügt mich nicht weiter an.«

Jetzt gucken sie blöd aus der Wäsche, aber nur ein paar Sekunden lang. »Frau Freitag, wir sagen jetzt, wie es wirklich war: Wir sind pünktlich los, und der Bus hatte Verspätung, und dann sind wir zu spät gekommen, und dann dachten wir, dass wir lieber eine Entschuldigung bringen, weil wir ja sonst eine Fehlstunde haben.«

»Ja, und die habt ihr jetzt auch«, sage ich, drehe mich um und gehe.

Beim Rauchen erzählt mir ein Kollege, wie sie sich in seiner Stunde lautstark über die »Scheiß Frau Freitag« aufgeregt haben. Ich denke zufrieden: Na, da habe ich ja wohl alles richtig gemacht.

Schantalle nervt wieder

Noch im Bus nach Hause ärgere ich mich über Schantalle. Heute kam sie mir schon wieder blöd. Oh Mann, die stresst mich echt. Alles, was ich sage, wird von ihr mit ablehnenden Stöhngeräuschen kommentiert. Immer in einer Lautstärke, dass ich es eigentlich nicht hören, aber irgendwie doch mitbekommen soll. Und wenn ich dann frage »Schantalle, was ist denn?«, kommt von ihr ein scheinheiliges: »Waaas denn?«

Was mich am meisten nervt: Sie macht die Kunststunden demonstrativ zum Kaffeekränzchen und unterhält sich lautstark an ihrem Tisch über ihr blödes Privatleben. Alle anderen Schüler in dieser Gruppe arbeiten still und konzentriert vor sich hin, und sie schnattert nonstop.

Heute stehe ich hinten im Raum und höre von ihr: »Und dann sagt er Hurensohn, und ich sage nur Wichser ...«

»Schantalle«, rufe ich. »Könntest du das bitte lassen?«

»Waaas denn?«, fragt sie mit nasaler Arroganz.

»Ich möchte nicht, dass du hier im Unterricht so redest.«

»Wieso? Was denn?«

Okay, sie hat es so gewollt. Also sage ich sehr laut und äußerst bestimmt: »Ich möchte nicht, dass du hier Hurensohn und Wichser sagst. Diese Sprache gehört nicht in den Unterricht. So kannst du auf der Straße sprechen. NICHT HIER!«

Erst mal ist sie leise.

Am Ende der Stunde sage ich den Schülern: »Guckt euch das Handout auf jeden Fall noch mal an! Ist wichtig!« Sofort beugt sich Schantalle über den Tisch und flüstert: »Is wichtig. Is voll wichtig!«

Das reicht! Als alle rausgehen, sage ich: »Schantalle, du bleibst bitte noch mal kurz hier.«

Sie guckt ein bisschen verunsichert, stellt sich dann aber

in genervter Haltung neben meinen Schreibtisch – den Kopf leicht schräg, die Augen rollend, so dass man fast nur noch das Weiße sieht, und die Arme hat sie vor der Brust verschränkt. Ihre blöde Handtasche baumelt von ihrem Ellenbogen.

Ich lege los.

»Was soll das? Warum kommentierst du alles, was ich sage?«

»Mach ich doch gar nicht.«

»Natürlich machst du das. Du machst mich nach. Eben doch auch wieder. Was soll das? Willst du mich provozieren? Willst du dich mit mir anlegen? Habe ich dir irgendwas getan?«

Beleidigt sagt sie: »Sie schreien mich ja an. Sie blamieren mich vor der ganzen Klasse.«

»Das tust du schon selbst. Vorhin, mit deiner Ausdrucksweise.«

»Das habe ich ja nicht zu Ihnen gesagt.«

»Na, das wäre ja wohl noch die Höhe gewesen.«

»Kann ich jetzt geeehen?« Schantalle hat diese grauenhafte Art drauf, einzelne Wörter besonders genervt gedehnt zu sprechen. Machen viele Mädchen bei uns. Finden sie cool.

»Ja, kannst du.«

Genervt wische ich die Tafel und lasse ihr noch ein paar Minuten Vorsprung. Ich will ihr auf keinen Fall noch auf der Straße begegnen. Das Gespräch war irgendwie total für'n Arsch. Besser habe ich mich jedenfalls nicht gefühlt. Aber dann treffe ich im Bus einen ehemaligen Schüler, wir quatschen herrlich miteinander und verabschieden uns überschwänglich. Und plötzlich ist das Leben wieder schön.

Üfff ya abo tschüch

Schock am Nachmittag. Ich blättere zu Hause in meinen Unterlagen und stelle fest, dass die Schüler am nächsten Tag eine halbe Stunde früher als sonst in der Schule sein müssen, weil wir ein Bewerbungstraining für sie veranstalten. Dieser verfrühte Anfang ist meinem Gehirn total entschwunden. Mist. Zum Glück gibt es Facebook. Ich poste in meinem Lehrerprofil, dass die Schüler meiner Klasse früher kommen sollen. Dann bekommt jeder Einzelne von ihnen noch eine extra Nachricht von mir geschickt. Mit voll dem peinlichen Rechtschreibfehler. Alle, die die Nachricht gelesen haben, kommentieren den Fehler: »Hahahah Frau freitag *litte* bringt einen Stift mit hahahaha«.

Erst dachte ich, litte ist neuer Facebook-Slang, bis ich merke, dass ich mich bei dem Wort *Bitte* verschrieben habe. Egal.

Zehn Schüler meiner Klasse erreiche ich also übers Internet. Einigen von ihnen gebe ich den Auftrag, andere Mitschüler anzurufen. Dann setze ich mich ans Telefon.

Jetzt beginnt das Unausweichliche:

»Diese Nummer ist nicht vergeben.«

»Nein, ich bin nicht die Mutter von Peter. Nein, ich heiße wirklich nicht Müller.«

»Aber Sie haben die Nummer 497 ...«

»Ja, schon seit sechs Jahren.«

»Komisch, ich habe doch Peters Mutter schon unter dieser Nummer angerufen. Und Sie sind sicher, wenn Sie sich zu Hause umgucken, dass Sie da keinen Sohn haben, der Peter heißt?«

»Vollkommen sicher.«

»Okay, tja, da kann man wohl nichts machen. Ich wünsche Ihnen trotzdem einen schönen Abend.«

Ich spreche auf einige Anrufbeantworter und mit ein paar Geschwistern. Wenn einem am Telefon jemand mit perfektem Deutsch begegnet, dann sind das die Geschwister. Mit einigen Eltern spreche ich auch, aber nur so lange, bis ich ihnen verständlich gemacht habe, dass ich die Lehrerin bin. Dann lasse ich mich mit ihren Kindern verbinden, um den komplizierten Sachverhalt der vorgezogenen Anfangszeit zu übermitteln.

Dann öffne ich wieder Facebook und drohe jedem an, gleich zu Hause anzurufen, wenn sie mir nicht bestätigen, dass sie meine Nachricht gelesen und verstanden haben. Jeder meiner Schüler, der online ist, wird von mir angechattet. »Elif, was geht? Alles klaro mit morgen? Pünktlich, mit Stift, guter Laune und Gehirn nicht vergessen.«

Mustafa: »Frau freitag, was geht?«

Ich: »Na, du hoffentlich morgen – Schule – halbe Stunde früher.«

Mustafa: »Ich finde meine bewerbungen nicht.«

Die brauchen sie aber UNBEDINGT für das Bewerbungstraining.

Mustafa: »Und lebenslauf auch nich.«

Ich: »Schreibst du neu. Dein Leben ist ja noch nicht so alt. Geht also schnell ☺.«

Mustafa: »Yaaanneeee frau freitag, bewerbung hat krass lang gedauert. 4 stunden.«

Ich: »Na, setz dich jetzt gleich ran.«

Mustafa: »Uffff neeiiin ya frau freitag.«

Ich: »Ufff ya abo tschüch Musti, mach mal, bist doch ein Mann, oder was?«

Mustafa: »Üfff.«

Ich: »Mann oder Memme?«

Mustafa macht erst mal eine längere Pause, wahrscheinlich muss er nachdenken.

Er wird pünktlich, aber ohne Bewerbung kommen. Die, denen der verfrühte Beginn von ihren Mitschülern mitgeteilt werden sollte, werden zu spät kommen und sagen, sie wussten von nichts. Die, die ich nicht erreicht habe, werden zu spät sein, weil sie von nichts wussten. Ein Riesenchaos, nur weil ich alles verpeilt habe. Aber ich werde mir nicht sagen lassen, dass ich mich nicht bemüht hätte. Und den nächsten wichtigen Termin schreibe ich mir eine Woche vorher mit schwarzem Edding auf die Stirn.

Eldas Entschuldigungen

Am nächsten Tag sind alle meine Facebook-Schüler pünktlich. Allerdings haben die wenigsten von ihnen irgendeine Art von Bewerbungsunterlagen dabei, und Mustafa, die Memme, natürlich auch nicht. Die Unerreichbaren kommen auch pünktlich (aber halt eine halbe Stunde später), und sieben Schüler kommen gar nicht. Ich versuche, sie anzurufen, aber Telefonate mit Elternhäusern sind, wie gesagt, nicht so einfach. Eine Schwester schwört, dass Hanna vor einer halben Stunde das Haus verlassen hätte und gleich auftauchen müsste. Sie kommt nie an. Emre wird von Abdul um 9 Uhr telefonisch in die Schule beordert: »Frau Freitag, ich hatte ihn schon aufgewacht vorhin.« Emre erscheint dann völlig verpennt oder bekifft um 12 Uhr. Ohne alles. Ohne Bewerbung, Lebenslauf oder Stift.

Dann gibt es den ganzen Tag Bewerbungsgespräche und Einstellungstests und Feedback und Beratungen. Zwischendurch kommen die Schüler zu mir und berichten:

»Hat voll Spaß gemacht. Die Frau war korrekt. War voll king.«

»Ich bin rausgekommen und hatte voll Lebensfreude.«

»Frau Freitag, was ist ein Schamör?«

»Ich schwöre, ich habe perfekt Deutsch gesprochen. Ich glaube, ich habe sogar gesagt, ich habe mein Praktikum *absolviert*. So spreche ich sonst nie.«

Alles ist richtig nett und gemütlich. Wir plaudern zwischen ihren Terminen und pflegen die Beziehungsebene. Funda und Elda wollen mich bequatschen wegen ihrer gefälschten Entschuldigungszettel. Sie kommen zwar jetzt immer pünktlich, aber der Elternsprechtag steht an, und ihnen geht der Arsch auf Grundeis.

»Frau Freitag, bitte, ich habe das doch nur einmal gemacht. Bitte sagen Sie das meiner Mutter nicht.«

»Elda, deine Mutter weiß davon. Ich habe es ihr doch schon gesagt.«

Was die Mutter nicht weiß, ist, dass mir noch sieben weitere Entschuldigungen vorliegen, die garantiert auch gefälscht sind.

»Elda, warum soll ich denn deiner Mutter die anderen Entschuldigungen nicht zeigen? Du hast doch selbst gesagt, dass du es nur einmal gemacht hast.«

»Habe ich ja auch nur einmal gemacht.«

»Na, dann ist es doch kein Problem.«

Sie stammelt etwas davon, dass sie manchmal für ihre Mutter unterschreiben musste, als sie krank war, weil ihre Mutter keine Zeit hatte und so … Alles klar.

Wenn Elda wenigstens einfach zugeben würde, dass sie alle Entschuldigungen gefälscht hat. Aber sie versucht immer noch, sich rauszureden. Und eigentlich will sie sogar noch von mir gelobt werden. Weil sie doch eine Entschuldigung abgegeben und nicht unentschuldigt gefehlt hat. Denn geschwänzt hat sie ja angeblich nicht.

»Frau Freitag, wissen Sie eigentlich, was Eldas Mutter mit

ihr macht, wenn Sie die anderen Zettel zeigen?«, fragt mich Funda mit theatralisch weit aufgerissenen Augen.

»Na, gar nichts, Elda sagt doch, dass die alle ganz korrekt sind.«

»Sie schickt sie in die Türkei, und dort wird sie verheiratet! Und dann sind Sie schuld! Und mein Vater bringt mich um!«

Noch dramatischer ging es wohl nicht. Ich versuche, das Thema zu wechseln.

Ich bin mir gar nicht sicher, ob ich den Müttern das ganze Fälscherausmaß zeigen werde. Aber die Mädchen geben keine Ruhe: »Das hätten Sie bei Ronnie oder bei Peter nie gemacht. Ronnie fehlt so oft, und nie rufen Sie da an.«

Ah, sie ziehen die »Sie sind rassistisch«-Karte. Jetzt mischt sich Elif ein: »Äh? Ronnie fehlt doch nie. Und Peter auch nicht.«

Als ich den Raum verlasse, heften sich Elda und Funda an meine Fersen. Eigentlich könnten sie nach Hause gehen.

»Bitte, meine Mutter schickt mich Türkei.«

»Mein Vater tötet mich.«

»Ich verspreche, dass es nie wieder vorkommt. Frau Freitag, wir machen einen Vertrag. Es war doch auch nur das eine Mal …«

Mit einem »Wir reden morgen darüber« lasse ich sie stehen. Es ist Zeit, mir das Feedback über die Bewerbungsgespräche meiner Klasse abzuholen. Wahrscheinlich werde ich mit den Müttern ausmachen, dass sie mich ab jetzt immer anrufen müssen, wenn ihre Töchter krank sind und nicht in die Schule kommen können. Die gefälschten Entschuldigungen werde ich ihnen nicht zeigen.

Meine Klasse hat sich beim Bewerbungstraining recht wacker geschlagen und einen überraschend guten Eindruck bei den Schulfremden hinterlassen. Jede Klasse hatte fünf oder sechs Leute aus der Wirtschaft zu Besuch, die sehr lebensnahe Einstellungsgespräche mit den Kindern geführt haben. Am Ende des Tages bekommen die Klassenlehrer Rückmeldung, wie es gelaufen ist. Jeder Schüler wird einzeln besprochen. Als Elda an der Reihe ist, berichtet der junge Mann begeistert, was für eine offene und nette Person sie sei. »Das Einzige, was ihr wirklich Probleme machen könnte, sind die Fehlzeiten und die Verspätungen auf den Zeugnissen. Sie sagt, dass die Stunden alle entschuldigt waren, ihre Lehrerin aber die Entschuldigungszettel verschlampt hätte.«

»WIE BITTE?« Ich glaub, ich hör nicht richtig. Na warte, Fräulein, wir sprechen uns noch, und mit deiner Mutter spreche ich auch! Und die Türkei ist doch auch ein schönes Land, und einen Ausbildungsplatz bekommst du mit deinen Fehlzeiten ja sowieso nicht, warum dann nicht gleich heiraten?

Nachts kann ich nicht gut schlafen. Ich wache doch glatt vor lauter Wut über Eldas infame Lügendreistigkeit schon um vier Uhr auf. In meinem Kopf ein monotoner Beat: »Na warte! Na warte! Na warte!«

Morgens stehe ich vor meiner Klasse. Mein Plan: Eldas unverschämtes Verhalten öffentlich machen. Aber damit die Botschaft richtig ankommt, muss sie sich erst mal in Sicherheit wiegen. Ich frage die Klasse also, ob und was sie beim Bewerbungstraining gelernt haben. Ronnie, der nicht teilgenommen hat, begrüßt mich gleich mit: »Bewerbung ist scheiße.«

»Was meinst du?«

»Na, das ist alles behindert. Der ganze Tag gestern, behindert.«

»Ich versteh nicht ganz, was du meinst, Ronnie. Willst du damit sagen, dass du das alles schon kannst und das nicht brauchst, oder was?«

»Ja, kann ich.«

»Und was findest du an der Möglichkeit, Bewerbungsgespräche zu üben, jetzt so schlimm?«

»Na, sag ich doch – DAS IST BEHINDERT.«

Ich beende das Zwiegespräch mit ihm und wende mich wieder der ganzen Klasse zu: »Was meint ihr denn, was die Bewerbungstrainer über euch gesagt haben? Was fanden die wohl gut und was nicht so gut?«

»Die haben bestimmt gesagt, dass wir keine Ahnung von den Berufen haben«, sagt Abdul.

»Ganz genau. Keiner von euch hat irgendeinen Plan davon, was man in den von euch angestrebten Jobs macht. Ihr bewerbt euch da für Berufe und wisst gar nichts darüber. Das müsst ihr unbedingt noch nacharbeiten.«

Die Schüler sind sich einig, dass ihnen der Tag sehr viel gebracht hat, dass sie viel gelernt haben. Das Gelernte können sie sogar genau benennen. Und dann sind sie ganz baff, als ich ihnen erzähle, wie positiv, freundlich und nett sie rüberkamen. Wie sie gelobt wurden, dass sie das alles so ernst genommen und gut mitgemacht haben. Und vor allem, dass alle so superpünktlich waren.

Seit morgens um vier freue ich mich auf diesen Moment.

»Was meint ihr denn, was ihnen bei euch allen negativ aufgefallen ist?«

»Fehlzeiten und Verspätungen auf dem Zeugnis.«

»Genau. Haben sie euch in den Gesprächen darauf angesprochen?«

Alle: »Ja.«

»Okay, und was habt ihr da gesagt?«

»Ich hatte falsche Freunde. Und bin aber auch selbst schuld.«

»Der Bus hatte immer Verspätung.«

»Familiäre Probleme, die jetzt aber gelöst sind.«

»Ich habe gesagt, ich hatte eine schlechte Phase und bin jetzt aber nicht mehr so.«

»Und Elda, Funda, was habt ihr gesagt?«

Funda: »Bei mir haben sie gar nichts gesagt, weil da ja nicht viele unentschuldigte Stunden auf meinem Zeugnis sind.«

Elda: »Mich haben sie nur auf die Verspätungen angesprochen.«

»Aha. Und zu den unentschuldigten Fehlstunden haben sie nichts gesagt, Elda?«

Elda guckt mich seelenruhig an: »Nö.«

»Und Marcella, was hast du gesagt?«

»Dass ich oft die Entschuldigungen nicht abgegeben habe und dass ich geschwänzt habe und dass ich selber weiß, dass das nicht gut war.«

»Ja. Sehr gut. Und du wurdest von den Leuten auch für deine Ehrlichkeit gelobt. Weil du keine anderen für deine Fehler verantwortlich gemacht hast.«

Dann an alle: »Was glaubt ihr denn, was so ein Chef denkt, wenn ihr für eure Schwänzerei andere Leute verantwortlich macht? Dann denkt der doch, dass ihr keine Verantwortung für euer Handeln übernehmt. So wie Elda, die gestern gesagt hat, dass die unentschuldigten Stunden nicht ihre Schuld seien, sondern dass ICH die Entschuldigungen verschlampt hätte. Elda, das war eine Unverschämtheit. Und jetzt hier zu sagen, die hätten dich gestern gar nicht drauf angesprochen – U-n-v-e-r-s-c-h-ä-m-t!«

Die Message kam an. Alle glotzen zu Elda. Elda sagt nichts mehr. Wortlos überreicht sie mir nach der Stunde noch den Zettel, dass ihre Mutter nächste Woche zum Elternsprechtag erscheinen wird.

Eine Woche später ist Elternsprechtag. Wie ich den liebe. Die Schüler, die wissen, dass ich am Abend ihren Eltern gegenübersitzen werde, sind an dem Tag immer ganz lieb und demütig. Elda und Funda kamen diesmal sogar in der Mittagspause zum Lehrerzimmer. Ich saß gerade über einem Teller nicht ganz so leckerer Nudeln.

»Frau Freitag, können wir noch mal mit Ihnen reden? Wegen heute Abend und so?«

Jetzt wurden noch mal alle Register gezogen. Funda bemühte sogar noch eine kranke Großmutter, wegen der ihre Eltern gerade große Sorgen hätten. Elda kam wieder mit der türkischen Hochzeit. Ich dachte nur an meine Nudeln.

»Passt mal auf, ihr Lieben, lasst uns einfach heute Abend darüber sprechen. Und jetzt geht mal nach Hause.«

Dann beginnt der Elternsprechtag. *I love it!* Ich stelle immer ein paar Stühle für die Wartenden vor die Tür, und wenn ich kurz rausgehe, um den Nächsten reinzubitten, sitzen die lieben Kleinen dort mit leidendem Gesicht neben ihren Erziehungsberechtigten. Wenn sie reinkommen, kann ich an den Gesichtern ablesen, bei wie vielen Kollegen sie schon waren. Ich frage dann auch immer gleich direkt, was die Kollegen so gesagt haben.

Als ich die Tür öffne und Marcella und ihre Mutter verabschiede, sitzt da Abdul und neben ihm die Übersetzer-Tanten-Cousine. Sie grinst mich breit an. Super. Auf die ist echt Verlass. Die kommt immer, seit Jahren spreche ich mit ihr und Mama Abdul, die wenig Deutsch versteht. Diesmal muss sich Mama Abdul leider entschuldigen, sie ist mit der Tochter beim Arzt, aber sie lässt schön grüßen. Schade, ich hätte gerne mit ihr gesprochen, vor allem, weil es für Abdul eigentlich gar nicht so schlecht aussieht. Noch nie hatte ich so viel Positives über ihn zu sagen. Sonst musste Mama Abdul manchmal schon weinen, wegen der vielen Verfehlungen ihres Sohnes. Die Cousine schreibt mit, lässt sich alles genau erklären, fragt nach und macht Vorschläge. Und das alles in dieser herrlichen, leicht hektisch-wachen Coolness, die sie umgibt. Sie ist voll da. Totale Präsenz. *Present perfect.* Ich will sie heiraten. Sie soll bei mir wohnen. Ich will Schüler sein, und sie soll sich um meine Leistungen kümmern. Ich beneide Abdul, dass er so viel mit ihr zu tun hat. Und dann hat er auch noch diese süße liebe Mutter, die immer anfängt zu weinen. Diese Cousine ist wie ein teuflischer Engel. Echt super. Beim Verabschieden fragt Abdul: »Frau Freitag, wie lange is noch bis zur Notenabgabe?«

»Ungefähr fünf Wochen.«

In Abduls Kopf rechnet es. Dann strahlt er: »Super, immer nach dem Elternsprechtag bin ich zwei Monate gut in der Schule. Das haut dann ja noch hin.«

Als Nächstes kommt Elda mit ihrer Mutter. Showdown. Wird Frau Freitag die gefälschten Entschuldigungen auf den Tisch legen oder nicht? Ist das das Ende von Eldas freiem Leben? Wird sie heute Nacht noch in die Türkei verschickt und dort zur Heirat mit einem Bauernsohn gezwungen? Wird Elda ihr Leben ungeliebt im kargen Anatolien zwischen einem brutalen Ehemann und vielen Schafen verbringen müssen?

Eldas Mutter ist eine bildhübsche, moderne türkische Frau, die sich von ihrem Mann getrennt hat. Wir reden über Eldas Leistungen, die eigentlich keinen Grund zur Klage geben. Ich erkläre die Schulabschlüsse und nenne die Fächer, in denen sich Elda noch verbessern muss.

Und dann greife ich in mein Regal und hole alle Entschuldigungen von Elda raus.

»So, Mama Elda, gucken Sie mal, welche von denen hier tragen denn Ihre Unterschrift?«

Die beiden schieben die Zettel hin und her. Wir diskutieren

über die einzelnen Daten. Es stellt sich heraus, dass mindestens zwei Unterschriften gefälscht sind. Ich nehme die Entschuldigungen wieder an mich.

»Passen Sie auf, wir machen das so: Wenn Elda krank ist, dann rufen Sie einfach kurz in der Schule an. Die Entschuldigungen erkenne ich, bis auf die beiden hier, alle an, okay?«

Dann erzählt Elda noch, dass Frau Hinrich gesagt hat, dass sie ihr Deutsch verbessern muss.

»Aber Frau Freitag, wie soll ich das denn machen?«

»Lesen! Du musst lesen!« Ich greife hinter mich ins Regal und gebe ihr *ArabQueen*. »Hier, lies das mal. Geht um Zwangsheirat.«

An der Tür flüstere ich ihr zu: »Zwangsheirat, wegen gefälschter Entschuldigungszettel.«

Stur und nachtragend

Samira hat Stress. Sie ist zwar nicht mehr in meiner Klasse – leider –, aber wir sehen uns in den Pausen. Dann legt sie konspirativ den Arm um mich, geht mit mir durch das Schulgebäude und weiht mich in ihre Sorgen und Nöte ein.

»Frau Freitag, ich habe voll Ärger mit Frau Schwalle.«

»*Oh no*. Was ist denn passiert?« Frau Schwalle unterrichtet nicht mehr in meiner, dafür aber in Samiras neuer Klasse.

»*Üffff*, die Frau geht gar nicht! Jetzt soll ich mich bei ihr entschuldigen. Dabei hab ich schon Tadel bekommen, warum soll ich mich dann auch noch entschuldigen?«

»Tja ...«

»Sie ist voll behindert, diese Frau.«

»Aber Samira, du bist 10. Klasse, du brauchst die guten Noten. Wenn du dich jetzt nicht mit ihr verträgst, dann hast du nur noch mehr Stress dieses Schuljahr, und am Ende ist dein Abschluss gefährdet.«

»Frau Freitag, ich schwöre, ich kann mich nicht entschuldigen.«

»Wann sollt ihr denn miteinander sprechen?«

»Jetzt gleich, in der Pause.«

In der Mittagspause frage ich so ganz beiläufig ihre neue Klassenlehrerin, wie das Gespräch zwischen Samira und Frau Schwalle gelaufen ist.

»Nicht gut. Gar nicht gut. Samira ist stur geblieben und hat sich nicht entschuldigt.«

Später rauche ich mit Kollege Müller, der Samira auch sehr mag. Er fragt mich: »Hast du gehört, dass Samira voll Ärger mit der Schwalle hat?«

»Ja, habe ich gehört.«

»Weißt du auch, worum es ging?«

»Nein.«

»Samira hat gesagt, dass die Sachen, die Frau Schwalle anhatte, nicht zusammenpassen.«

»Echt? Deswegen gibt die ihr einen Tadel?«

»Na ja, du kennst ja Samira, war bestimmt recht unpassend in dem Moment.«

»Ja, wahrscheinlich. Aber weißt du was, irgendwie finde ich es auch gut, dass sie sich nicht entschuldigt hat und dass sie so stur ist. Blöd nur, wegen so was den Schulabschluss aufs Spiel zu setzen. Wie ich Frau Schwalle kenne, sieht Samira in dem Unterricht keine Sonne mehr.«

Herr Müller nickt.

Ich kann mir Samira richtig vorstellen, wie sie da sitzt – eingekeilt zwischen neuer Klassenlehrerin und der Schwalle, und beide quatschen auf sie ein, sie soll sich entschuldigen. Und Samira sitzt einfach da, mit versteinertem Gesicht, das ihnen wunderbar nonverbal vermittelt: Ich denk gar nicht dran.

Irgendwie find ich's super. Sie ist stur und nachtragend. Richtig erwachsen. Man muss nicht immer klein beigeben. Und unter uns gesagt: Die Schwalle versteht wirklich nichts von Mode. Samira schon.

Stuhlkreis gegen Rassismus

»Hier, wartet mal, ich muss euch was zeigen! Kann ich mal kurz deinen Laptop haben?« Ich bin mit dem Freund bei Bekannten zum Essen eingeladen. Wir sitzen im Wohnzimmer und quatschen. Eine Frau, die ich nicht kenne, hat mich gerade gefragt, wie es ist, Lehrerin zu sein, da fällt mir wieder ein, dass ich mich heute tierisch aufgeregt habe.

»Ich hätte fast mein MacBook an die Wand geschmissen, als ich das gelesen hab. Wartet mal, hier, auf der Kinder-Facebook-Seite ...«

»Kinder-Facebook?«, fragt ein Typ mit Glatze. »Was soll denn das sein?«

»Du bist mit deinen Schülern bei Facebook befreundet?«, fragt eine Frau, die bestimmt keine Lehrerin ist, denn sie ist viel zu modisch gekleidet. »Darf man das denn als Lehrerin?«

»Na, wie jetzt? Dürfen, nicht dürfen, das ist doch meine Sache, was ich mache, also ... Warte mal, jetzt noch das Passwort: A L L Z W E C K R E I N I G E R. So, also, äh ja, ich bin mit denen befreundet, aber ich habe eine extra Frau-Freitag-Seite. Ist voll lustig, Facebook spricht mich dann immer mit Frau an, als wäre das mein Vorname: ›Frau, du musst dein Passwort erneuern‹, und so was. Ah, hier ist es. Ist von zwei

Schülerinnen aus meiner Klasse. Die sind jetzt in der Zehnten. Hier, lest euch das mal durch!«

Ich stelle den Laptop auf den Couchtisch, so, dass alle was sehen können.

Fatma hat ein Bild aus einem Konzentrationslager gepostet und schreibt an Asmaa:

Fatma: Kuck dir die geilen juden an wie sie verbrennen voll süßß jahhh ❤ ❤ ❤ ❤ ❤ ❤ ❤ ☺

Asmaa: Ich liebe es

Fatma: Ganz schön intressaant und so neee … richtig süß mein Schatz ☺

Frau Freitag: Noch ganz dicht? Denkt mal nach, was ihr hier schreibt!!!

Miriam: Huhuu okaay. haha

Fatma: Hahahahahahahahahaha … oha Asmaa kuck, frau Freitag ☺

Stille. Alle starren auf den Bildschirm.

»Na ja, wenigstens hat mein Kommentar sie ein wenig gebremst. Sollen die anderen Schüler ruhig sehen, dass hier eine Lehrerin mitliest und das *nicht voll süß Schaaaatzii* findet. Mann, hab ich mich aufgeregt heute Nachmittag.«

»Also, was die Schüler denken und worüber die sich bei Facebook unterhalten, ist doch deren Privatsache. Das wurde ja nicht in der Schule geäußert«, sagt der Typ mit der Glatze.

»Wie – Privatsache? Facebook ist nicht privat. Das ist öffentlich – das ist immer öffentlich. Und das hier ist ja wohl eindeutig Volksverhetzung«, erwidert der Gastgeber, ein Graphiker, der den ganzen Tag am Computer sitzt.

Die modische Frau guckt mich ganz betroffen an: »Gibst du denen jetzt schlechte Noten?«

»Wie, schlechte Noten! Was meinst du? Das war ja jetzt keine Hausaufgabe, und außerdem sind die Zensuren von denen schon so schlecht, die kann ich gar nicht mehr weiter runtersetzen. Aber die können morgen was erleben.« Ich rege mich schon wieder auf.

Jetzt mischt sich der Freund von der modischen Frau ein. Ich glaube, er ist Optiker. Er trägt eine sehr bunte Brille. »Irgendwie verstehe ich das nicht ganz. Das sind doch fast alles türkisch- und arabischstämmige Schüler, oder? Werden die nicht auch ab und zu angefeindet? Die sind doch auch zu Gast hier in Deutschland.«

»Hä, wie zu Gast hier? Die sind alle hier geboren und ihre Eltern auch. Die haben auch deutsche Pässe und überhaupt: Was hat das mit den Konzentrationslagern zu tun? Die Juden waren doch auch keine Gäste in Deutschland. Oder meinst du jetzt wegen der Ausländerfeindlichkeit?«

Er guckt nachdenklich und schweigt.

»Du solltest einen Screenshot von den Kommentaren machen und den zur Staatsanwaltschaft schicken«, sagt der Jurafreund, den ich schon lange kenne, resolut.

»Kann man so was anzeigen?«, frage ich. Darüber hatte ich heute auch schon mal nachgedacht.

»Was würden die denn daraus lernen?«, will der Glatzentyp wissen. »Da muss man die Schüler schon irgendwie anders erreichen. Nur bestrafen, das hilft wahrscheinlich nicht. Die müssen spüren, dass ihr Handeln falsch und dumm war.«

Die modische Frau schlägt vor, dass ich mit meiner Klasse *Die Welle* lese: »Also, das haben wir damals in der Schule gelesen, und dann haben wir noch so einen Film über KZs gesehen. Da hat aber keiner mehr was gesagt. Hilft so was heute nicht mehr?«

»*Die Welle* haben die schon gelesen. Und bei denen ist das

anders, da mischt sich ja ständig der Nahostkonflikt unter. Den gab es bei uns so ja gar nicht.«

Jetzt erwacht der Optiker wieder aus seiner Starre. »Wie wäre es denn, wenn du eine besonders schreckliche Stelle aus einem Bericht eines Überlebenden aus dem KZ vorliest, ohne zu sagen, dass es um Juden und die Nazizeit geht? Vielleicht können die ja den Schrecken und den Schmerz und die ganze Grausamkeit nachempfinden. Das muss richtig weh tun, damit sie irgendwas begreifen.«

»Keine Berichte vorlesen! Echte Bilder! Filme! Das Schlimmste, was du finden kannst, und dann muss jeder einen Aufsatz darüber schreiben! Und wenn das nicht hilft, dann schickst du sie zum Psychologen«, schlägt der Jurafreund vor.

Eine nachdenkliche Pause entsteht. Der Typ mit der Glatze zündet sich eine Zigarette an. Der Graphiker geht in die Küche und kommt mit sechs Bierflaschen wieder. Neben mir sitzt eine Grundschullehrerin. Ich kenne sie nicht, aber ich weiß, dass der Graphiker schon seit einigen Monaten hinter ihr her ist. Sie ist ziemlich jung und ein bisschen rundlich. Sie trägt gefütterte Wildlederstiefel und Stulpen. Eigentlich sieht sie wie eine Studentin aus. Sie hat bisher noch gar nichts gesagt, nur die ganze Zeit auf den Bildschirm gestarrt. Jetzt guckt sie mich plötzlich an. »Also, nach meiner Erfahrung ist es immer besser, sich mit Einzelschicksalen zu beschäftigen als mit der Gesamtheit. Wenn man hört, dass sechs Millionen Juden ermordet wurden, dann kann sich das eh kein Mensch vorstellen. Aber wenn man zum Beispiel das *Tagebuch der Anne Frank* liest oder sich mit Kindern und Jugendlichen, die im Dritten Reich verfolgt wurden, beschäftigt, dann wird es doch für die Schüler schwieriger, sich zu distanzieren. Vielleicht solltest du mit deiner Klasse mal in ein Konzentrationslager fahren oder dir ein oder zwei Einzelschicksale raussuchen, mit denen sich die Schüler dann identifizieren können.«

Ich erzähle, dass Asmaa *Anne Frank* schon gelesen hat. Sogar freiwillig, aber das hat sie wahrscheinlich schon wieder vergessen.

Plötzlich die modische Frau: »Gibt es nicht irgendwelche Literatur für Jugendliche, die die Judenverfolgung aus der Ich-Perspektive eines Jugendlichen beschreibt, ohne dass sofort klar wird, dass es sich um Juden handelt? Also quasi *Anne Frank*, aber inkognito?«

Niemandem fällt auf Anhieb so ein Buch ein. Die Grundschullehrerin schlägt vor, dass ich einen Menschen jüdischen Glaubens einlade, der sich mit den Schülern unterhält. »Der müsste so richtig cool und lässig sein. Und einen Tag später musst du dann aufdecken, dass der jüdisch war. Und dann mal gucken, was sie sagen.«

»Und wenn sie den nicht cool und lässig, sondern doof und langweilig finden?«, gebe ich zu bedenken. Und überhaupt, wo sollte ich denn diesen lässigen Juden für so ein Selbstmordkommando finden?

»Mein Vorschlag ist immer noch Strafanzeige.« Der Jurafreund macht sich ein Bier auf.

Der Graphiker hat sich den Laptop genommen und recherchiert bei YouTube: »Es gibt doch total viel Filmmaterial dazu. Wenn du das zeigst, dann sagst du bei jeder Massenerschießung, bei jedem Judentransport, bei jedem Massengrab und bei jeder Aufnahme von Verhungerten, dass die Nazis die Araber auch nur als Mittel zum Zweck benutzt haben. Wenn das nicht hilft, dann die Schraube ein wenig anziehen: den *Shoa*-Film zeigen, und wer lacht, der muss Berichte von KZ-Überlebenden vorlesen, und wenn das nicht reicht: Bilder von

Menschenversuchen zeigen. Und wenn das immer noch nicht reicht – direkt eins auf die Schnauze.«

Die Grundschullehrerin rümpft die Nase. »Also, ich finde, du solltest eine Sonderstunde machen, in der du den Schülern Einzelschicksale vorliest, und zwar nicht nur welche, die während des Holocausts spielen, sondern Kurzgeschichten, die von Erlebnissen mit Fremdenhass aus der ganzen Welt und zu jeder Zeit erzählen. Vielleicht auch was, wo Türken oder Muslime angefeindet werden.«

»Türken sind Muslime«, sagt der Graphiker. So bekommt er sie nie ins Bett.

»Ja, ja, weiß ich ja«, sagt die Grundschullehrerin. Pikiert, wo sie doch gerade DIE Lösung gefunden hat. »Und du könntest vielleicht auch zwei Geschichten daruntermischen, in denen es ein Happy End gibt, wo also Freundschaft oder zumindest Vernunft über Hass triumphiert. Ich würde vielleicht sogar den üblichen Unterrichtsrahmen etwas ändern, indem ich die Einheit nicht weiter ankündige oder erkläre. Und ich würde die Schüler aus der gewohnten Sitzordnung nehmen und sie gemütlich auf dem Boden sitzen lassen. Vielleicht sogar Kerzen aufstellen und vorher den Raum abdunkeln.«

Ich stelle mir vor, wie meine Klasse in einen abgedunkelten Raum kommt, in dem es keine Stühle mehr gibt. Und ich höre sie: »Was das, Frau Freitag? Wo sind die Stühle?« – »Ich sitz doch nicht auf dem behinderten Boden!« – »Ist doch übertrieben dreckig da. Ich hab weiße Hose an.«

»Hast du denn eine Idee, was das für Kurzgeschichten sein sollen? Gibt es da eine Sammlung? So *Geschichten mit Fremdenhass aus aller Welt*?«, frage ich die Grundschulkollegin. Ihr fällt kein Buch ein.

»Na ja, ist gar nicht so einfach, aber irgendwas muss ich mit denen machen«, sage ich. Der Graphiker ist immer noch im

Internet unterwegs und fängt jetzt an zu kichern. »Hier, kennt ihr dieses Video, mit den zwei alten Frauen und dem Auto, das ist so lustig.«

Ich gehe aufs Klo und denke an meine Klasse. Holocaust-überlebende einladen, KZs besuchen ... bei meinen Schülern ist das Problem etwas anders gelagert. Der »normale« deutsche Antisemitismus ist ja eher rückwärtsgewandt. Die Familien meiner Schüler kommen aber aus palästinensischen Flüchtlingslagern und waren zum Teil im Sommerurlaub im Libanon, als der letzte Krieg dort losbrach.

Ich erinnere mich an eine Kunststunde vor einigen Jahren, in der ich eine ziemlich chaotische Collageaktion initiiert hatte. Der Deutschlehrer, ein guter Freund von mir, hatte mir netterweise einen Haufen Zeitschriften besorgt. Aus den Containern, in denen die ganzen abgelaufenen Lesezirkelmagazine landen. Jedenfalls hatte ich einen Haufen Zeitschriften, die ich irgendwie in meinem Kunstunterricht verwursten wollte. Von jedem Magazin zehnmal die gleiche Ausgabe.

Plötzlich schrie ein Schüler auf »Judenfahne, Judenfahne« und zeigte immer wieder wild auf eine Seite. Ich hatte nicht bemerkt, dass es in dieser Ausgabe um den Libanonkrieg ging. Und wie der *Stern* so ist, gab es natürlich auch schön viele große Bilder von der Zerstörung. Plötzlich brach eine von mir nicht mehr kontrollierbare antisemitische Hasstirade bei den Schülern aus.

Ich wusste nicht, was ich machen sollte, und schrie sie an, sie sollten damit aufhören. Vor allem Mohamed stampfte ich in Grund und Boden. Ich spulte meine gesamte »Du-kennst-doch-gar-keine-Juden-wie-du-hier-redest-dafür-könnte-ich-dich-anzeigen«-Leier ab.

Er wurde ganz still. Irgendwann stand er auf und kam mit dem aufgeschlagenen *Stern* zu mir. Auf der Doppelseite war ein Bild von einem Mann, der ein blutendes, wahrscheinlich totes kleines Mädchen im Arm hielt.

»Aber Frau Freitag, gucken Sie«, sagte er ziemlich leise und hielt mir die Zeitschrift unter die Nase. »Gucken Sie, das ist doch meine Cousine.«

Fatma und Asmaa

»Fatma und Asmaa, bleibt mal noch kurz hier.«

»Warum denn?« Kurzes Nachdenken, dann ein verlegenes Grinsen. »Ach so, wegen Facebook. Frau Freitag, das war doch nur Spaaaß.«

Wir sitzen um den hinteren Gruppentisch in meinem Raum. Asmaa, Elif, Miriam, Fatma und ich. Fatma koloriert immer noch ihr Bild. Eine Phantasiestadt auf DIN A2, die sie im letzten Schuljahr gezeichnet hat. Damals ist sie nicht fertig geworden, jetzt will sie in jeder freien Minute an dem Bild arbeiten. Ich habe ihr meinen teuren Faber-Castell-Buntstiftkasten mit 36 unterschiedlichen Farben gegeben. Das Bild wird wirklich sehr schön.

»Frau Freitag, das war nicht ernst gemeint«, sagt Asmaa. »Fatma hat mir das geschickt, und dann habe ich darauf geantwortet.«

Fatma, ohne hochzugucken: »Wir sollten das für Geschichte lesen, und dann habe ich es einfach Asmaa geschickt.«

»Ja, das habe ich mir schon gedacht, aber die Kommentare.«

Beide kichern schuldbewusst. »Ja, das war blöd«, sagt Asmaa.

Miriam erzählt, dass sie in Geschichte mit der Klasse einen Film über KZs gesehen haben. »Das war voll schrecklich, wie die alle so total dünn waren, und überall hat man die Knochen gesehen. Alle waren übertrieben geschockt, wir Mädchen hätten fast geheult. Nur Fatma hat die ganze Zeit gelacht.«

Jetzt guckt Fatma mich das erste Mal an. »Ja, na und? Ich hasse die Juden. Was die in Palästina machen ...«

Wir sprechen kurz über die Begriffe Juden, Israelis, Politiker, Privatleute, Täter und Opfer. Miriam sagt: »Aber die Deutschen machen doch immer Witze über die Juden.«

Fatma kichert: »Ja, hier, warte, habe ich im Internet gelesen. Was sagt der Jude zum Taxifahrer? – ›Gib Gas‹.« Fatma lacht sich schlapp.

Ich komme noch mal auf ihren Facebook-Spaß zurück. »Ihr könnt so was aber nicht auf Facebook schreiben. Das ist alles öffentlich.«

»Einmal im Internet – immer im Internet«, zitiert Miriam wen auch immer und grinst dabei zufrieden.

»Ganz genau«, sage ich.

»Ja, ich weiß, darum haben wir es auch gelöscht«, sagt Asmaa leise.

»Ihr könnt eine Menge Ärger bekommen. So zu reden ist nicht erlaubt.«

Die Mädchen werden ganz aufgeregt und erzählen mir eine Geschichte aus ihrer Grundschulzeit. Da gab es wohl ein palästinensisches Mädchen, das in ein Freundschaftsbuch unter Zukunftswunsch geschrieben hat: »Alle Juden sollen sterben!« Als die Klassenlehrerin das Buch bekam, um etwas reinzuschreiben, gab es richtig Ärger.

»Sie bekam Tadel und Brief an die Eltern und eine Klassenkonferenz und Schulverweis, und sie war gut in der Schule – Gymnasium –, und sie hätte sich fast ihre ganze Schule versaut damit«, erzählt Elif, ohne Luft zu holen.

»Na, die hat ihre Lektion gelernt«, sage ich, und die Mädchen nicken stumm.

Fatma räumt langsam auf, denn sie müssen zum nächsten Unterricht. »Fatma, ich verstehe, dass du auf die ganze Sache eine andere Sichtweise hast, wegen des Nahostkonflikts.«

»Frau Freitag«, unterbricht sie mich, »wissen Sie, was die da mit den Palästinensern machen?« Sie erzählt von Land und heiligen Moscheen und kleinen Kindern und Tod und Elend. Ich höre zu und nicke und sage, ja, das ist schlimm.

Dann unterbricht Miriam sie: »Aber Fatma, die Juden im KZ, die konnten doch gar nichts dafür. Das war doch viel früher. Die haben doch gar nichts mit Palästina zu tun.«

»Ja, stimmt«, sagt Fatma. Wir gehen aus dem Raum Richtung Sporthalle. Ich laufe langsam hinten mit Fatma, damit ich mit ihr alleine sprechen kann. Fatma sagt, dass die Juden/Israelis ja heute das Gleiche mit den Palästinensern machen würden. Und warum sie nichts von früher gelernt hätten.

»Fatma, das ist alles nicht einfach, dieser ganze Konflikt heute. Aber das eine ist Krieg, und der Holocaust war was anderes.« Sie weiß nicht, was der Holocaust ist. Ich erkläre es ihr schnell.

»Weißt du, das hat mich echt geschockt, wie und was ihr da über die KZs geschrieben habt. Das war richtig respektlos. Das war so schlimm damals. Da macht man sich nicht drüber lustig.«

Fatma guckt auf den Boden: »Ich weiß. Ich respektiere die Toten auch.«

Damit lasse ich es fürs Erste gut sein, lege ihr den Arm um die Schulter: »Tja, Fatma, schade eigentlich, dass wir beide hier heute nicht den Nahostkonflikt lösen können. Ist eben nicht so einfach.«

»Nee, leider«, sagt sie und schlurft zum Sportunterricht.

Cigdem ist wieder da

»Manuel, wie kannst du denn Muslim sein, wenn dein Vater Deutscher ist?«, fragt Cigdem mitten in der Stunde. Ich unterrichte gerade Kunst in meiner Lieblingsklasse. Ich bilde mir zumindest ein, es sei meine Lieblingsklasse, weil ich es sonst nicht aushalte. In der Gruppe sind nicht viele Schüler, weil jeder Einzelne die Wirkung von zehn normalen Schülern hat. Es ist die neue Klasse von dem dicken Dirk und Dschinges und neuerdings auch wieder von Cigdem. Sie war erst auf unserer Schule, dann auf irgend so einer Maßnahmenspezialschule, und jetzt ist sie wieder bei uns.

Das passiert oft. Wir haben viele Bumerang-Schüler. Die Schüler gehen – »Wir ziehen nach München, Köln, Kleve, ich gehe in ein Schulschwänzerprojekt, ich habe Ausbildungsstelle, ich gehe auf eine andere Schule« –, aber meistens passiert gar nichts. Oder sie sind irgendwann weg und stehen dann plötzlich wieder vor deiner Tür. »Ich bin wieder da. War scheiße in München. Obwohl es gab's voll viel Arbeitsplätze. Sogar mein Bruder hätte dort arbeiten können, dabei hat er gar keinen Schulabschluss.«

»Dein Vater ist doch kein Muslim. Der ist doch Deutscher.« Manuel hat noch nicht geantwortet. Er scheint nachzudenken. In seiner Klasse sind alle Muslime. Es wäre gut für ihn, auch einer zu sein. Alle starren ihn interessiert an und warten auf seine Antwort. Ich möchte ihm helfen: »Cigdem, man kann auch als Deutscher Muslim sein. Das ist doch eine Religion und keine Volksabstammung oder eine Nationalität.« Manuel faselt etwas von Stiefvater. Wahrscheinlich ist er doch kein Muslim, sonst hätte er das sofort gesagt. Der Gruppendruck ist erbarmungslos wie überall. Ich versuche, das Thema zu wechseln: »Es ist doch ganz leicht, Muslim zu werden, man muss doch nur dreimal irgendwas sagen, und dann ist man das. Man muss ja noch nicht mal Steuern zahlen.« Ich denke an meine Kirchensteuer, die der Evangelischen Gemeinde jedes Jahr einen Skiurlaub ermöglicht.

»Ja, das Glaubensbekenntnis«, sagt Hassan.

»Cigdem, warum bist du eigentlich wieder hier? Du warst doch auf einer anderen Schule.«

»Da war's scheiße. Ich bin geflogen.«

Irgendwie kommen wir von dem Religionsthema aber nicht weg. Cigdem erzählt, dass sie immer samstags und sonntags betet. Deshalb frage ich sie: »Bist du denn ein richtiger Muslim?«

»Ja, natürlich.«

»Hältst du dich denn an die Regeln?«

»Nein, tue ich nicht.«

»Kannst du denn ein Muslim sein, ohne dich an die ganzen Regeln zu halten?«

Cigdem überlegt: »Das hat doch nichts damit zu tun. Ich glaube trotzdem an Gott.«

»Na, das will ich ja gar nicht bezweifeln, aber ich dachte immer, man muss sich auch an diese Regeln halten.«

»Wieso? Das macht doch kein Jugendlicher.« Cigdem ist empört. »Niemand kann sich an die Regeln halten.«

Das sehen ihre Mitschüler aber anders: »Natürlich kann man das. Erwachsene, Hodschas, alte Leute ...«

Sie überzeugen Cigdem nicht. »Meint ihr! Aber ich wette, die Hodschas haben früher auch Hurensohn gesagt. Glaubst du nicht, Frau Freitag?«

»Cigdem, warum duzt du die Lehrer eigentlich immer?«, fragt Manuel.

»Ja, Cigdem, das machst du. Und das sollte man nicht machen. Weißt du, das machen Kindergartenkinder. Du bist doch schon älter. Man denkt dann, du wärst noch klein.« Dabei weiß ich genau, dass sie das aus Respektlosigkeit und Provokation tut.

»Wieso, hab ich schon immer gemacht. In der anderen Schule hab ich zu den Lehrern gesagt ›Hurensohn, komm her‹, und die haben nichts gemacht.«

»Na ja, da bist du ja auch von der Schule geflogen.«

»Ja, aber weil ich eine Lehrerin geschlagen habe und so mit der Schere auf sie zugegangen bin.« Sie springt auf, nimmt eine Schere von meinem Schreibtisch und will die Szene nachspielen. Ich greife nach der Schere. Sie setzt sich wieder hin.

Die ganze Stunde beobachte ich sie. Sie arbeitet gut, verbal ließe sich einiges verbessern, aber eigentlich ist sie recht zugänglich und friedlich. »Cigdem, kann ich dich mal was fragen?«

»Was denn, Frau Freitag?«

»Sind deine Eltern eigentlich stolz auf dich?«

Sie denkt kurz nach »Nein. Sind sie nicht.«

Dann klingelt es, und wir wünschen uns gegenseitig ein schönes Wochenende.

Frau Freitag deckt auf

»Guten Tag, hier spricht Frau Freitag, ich bin die Klassenlehrerin von Bilal. Spreche ich mit Bilals Mutter?«

»Nein, ich bin die Schwester.«

»Könnte ich mal mit seiner Mutter sprechen?«

»Die kann nicht gut Deutsch, worum geht es denn?«

»Ich wollte mich nur erkundigen, warum Bilal am Freitag zu spät in die Schule gekommen ist.«

Ich hatte gesehen, dass er bis nachts um drei Uhr bei Facebook unterwegs war. Am nächsten Tag kommt er in der zweiten Stunde mit Trauermiene zu mir und sagt, dass er mich mal ganz dringend unter vier Augen sprechen müsste. Seiner Mutter sei es sehr schlecht gegangen. Ihr Gesicht sei ganz schief gewesen, und da wären sie die ganze Nacht wach geblieben und morgens früh mit ihr ins Krankenhaus gefahren.

»Das klingt ja schrecklich, Bilal, wie geht es deiner Mutter denn jetzt?«

»Ja, na ja, besser.«

»Ist sie noch im Krankenhaus?«

»Ja.«

»Na, das ist ja gleich hier um die Ecke, da kannst du sie ja nach der Schule besuchen.«

Erleichtert will er gehen, dreht sich aber noch mal um: »Soll ich eine Entschuldigung abgeben?«

»Nein, nein, brauchst du nicht. Gute Besserung an deine Mama.«

Ich gucke ihm hinterher und denke: Irgendwas stimmt an der Sache nicht. Ist nur so ein Gefühl. Aber dieses Gefühl kommt später in meiner Freistunde wieder hoch. Deshalb rufe ich schnell bei Bilal zu Hause an, um mich nach dem mütterlichen Befinden zu erkundigen.

»Jedenfalls war Bilal nicht in der ersten Stunde.«

»Ja, er ist zu spät losgegangen. Er hat verschlafen.« Kein Wunder, wenn er bis in die Puppen bei Facebook rumhängt.

»Okay, verschlafen ... und der Mutter? Geht es der gut? Die war nicht im Krankenhaus, oder?«

»Nein, nein, der geht es gut.«

»Okay, dann weiß ich ja jetzt Bescheid. Erst mal vielen Dank. Tschüs.«

Die Mutter ins Krankenhaus gebracht ... pah, mit schlimmen Schlaganfallsymptomen … Dieser Bilal kann was erleben. Spinnen die denn jetzt völlig? Die lügen mich ohne Ende voll. Von früh bis spät nur Lügen, Lügen, Lügen und gefälschte Entschuldigungszettel.

Marcella und Ayla kommen zu spät zur ersten Stunde. »Wir mussten noch was wegen einer Präsentation mit Herrn Schwarz besprechen.«

In der Pause treffe ich Kollege Schwarz: »Nö, Frau Freitag, die waren den ganzen Tag noch nicht bei mir.«

Dann frage ich den Chef des Prüfungsausschusses, ob Mariella für die Realschulprüfung angenommen wurde, obwohl sie ihre Anmeldung zu spät abgegeben hat. Er fragt, ob ich den Brief gelesen hätte, mit dem sie sich für die verspätete Abgabe entschuldigen wollte.

Und als ich das Gestammel lese, denke ich, mich trifft der Schlag. Da steht:

*Ich weiß ich habe die Anmeldung zu spät
abgegeben, weil meine Lehrerin hatte mir am
5.11. noch geschrieben, dass ich an die Gliederung
denken soll und da hat sie mich aber nicht an die
Anmeldung erinnert und dann habe ich nur an
der Gliederung gearbeitet. Meine Lehrerin trifft
keine Schuld.*

Die Lehrerin (also ich) wird in diesem Schrieb so oft bemüht, dass es sich liest, als sei eigentlich nur sie dafür verantwortlich, dass Mariella die Anmeldung nicht rechtzeitig abgegeben hat.

Fräulein Krise sagt dazu nur: »Wenn dich keine Schuld trifft, warum erwähnt sie dich dann überhaupt? Sie könnte doch auch schreiben, meine Schwester trifft keine Schuld, meinen Bäcker trifft keine Schuld ...«

Verdammt noch mal, die sollen endlich Verantwortung übernehmen, mit dem Lügen aufhören und einfach erwachsen werden!

Am nächsten Tag habe ich gar keine Lust auf meine beliebte Taktik der paradoxen Intervention bei Bilal. Manchmal ist der Enthüllungsimpuls einen Tag später einfach weg. Ich frage ihn, wie es seiner Mutter geht. Er: »Besser.« Dann erzähle ich, dass ich mit seiner Schwester gesprochen habe. Er antwortet nur: »Die war gar nicht da und hat nichts mitbekommen.« Ich habe keine Lust mehr auf das ganze Thema. Soll er doch lügen, wie er will. Die Stunde ist für mich unentschuldigt, kommt als Fehlstunde auf sein Zeugnis, und das reicht dann auch.

Im Laufe des Tages teile ich Mariella und Emre mit, dass sie beide nicht zur Realschulprüfung zugelassen sind. Sie nehmen es recht entspannt hin. Müssen sie halt nichts vorbereiten. Ich hatte mit direktem Frustabbau gerechnet. Der blieb aus.

Mit Fatma führe ich abends auf Facebook einen privaten Diskurs zum Nahostkonflikt. Sie hat mir ein Video geschickt. Darin wird behauptet, dass Hitler noch lebt, aber unter anderem Namen. Bilder aus der NS-Zeit und Bilder aus Israel werden nebeneinandergestellt, darunter steht immer Deutschland und auf der anderen Seite Palästina. Zu sehen gibt es unter anderem Kinder, die im KZ am Zaun stehen. Dann Kinder vor einem Zaun in Palästina. Dann Soldaten im KZ mit Gewehren. Dann Soldaten mit Gewehren an der israelischen Grenze. Dazu traurige Musik und ein kurzer Text, dass man den zweiten Holocaust verhindern soll.

Fatma hatte mir dazu geschrieben, dass die Israelis doch

heute das Gleiche mit den Palästinensern machten wie die Deutschen damals mit den Juden. Ich bin sehr detailliert darauf eingegangen und habe nachgefragt, ob es denn in Israel KZs gibt und ob dort Palästinenser vergast werden. Ich bin gespannt auf ihre Antwort.

Momentan verfolge ich lediglich das Ziel, dass sie genauer hinguckt und genauer definiert, was sie eigentlich sagen will. Außerdem möchte ich sie dafür sensibilisieren, dass Bilder kritisch betrachtet werden müssen.

Mir würde es schon reichen, wenn sie in Zukunft von Israelis und nicht von Juden spricht und die Religion da raushält. Sie spricht ja auch von Palästinensern und nicht von Muslimen. Nicht alle Muslime haben was mit dem Nahostkonflikt zu tun, und nicht alle Juden nehmen den Palästinensern irgendwas weg.

Sie hat sich noch mal dafür entschuldigt, was sie über die Bilder aus dem KZ geschrieben hat, und mir versichert, es in meinem Beisein nicht mehr zu tun. In ihren Kopf rein, dort eine kleine Gehirnwäsche vornehmen und alles neu sortieren, kann ich ja leider nicht, aber wenn sie sich in Zukunft differenzierter ausdrückt, dann ist schon mal was gewonnen.

Die Schüler haben dich doch gehasst

Es ist günstiger, wenn man sich Gesichter merken kann, als wenn man das nicht kann.

Eigentlich habe ich ein Supergedächtnis. Oft werde ich beneidet, vor allem von meinem Freund, dass ich mir alles, wirklich alles merken kann. Das nutzloseste Wissen wird in den unendlichen Weiten meines Hirns dauerhaft abgespeichert. Möchte jemand den Geburtstag der Exfreundin meines Exfreundes aus den achtziger Jahren wissen? Interessiert jemanden die Telefonnummer, die wir hatten, als ich acht war? Oder das Autokennzeichen von dem blauen Käfer, den meine Mutter fuhr, als ich neun war? Wann werde ich mal mitteilen müssen, an welchem Tag meine beste Freundin in der Grundschule zum ersten Mal ihre Tage bekommen hat? Ich würde gerne, aber ich kann diesen ganzen Informationsmüll einfach nicht löschen. Es war der 14.4.

Jedenfalls dürfte mir so etwas wie die folgende Episode eigentlich nicht passieren.

Ich will gerade die Schule verlassen, da steht plötzlich ein junger Mann am Schultor, der mir sehr bekannt vorkommt.

»Frau Freitag, schön, dich zu sehen«, begrüßt er mich. Ich erinnere mich auch an ihn. Er hatte vor ein paar Jahren mal bei uns unterrichtet. Jetzt steht er da, mit einer großen Schachtel Pralinen. Er erzählt und erzählt, an welchen Schulen er überall unterrichtet hat. Jetzt will er anscheinend bei uns sein Referendariat machen.

Ich gucke ihn die ganze Zeit an und versuche ihn einzuordnen. Dann hab ich es: Er hat als Referendar in meiner Klasse unterrichtet und nur Chaos veranstaltet. Ein Opferlehrer allererster Güte. Er hatte es einfach nicht drauf. Seinetwegen hatte ich nur Ärger. Die Schüler haben sich bei mir über ihn und er sich über die Schüler beschwert. Grauenhafte Erinnerungen visualisieren sich. Abdul, der mir Handyfotos von einem völlig verwüsteten Raum zeigt. »Höhöhö, Frau Freitag, gucken Sie, so ist es immer in Erdkunde.«

Irgendwann war der Referendar dann weg. Hat die Schule gewechselt. Lange hieß es, meine Klasse hätte ihn auf dem Gewissen. Meine Schüler suhlten sich noch Monate in diesem fragwürdigen Ruf.

»Ich dachte, dass ich das Referendariat dann hier mache. Am Gymnasium hat man doch nur Ärger mit den Eltern.«

»Wiiiie, hier willst du das machen? Aber das ist doch so hart bei uns. Dann hast du immer Ärger mit den *Schülern*. Du hattest doch so viel Stress mit denen.«

»Nö, die Schüler mochten mich eigentlich immer.«

Wie jetzt? Meine Klasse hat ihn gehasst. Ich verstehe gar nichts mehr. Was ist denn das für ein Masochist? Der hat doch extra die Schule gewechselt, und jetzt will er zurück.

Er versucht, mich davon zu überzeugen, wie gut es für ihn wäre, gerade an unserer Schule das Referendariat zu machen. Er ist sichtlich irritiert, wie vehement ich versuche, es ihm auszureden.

Irgendwann gebe ich auf: »Du, ich muss los. Na, ich würde mir das an deiner Stelle noch mal überlegen. Klar, das Kollegium ist super bei uns, aber in den Klassen bist du ja alleine. Da hilft dir dann auch kein nettes Kollegium. Na ja, musst du ja wissen.«

Dann latsche ich zum Bus. Komisch, der war doch schon im Referendariat. Hatte der nach den schlimmen Erfahrungen an unserer Schule nicht ganz mit dem Lehrerwerden aufgehört? Und wie lange ist das her? Damals war meine Klasse in der Achten. Jetzt sind sie Zehnte ...

Dann wird mir schlagartig klar, was passiert ist: Ich habe ihn verwechselt! Dieser Typ war nur mal kurz Vertretungslehrer bei uns! Nett, kam gut klar, immer easy und – wie er schon sagte – bei den Schülern sehr beliebt. Au Backe. Und was ich dem alles an den Kopf geworfen habe! Sogar, dass er doch damals wegen meiner Klasse aufgehört habe. Und ob er sich denn daran gar nicht mehr erinnern könne. Dabei hat der meine Klasse nie unterrichtet. Peinlich!

Mert nervt

Als ich morgens aus dem Fenster sehe und alles in schönsten Schnee gehüllt vor mir liegt, ist mein erster Gedanke: Scheiße, die Siebte habe ich direkt nach der großen Pause, na toll! Die werden total durchgeweicht, mit Schneebällen in der Hand und hochroten Köpfen in meinen Raum stürmen und alles nass machen.

Im Lehrerzimmer steht dann auch noch auf dem Vertretungsplan, dass eine Englischkollegin fehlt und zusätzlich ein paar Schüler aus ihrem Kurs zu mir, also in die Siebte, kommen sollen. Na, das kann ja heiter werden – wie Fräulein Krise immer sagt. Ich wappne mich mit einem Vokabeltest und halbgarer Vorbereitung und begebe mich in Richtung Waterloo.

Die Schüler erscheinen, setzen sich – sie sind recht trocken –, einige wissen sogar noch, dass ich einen Test angekündigt habe, und lechzen nach den Blättern, weil sie mit jeder verstreichenden Sekunde die Vokabeln wieder vergessen könnten. Wie übervolle Wassergläser, aus denen das ganze Gelernte rausschwappen könnte. Die meisten allerdings lassen das typische »Ohaaa, Test? Haben Sie nicht gesagt!« ab.

Sie schreiben den Test, alles läuft in recht gesitteten Bahnen. Nur Mert nervt. Mert sitzt direkt vor meiner Nase. Mert nervt immer. Er macht Geräusche. Während ich an die Tafel schreibe, klatscht er unterm Tisch. Er öffnet das Buch nicht, wenn ich sage: »Öffnet das Buch!« Er schreibt nicht, wenn ich sage: »Schreibt!« Er ist nicht still, wenn ich sage: »Seid still!« Er macht eigentlich nie das, was ich sage. Wenn alle im Buch lesen und er sich langweilt, dann fragt er mich zehnmal hintereinander: »Auf welcher Seite sind wir?« Er müsste nur in Samanthas Buch gucken, die sitzt direkt neben ihm. Macht er aber nicht. Nein, er fragt *mich*. Immer wieder. Ich reagiere nicht. Dann gibt er irgendwann auf: »Ich kann ja nicht mitmachen. Sie sagen mir ja nicht, auf welcher Seite wir sind.«

So geht das nun schon seit Wochen. Der Rest der Gruppe arbeitet im Großen und Ganzen gut mit. Na, sagen wir mal so: Einige arbeiten immer mit, einige nie, aber niemand stört so penetrant und permanent wie Mert. Jede Stunde biete ich ihm einen Neustart an. Nie schaffen wir einen Neustart. Jede Stunde fängt er wieder an zu stören, und ich werde sauer oder ignoriere ihn.

Heute sehe ich mitten im Unterricht, dass er die Backen voll hat. »Mert, was hast du da im Mund?«

»Haribo.«

»Sag mal, geht's noch? Jetzt ist Unterricht! Da wird nicht gegessen!«

Er grinst nur. Wenig später sehe ich ihn wieder kauen und nicht mitarbeiten. Und als er noch sein Trinken rausholt und genüsslich seinen Durst löscht, reicht es mir. Ich gehe hektisch an meinen Schreibtisch und setze mich hin. Dann gucke ich in meine Schultasche – eine reine Übersprungshandlung –, ich bin so genervt, dass ich gar nicht weiß, was ich machen will, und da liegt eine Klassenliste mit den Adressen und Telefonnummern der Schüler. In meiner Strickjackentasche ist mein Handy. Ich nehme es raus und sage ruhig: »Okay, Mert, dann rufe ich jetzt einfach deine Mutter an und erzähle der mal, wie du dich hier benimmst.« Die Klasse hält den Atem an. Ich wähle. »Lieber 1-&-1-Kunde, diese Nummer ist leider nicht vergeben.« Mist. Vielleicht habe ich mich nur verwählt. Ich versuche es noch mal und siehe da: »Efendim.« Merts Mutter meldet sich am anderen Ende der Leitung.

Ich stehe auf und gehe zur Tür: »Ja, guten Tag, hier ist Frau Freitag, die Englischlehrerin von Mert. Wir sind gerade im

Unterricht, und der Mert stört den Unterricht so sehr, dass die anderen Schüler gar nicht richtig lernen können.«

Dann gehe ich vor die Tür und sage ihr, dass sie am Abend mal mit ihrem Sohn sprechen soll und dass er sich besser benehmen muss, da ich sie sonst zu einem Gespräch in die Schule bitten werde.

Als ich zurück in die Klasse komme: Totenstille. Streng und bestimmt sage ich: »Noch jemand Bedarf nach einem Elterngespräch heute Abend?« Hat wohl niemand, denn der Rest der Stunde läuft ruhig und geordnet, bis zum Klingeln. Mert setzt noch einmal kurz zu einem Störversuch an. Ich zeige ihm mein Handy und flüstere: »Pass auf, ich drücke die Wahlwiederholung und sage deiner Mutter, dass sie kommen soll, um dich abzuholen.« Sofort ist er leise und arbeitet mit und findet sogar die richtige Seite im Buch.

Und mit »Boah, sie ist strenger als Frau Hinrich!« wird mir noch der pädagogische Ritterschlag verliehen. Vor ihrer Geschichtslehrerin haben die Siebtklässler alle Angst. Ich bin hin und weg. Endlich geschafft – so muss sich das Paradies anfühlen!

Warum macht Frau Merkel da nichts gegen?

Mein Lieblingskollege und ich gehen zum Rauchen. Dazu müssen wir den Hof überqueren. Vor der Turnhalle stehen zwei Schüler. Nebeneinander, mit dem Gesicht direkt zur Wand.

»Was machen die?«, fragt mich der Kollege. »Pissen die gegen die Wand?« Ich bin mir nicht sicher, aber dafür stehen die irgendwie zu dicht an der Wand und zu nahe beieinander. Plötzlich gehen sie auf die Knie und legen ihren Kopf in den Schnee. Hä? Yoga? Sonnengruß? Dann stehen sie wieder auf.

»Die beten«, sage ich und muss mich zurückhalten, um nicht loszukichern. Ich ziehe den Kollegen am Ärmel weiter zum Ausgang. Er faselt immer noch was von »gegen die Wand pissen«. Ich mag ihn echt gerne, aber manchmal rafft er echt nichts.

»Die beeeten! Halloo! Muslime!«, erkläre ich ihm draußen noch mal.

Gleichzeitig frage ich mich: Dürfen die das? Dürfen die den Schulhof einfach so zum Gebetshof machen? Na ja, schlagen dürfen sie sich ja auch nicht und tun es trotzdem. Lieber beten als schlagen. Aber ein komischer Anblick. Irgendwie zu intim. Mir wäre fast lieber gewesen, sie hätten nur gegen die Wand uriniert. Dann hätte ich ja einschreiten können, ja, sogar einschreiten müssen. Aber so sind wir nur schnell vorbeigeschlichen. Mit dem Gefühl, dass wir das eigentlich nicht sehen sollten.

Wird das jetzt einreißen? Noch sind das ja nur zwei. Die sind schon älter. Diese ganze Debatte darüber, dass an den Schulen Gebetsräume für die Gläubigen eingerichtet werden sollen, haben unsere Schüler gar nicht richtig mitbekommen. Sich für so etwas zu engagieren wäre ihnen ohnehin nie in den Sinn gekommen. Schülerdemos oder Streikaufrufe gehen an denen spurlos vorüber. Und selbst wenn sie mal was mitbekommen, dann vergessen sie das Datum wieder. Auch die ganze angebliche Terrorgefahr in Deutschland kam bei ihnen erst an, als sie eigentlich schon wieder aus den Medien verschwunden war.

Abdul irgendwann: »Frau Freitag, haben Sie gehört, es soll Bomben geben auf Weihnachtsmärkten.«

»Hm, hab ich gehört.«

Elif: »Echt? Frau Freitag, warum tut Frau Merkel nichts dagegen?«

Süß, wie die Schüler Frau Merkel immer für eine Art Übermutter halten. Wie eine Königin. Oft höre ich den Satz: »Warum macht Frau Merkel da nichts gegen?«

Manche Schüler denken ja auch, dass Frau Merkel Hartz IV persönlich finanziert.

Apropos Hartz IV, Asmaas Zukunftsplanung neulich: »Na ja, ich werde wahrscheinlich in meinem Job so 1.200 Euro haben, dann verdient mein Mann vielleicht noch so 1.500 Euro, und dann noch das Geld vom Job-Center …« Aber den Zahn habe ich ihr gleich gezogen.

Doof

»So, den Pappteller macht ihr euch hinten auf dem Rücken fest. Hier ist Klebeband. Und dann schreibt ihr euch gegenseitig was Nettes drauf. WAS NETTES! Ronnie, Fatma, habt ihr gehört? Nett!«

Fatma grinst: »Jaaahaaa, hab ich verstanden.«

Plötzlich Gewusel und Durch-die-Klasse-Gelaufe. Überall beugen sich die Schüler über die Pappteller und schreiben.

»Elif, dreh dich mal um, ich hab noch nicht bei dir geschrieben!«

»Frau Freitag, Sie müssen aber auch mitmachen.«

Ich lasse mir von Emre den Teller an den Pulli kleben und wiederhole sehr laut: »Aber nur was NETTES schreiben.« Diese Vorgabe hat auf einmal persönliche Dringlichkeit. Es bilden sich ganze Schülerschlangen, die sich gegenseitig auf die Rücken schreiben. Nur Ronnie fummelt immer noch an seinem Teller rum.

»Hier, Ronnie, nimm mehr Klebeband«, sage ich und schmeiße die Rolle zu ihm rüber. Ich kann mich nicht bewegen, denn Funda schreibt gerade auf meinen Rücken. Elif läuft vorbei und guckt: »*Abo*, wie ihr alle schleimt bei Frau Freitag.«

Alle kichern und schreiben, lesen, suchen und schreiben wieder. Nur Ronnie steht etwas abseits und grinst vor sich hin. An seiner Stelle würde ich wahrscheinlich auch behaupten, dass der Teller nicht an meinem Pulli kleben bleibt, denn so richtig viel Positives fällt einem auf Anhieb zu Ronnie nicht ein. Und das weiß er wohl auch. Ehe später gar nichts draufsteht, schiebt man also das Nichtmitmachen lieber auf das billige Klebeband.

Kurz vorm Klingeln sammle ich die Teller ein und lese sie vor. Jeder hatte seinen eigenen vorher schon angeguckt und seinen Namen draufgeschrieben. Alle wollen, dass ihre Teller vorgelesen werden. Und es stehen wirklich nur positive Sachen drauf. Das geht von:

Cooles Mädchen
süßes Lachen
beste Freundin für immer

über:

klug
schöne lange Haare
mit dir kann man über alles reden
du hörst gut zu
die besten Oberteile (steht übrigens bei Emre hintendrauf)

bis hin zu:

voll behindert das Mädchen, aber ich liebe sie
king vallah Beste, ich liebe sie.

Dann kommt mein Teller. Eigentlich ist es mir peinlich, aber die Schüler lassen nicht zu, dass ich den unterschlage. Ich lese viele nette Sachen vor und grinse. Und dann steht da krakelig in der Mitte: *doof!!!*

Zwischen lauter geschleimten oder nicht geschleimten Komplimenten springt mich dieses kleine *doof* an. Ganz einsam steht es da. Ganz dünn geschrieben, kaum zu lesen. Ich bin ganz gerührt.

Ich versuche, wirklich entsetzt zu gucken, und lese: »Cool, lustig und … doof. DOOF steht da! Ihr solltet doch was NETTES schreiben. Und jetzt steht da DOOF. MIT BLEISTIFT!« Ich gucke mich in der Klasse um.

»Wer hat denn mit Bleistift geschrieben, RONNIE?«

Ronnie kichert leise vor sich hin und versucht unauffällig, den Bleistift in seiner Hand zu verstecken. UNVERSCHÄMT. Und das ist auch noch MEIN Bleistift.

Als sie weg sind, gucke ich mir meinen Teller noch mal an. *Doof*. Das steht so zittrig zart in der Mitte. Irgendwie süß. Von allen nicht netten Begriffen, die mir einfallen, finde ich *doof* wirklich den allerschönsten.

It gives childrens she will become money

Ich habe die Englischarbeiten meiner Klasse korrigiert. Ging schnell, da die meisten Schüler die beiden Schreibaufgaben gar nicht bearbeitet hatten. Langer roter Strich über die leeren Zeilen, eine kleine Null vor die zehn Punkte: 0/10 P. Fertig. Mit jeder Arbeit, die ich zensiere, werde ich wütender. Warum lernen die nicht? Ich hatte alles, wirklich alles vorher angesagt. Zwei der Aufgaben haben wir sogar schon im Unterricht bearbeitet. Ich hatte gebetsmühlenartig wiederholt: »Diese Aufgabe kommt auf jeden Fall in der Arbeit dran.«

Und dann – am Tag der Englischarbeit: »Häääh? Arbeit? Heute? Ich dachte morgen.«

»Morgen haben wir gar kein Englisch.«

Bei einer Arbeit schreibe ich unter einen Text: Du MUSST mehr lernen, das ist schon fast kein Englisch mehr. Ich lese viel *direct oversetting: »It gives childrens she will become money.«*

Dazu kann ich nur sagen: *I think I spider! Have she not anything learnt from me??? I become money and it gives childrens she learn not English. I know not what I must do!*

Morgen will ich die Arbeit zurückgeben. Die Arbeit ist das letzte Puzzlestück ihrer Halbjahresnote. Wir haben noch drei, vier Stunden, bevor ich die Zensuren für die Zeugnisse abgeben muss, aber eigentlich ist alles gelaufen in Sachen: Ich schwöre, ich verbessere mich, Sie werden sehen. Jetzt gibt es nichts mehr zu verbessern. Die meisten Schüler werden eine Vier oder sogar eine Fünf auf dem Zeugnis haben.

Für den Realschulabschluss brauchen sie aber eine Drei. Und wenn sie im ersten Halbjahr eine Fünf (4 Punkte) haben, dann brauchen sie im zweiten Halbjahr eine Zwei (10 Punkte), um auf die Drei (7 Punkte) zu kommen. Eigentlich eine sehr einfache Rechnung. Die Schüler, die jetzt eine Fünf bekommen, werden niemals eine Zwei im zweiten Halbjahr bekommen. Genauso wenig, wie ich im Lotto gewinnen werde. Denn ich spiele gar nicht.

Lange habe ich überlegt, was ich beim Zurückgeben der Arbeiten sage. Vor lauter Wut wegen ihrer Faulheit hatte ich mir erst die wildesten Ansprachen überlegt. Dann tendierte ich eher zu so einem selbstmitleidigen Gejammer: Was soll ich nur machen, warum lernt ihr nicht? Dann dachte ich, dass ich sie frage, wie ich denn den Unterricht gestalten soll, damit sie mitarbeiten. Was ihrer Meinung nach passieren muss, damit sie anfangen, Hausaufgaben zu machen und sich regelmäßig am Unterricht zu beteiligen.

Abends telefoniere ich mit Fräulein Krise. Die sagt: »Du gibst die Arbeiten völlig emotionslos wieder. Hier, eure Arbeiten. Packt sie bitte weg, wir fangen mit dem Unterricht an.«

Klingt super. Aber kann ich meine Wut und meinen Ärger unterdrücken? Fräulein Krise sagt: »Du gibst die Verantwortung an sie zurück. Wenn ihnen ihre Noten egal sind, dann sind sie dir eben auch egal.«

Klingt einleuchtend. Es kann ja wohl nicht angehen, dass ich mir tagelang den Kopf zermartere, wie ich denen den poppligen Stoff der Arbeit darreiche und alles mit ihnen gemeinsam von vorne bis hinten durchkaue – und die mir dann lapidar sagen: »Oh, die Arbeit, habe ich voll vergessen. Nö, gelernt habe ich nicht. Schreiben wir noch eine?«

NEIN, WIR SCHREIBEN NICHT NOCH EINE! ES GIBT AUCH KEINE LETZTE CHANCE MEHR. DAS HIER WAR DIE LETZTE CHANCE. DIE IST JETZT WEG. UND HOFFT NICHT AUF DAS ZWEITE HALBJAHR. DA BRAUCHT IHR DANN EINE ZWEI. HALLOOO, EINE ZWEI!!! DIE MEISTEN VON EUCH HATTEN NOCH NIE IRGENDWO EINE ZWEI AUF DEM ZEUGNIS – AUSSER VIELLEICHT IM GEBURTSDATUM!

Manchmal kommt es anders als geplant

Unterricht in der 7. Klasse. Und wer hat am allerbesten mitgearbeitet? Mert. Er saß direkt vor mir, hat zugehört und sofort mit der Aufgabe angefangen. Ich habe ihn immer wieder gelobt und ermutigt.

»Soll ich das so machen, Frau Freitag?« Er hält mir seinen Block unter die Nase.

»Genau so. Super. Du arbeitest heute echt gut mit, Mert.«

Er lächelt. »Können wir das auch mal vorspielen?«

Die Schüler erarbeiten sich gerade kleine Szenen in meinem Unterricht.

»Ja, das sollt ihr sogar nachher schon vorspielen.«

»Yipppie, das haben wir auch immer in der Grundschule gemacht.«

Alles lief super mit Mert. Am Ende habe ich ihn vor allen anderen gelobt, und er hat auch eine der besten Mitarbeitsnoten bekommen. Beim Rausgehen sage ich noch: »Mert, einen schönen Gruß an deine Mama, und richte ihr aus, dass ich heute sehr zufrieden mit deiner Mitarbeit und deinem Verhalten war.«

Er lächelt und verabschiedet sich mit: »Einen schönen Tag noch.«

Später dann die Rückgabestunde in meiner Klasse, auf die ich mich schon gefreut hatte. Mein Ärger ist in der Zwischenzeit verflogen, aber auch aus der angestrebten emotionslosen Arbeitsrückgabe soll nichts werden. Die Arbeiten sind in meiner Tasche. Ich habe beschlossen, sie am Ende zurückzugeben. Der Anfang des Unterrichts verzögert sich, erst müssen wir einen massiven Konflikt klären. Ronnie bebt vor Wut. Er hatte zwar selbst fröhlich mit Schneebällen geworfen, aber als Justin ihn dann getroffen hat, ist er ausgeflippt. Peter kann gerade noch verhindern, dass ein Stuhl geschmissen wird. Ronnie muss ich nach draußen schicken, damit er sich abregt. Schon mal einer weniger.

Aber wo sind eigentlich alle anderen? Es sind nur fünf Schüler anwesend. Heute findet bei uns in der Schule ein Musiktalentwettbewerb statt. Emre, Abdul, Marcella und Bilal machen mit. Also noch mal vier weniger. Fehlen aber trotzdem noch ungefähr sieben oder so. Mustafa bietet sich an, bei der Musikveranstaltung nach den anderen zu suchen. Er meint, die hängen da schon den ganzen Tag als Zuschauer rum, obwohl sie wissen, dass sie das nicht dürfen. Er kommt kurze Zeit später wieder und sagt, dass die anderen nicht kommen wollen. Ich gehe runter und erwische zwei, die ich mit nach oben nehme. Drei entkommen mir, sie rennen einfach aus dem Musikraum auf den Hof. Ich will nicht hinterherrennen, trage sie als unentschuldigt ein und beginne mit dem Unterricht. Nur sieben Schüler sind da. Es ist ruhig und gemütlich.

Mustafa zeigt mir einen Brief: »*Vallah*, ja, gucken Sie, Frau Freitag, was ich bekommen habe.«

Ich sehe einen Adler auf dem Briefpapier. »Ist das von der Bundeswehr?«

»Ja.« Es ist die Einladung zur Musterung oder die Vorstufe dazu.

»Frau Freitag, ja, ich verstehe nichts. Was soll ich da machen?« Zugegeben, es ist viel Text, und den müsste man lesen. Da gibt Mustafa natürlich auf und fragt lieber mal Frau Freitag. Wir reden über die Wehrpflicht. Ich erkläre den Unterschied zwischen Zivildienst und Wehrdienst. Mustafa entscheidet sich spontan, keinen Wehrdienst zu leisten. Das erscheint ihm zu anstrengend. Auf Mustafas Bitte hin nehme ich seinen Brief mit. »Können Sie heute Abend meine Mutter anrufen und ihr das erklären?«

Im Bus lese ich den Bescheid und frage einen jungen Mann neben mir, ob er so ein Schreiben auch schon bekommen hat. Er erklärt mir alles ganz freundlich. Nachmittags telefoniere ich noch kurz mit einer Frau von der Bundeswehr und erkundige mich, wie Mustafa seinen Wunsch nach Zivildienst äußern kann. Am Ende spreche ich mit Mama Mustafa, die sehr erleichtert ist. Nicht nur, weil ihr Sohn nicht in den Krieg ziehen muss, sondern vor allem, weil sich jemand um dieses offizielle Schreiben mit dem Adler drauf gekümmert hat. Ein paar Monate später wird der Wehrdienst abgeschafft und damit auch der Zivildienst für Mustafa.

Aber zurück zur Englischstunde. Flexibel weiche ich von meiner Planung ab und übe mit den wenigen Anwesenden für die mündliche Prüfung. Sie arbeiten in Gruppen, und alle machen mit. Am Ende spielen wir Prüfung, und ich gebe ihnen Tipps, wie sie ihr Englisch verbessern können. Sie hören aufmerksam zu. Kurz vorm Klingeln gehe ich zu meiner Tasche: »Ach, hätte ich fast vergessen. Hier, eure Arbeiten.« Sie gucken drauf, vergleichen ihre Noten, stellen mit mir gemeinsam die Stühle hoch und gehen.

Komisch, ich war weder wütend, noch musste ich Emotionslosigkeit vorspielen. Ich habe einfach die Arbeiten zurückgegeben. Am Ende einer Stunde, in der die meisten Schüler ziemlich gut mitgearbeitet haben. Waren aber auch nur sieben. Vielleicht kann ich Fräulein Krises Taktik ja anwenden, wenn ich den Schülern, die heute nicht da waren, ihre Arbeiten zurückgebe. Aber wie ich mich kenne, vergesse ich das auch wieder.

Abooo, sie isst

Woher kommt der Spruch: »Wer zuerst kommt, malt zuerst?«
Der kommt aus meinem Unterricht. Eine spontan erfundene Unterrichtsmethode.
Morgens begebe ich mich äußerst widerwillig in meinen

Raum. Früh genug, um noch die Zeichenvorlagen zu suchen, die ich meiner Klasse im Kunstunterricht vorsetzen will. Da die meisten Schüler aus sehr anregungsarmen Haushalten kommen, in denen nicht viel Bildmaterial vorhanden ist, arbeite ich im Kunstunterricht eigentlich immer mit Vorlagen, also Bildern, an denen sich die Schüler beim Zeichnen orientieren können. Ich brauche noch ein paar kleine Noten von ihnen, und für große künstlerische Würfe sind wir alle schon zu müde. Es ist kurz vor Weihnachten. Ich suche also irgendetwas, das sie abzeichnen können, in meinen Schränken, in den Regalen. Nichts. Ich finde viel Plunder, aber nichts Brauchbares.

Vor einigen Jahren wäre ich in dieser Situation in Panik ausgebrochen. Noch zehn Minuten bis zum Unterrichtsbeginn, und immer noch keine Aufgabe in Sicht.

Heute – abgebrüht berufserfahren – grabe ich mich durch die Berge von Material, die ich in meinem Raum angehäuft habe, und werde fündig. Aquarellvorlagen. Ein Kollege hatte mir mal lauter alte Kalender mit kitschigen Blumenmotiven geschenkt. Alles aquarelliert. Apothekenkalender rocken!

Ich finde ungefähr zwanzig verschiedene Motive. Die hefte ich alle mit Magneten an die Tafel. Ich kann kaum hinsehen – sie sind so kitschig, geradezu romantisch. Dazu schreibe ich: Neues Thema – Aquarellieren.

So. Jetzt können sie kommen. Es kommt nur Funda. »Oh, wie schööön. Machen wir das heute?«

Dann kommt Peter, und dann klingelt es zur Stunde.

Ich fange an, die Nichtanwesenden aufzuschreiben. »Peter, hier ist ein Blatt, schreib mal jeden der Reihe nach auf, der jetzt reinkommt.«

Nach zehn Minuten sind alle da. Ich beschreibe die Aufgabe. Wir klären schnell, was Aquarellieren ist. Marcella, die

Italienerin, weiß es genau. Ach, ich liebe meine kosmopolitische Klasse.

»Ich will das mit den Rosen«, schreit Ayla.

»Nein, das will ich schon!«, kreischt Christine.

Ich bleibe ganz cool. Früher wäre die Stunde jetzt ins Chaos abgeglitten, denn die Alphatiere hätten sich Vorlagen ausgesucht, und die Opferschüler hätten schweigend geschmollt und jegliche Mitarbeit für den Rest der Stunde verweigert, wegen Ungerechtigkeit.

»Sorry, Ayla, aber es gibt schon eine Reihenfolge. Als Erstes darf Funda sich ein Bild aussuchen. Dann Peter. Wer zuerst kommt, malt zuerst.«

Peter liest die Namen vor, alle kommen gesittet nach vorne, suchen sich ein Motiv aus, ich händige das Aquarellpapier aus, alle beginnen zügig mit der Arbeit. Es gibt keinen Streit und keinen Stress. Ich bin begeistert von meinem Unterrichtseinstieg.

Nach zehn Minuten herrlichster Ruhe kommt Bilal mit total vollem Rucksack zu mir. »Frau Freitag, darf ich was essen?«

»Nein, wir haben doch jetzt Unterricht.«

Er öffnet seinen Rucksack, und der ist voll mit kleinen Tüten vom Bäcker, trockenen Chinanudeln und Süßigkeiten. Es sieht aus, als würde er das Wochenende in der Schule verbringen wollen.

»Frau Freitag, bitte, ich hab so Hunger. Hier, hier, nehmen Sie auch was. Hier!«

Er zieht eine Tüte raus.

»Hier, hm, lecker Vanilletasche mit Schokolade für Sie, hier, nehmen Sie.« Ich nehme die Tüte. Sieht echt lecker aus, diese Tasche. Ich breche ein winzig kleines Stück ab. Als ich es in den Mund stecke, bemerke ich, dass ich von meiner gesamten Klasse beobachtet werde.

»*Abooo*, sie isst!« Und ab da gibt es kein Halten mehr. Alle holen ihr Frühstück raus, Bilal verteilt großzügig Süßigkeiten – geizig sind meine Schüler nicht. Es wird gegessen bis zum Klingeln.

»Frau Freitag, wir machen einen Deal«, sagt Bilal beim Rausgehen. »Ich bringe Ihnen immer Vanilletaschen mit, und Sie schreiben nicht mehr auf, wenn ich zu spät komme.«

Ich schüttle nur den Kopf, weil ich mit der Gummischlange im Mund nicht sprechen kann. Abdul schiebt Bilal durch die Tür und sagt: »Oha, Frau Freitag wäre voll fett am Ende des Schuljahres.«

Ronnie leaks

»*But what happens in a tornado*?« Wir sprechen über Naturkatastrophen. Es wurde bereits geklärt, warum wir keine *hurricanes* in Deutschland haben, was der Unterschied zwischen *flood* und Tsunami ist. Meine Schüler wissen jetzt auch, warum die Ostsee wahrscheinlich keine Tsunamis produzieren wird. Elifs Kommentar – mit leichter Enttäuschung in der Stimme: »Frau Freitag, diese ganzen Sachen passieren immer woanders auf der Welt. Nie in Deutschland.«

»Na ja, also Überschwemmungen und Feuer können wir hier auch bekommen«, versuche ich, sie zu trösten.

Wir lesen einen Text über ein Erdbeben. Mittendrin meldet sich Asmaa. Ich denk, ich seh nicht richtig. Asmaa meldet sich! Asmaa hat sich noch NIE im Englischunterricht gemeldet. Wenn ich sie ein-, zweimal im Monat drannehme, dann bekomme ich immer die gleiche Reaktion: »Frau Freitag, ich kann doch kein Englisch. Das wissen Sie doch.« Und jetzt meldet sie sich.

»Ja, Asmaa?«

»Frau Freitag, haben Blinde die Augen auf oder zu?«

»Blinde?«

»Ja, na, die sehen doch nichts, aber haben die die Augen trotzdem auf?«

»Ja, haben sie. Wer liest denn mal weiter? Wir waren beim zweiten Abschnitt.«

Jetzt meldet sich Elif.

Elif: »Und beim Schlafen, machen die die Augen zu? Oder haben die die Augen auf?«

»Mann, natürlich haben die die Augen zu!«, ruft Emre genervt von so viel Unwissenheit. Elif schmollt. Bilal meldet sich: »Darf ich aufs Klo?«

»Nein.«

»Aber ich muss. Dringend.«

»Nein!«

»Aber warum?«

»Bilal, ich habe Ronnie auch nicht aufs Klo gehen lassen. Wenn ich dich jetzt gehen lasse, dann regt der sich doch wieder auf.« Jetzt schmollt Bilal auch noch.

Irgendjemand liest dann doch noch den Text zu Ende, ich erkläre die schriftliche Aufgabe, die meine Schüler in der Stunde bearbeiten sollen. Ronnie sitzt direkt vor meiner Nase. »Frau Freitag, ich muss aufs Klo.«

»Nein, Ronnie, geht nicht. Nicht mitten in der Stunde.«

»Aber ich muss.«

»Ronnie, ich habe Bilal eben auch nicht gehen lassen, und wenn ich dich jetzt gehen lasse … Du wärst doch der Erste, der sich lautstark über so viel Ungerechtigkeit aufregen würde.« Gerechtigkeit ist Ronnies Leidenschaft. Überall wittert Ronnie Ungerechtigkeit, die es zu bekämpfen gilt.

Er lässt nicht locker, und aus Erfahrung weiß ich, dass er mir den Rest der Stunde damit ruinieren kann. Ruinieren statt urinieren, sozusagen.

Nach dem zehnten Gequälten »Ich muss aber gaaanz doll«, flüstere ich ihm zu: »Dann geh jetzt, Ronnie, aber schnell und unauffällig. Ich will nicht, dass Bilal das mitbekommt.« Ronnie rennt, Bilal kriegt nichts mit, weil er in die schriftliche Aufgabe versunken ist.

Wenig später gehe ich zu Bilal. Er schreibt nicht mehr. »Bilal, was ist los? Mach mal die Aufgabe zu Ende!«

»Ich mach nichts mehr.«

»Warum? Was ist los?«

»Mich lassen Sie nicht aufs Klo, aber Ronnie darf, und dann sagen Sie ihm auch noch, er soll mir nichts sagen.«

Oh Mann! Ronnie, diese kleine miese Ratte. Wütend gehe ich zu ihm: »Ronnie, was soll das?« Er grinst.

»Ich lasse dich gehen, und du hast nichts Besseres zu tun, als gleich zu Bilal zu rennen. Pass auf, das war jetzt das letzte Mal, dass ich dich aufs Klo gehen lasse. Nächstes Mal dürfen alle anderen gehen, nur du nicht.«

Und das werde ich durchziehen, auch wenn er mir dann alle Stunden kaputt und sich in die Hose macht.

Frau Freitag will bestimmt 'ne Wii

»Was ist jetzt mit Julklapp, Frau Freitag?« Ayla interessiert sich schon seit Wochen für nichts anderes mehr. Bisher konnte ich sie immer vertrösten. Irgendwann muss ich mich allerdings wie jedes Jahr dem Julklapp und seiner Vorbereitung stellen. Jedes Jahr denke ich, die Schüler vergessen vielleicht, dass es so etwas wie Weihnachten, Nikolaus oder Julklapp gibt. Wir haben Kollegen an der Schule, die nie mit ihren Klassen feiern.

Da wird noch nicht mal gemeinsam gefrühstückt, nicht mal am letzten Schultag vor den Ferien. Leider geht das mit meiner Klasse nicht, denn die bestehen immer auf diesem ganzen Schnickschnack.

»Okay, Ayla, frag mal die Klasse, ob die das wollen, und dann organisiere das.«

»Aber können wir dann auch ein Frühstück machen?« Frühstücken, das lieben sie, und das können sie. Frühstücken und schlecht in der Schule sein ist scheinbar alles, was sie in vier Jahren gelernt haben.

»Ja. Machen wir dann in der dritten Stunde.«

»Aber auch in der zweiten.«

»Nein, da habt ihr Deutsch. Wir machen das nur in der dritten Stunde.«

»Aber eine Stunde reicht nicht!«

Nach tagelangem Hin und Her stellt Frau Hinrich ihre Deutschstunde für das Frühstück zur Verfügung und nimmt damit zwangsläufig auch am Julklapp teil.

Hoffentlich ziehe ich eins von den aufgetakelten Disko-Mädchen, dann bekommt die billige Wimperntusche und Lipgloss. Ronnie sitzt direkt vor mir und grinst: »Hoffentlich kriege ich nicht Frau Freitag.« Jetzt denkt der sich wahrscheinlich wieder eine Gemeinheit aus. Scheinheilig frage ich: »Warum?«

»Frau Freitag will bestimmt eine Wii.«

»Ja, hätte ich wirklich gerne.« Ich bin begeistert. Seit Wochen nervt mich der Deutschlehrerfreund mit: »Kauf dir mal eine Wii! Du hast doch Kohle.« Sein Lieblingssatz, weil ER nämlich nie Geld hat. Und anscheinend gibt es ein Programm, mit dem man Rappen lernen kann. Ich dachte immer, auf dieser Wii kann man nur so kreplige Pseudo-Turnübungen machen. Aber Rappen lernen … das will ich doch schon seit Jahren.

Der letzte Julklapp ist ja schon wieder ein Jahr her – aber war nicht der Gag dabei, dass man *nicht* gleich weiß, wer wen gezogen hat? In meiner Klasse schreien sie es gleich raus. Jeder wird sofort informiert. Abdul faltet seinen Zettel auseinander. Kurzes Entsetzen: »Ich hab Frau Freitag!« Dann ein erleichtertes: »Ach, das macht meine Mutter.«

Und wie sie das machen wird! Ich freue mich jetzt schon auf ein schönes Geschenk von Mama Abdul. Und ich kann auch schon garantieren, dass das nicht nur 5 Euro kosten wird. Denn mehr soll eigentlich nicht ausgegeben werden, das hatten wir letztes Jahr schon so vereinbart.

Alle ziehen, alle kreischen, sie ziehen für die fehlenden Schüler, für Frau Hinrich, für Mariella, die ich rausgeschmissen habe, weil sie nicht aufhörte zu essen und dann noch pampig wurde, als ich sie zurechtgewiesen habe. Alles läuft wunderbar bis zum Schluss. Ich bin die Letzte, aber es gibt da noch zwei Zettel. Ayla ist überrascht: »Häääh? Wieso sind da zwei drin? Muss doch nur noch Frau Freitag ziehen.« Ich nehme die beiden Zettel. Bilal und Emre. Plötzlich nimmt mir Ayla die Zettel wieder aus der Hand, verschwindet damit an ihren Tisch und gibt sie mir kurze Zeit später zurück.

»Na, Ayla, gib her, dann muss ich eben zwei Geschenke besorgen.« Ich nehme die Zettel und stecke sie mir in die Hosentasche.

Im Lehrerzimmer hole ich sie raus. Und da stehen Bilal und … Ronnie!

Der Lehrer bleibt einfach Lehrer, auch wenn er für den Julklapp einkaufen geht: die Zehnerpackung Kugelschreiber, ein kleines Lineal, Mini-Tesaroller, fünf unterschiedliche Gelschreiber, die immer toll schreiben, aber schnell leer sind, ein etwas höherwertigerer Kuli, ein Marker, und dann packe ich noch einen guten Radiergummi und ein paar Bleistifte aus dem Kunstfachbereich dazu.

Als Büromaterialfetischistin würde ich mich über so viele Schreibwaren halbtot freuen. Ich freue mich schon über die roten Gelschreiber, die ich aus den Packungen rausnehme, denn ROT ist ja die Lehrerfarbe. Ronnie und Bilal werden müde lächeln und sich artig bedanken, freuen werden sie sich bestimmt nicht, denn die anderen Jungs werden billiges Herrenparfüm, Deo oder sonst was Männliches geschenkt bekommen. Stifte sind nun mal so ganz und gar nicht männlich. Aber nützlich, und ich liebe nützliche Geschenke. Ich würde mich immer über eine Stange Zigaretten, ein paar Flaschen Mineralwasser oder ein leckeres Brot freuen. Selbst zum Geburtstag oder zu Weihnachten, und erst recht zum Julklapp.

Erst nachdem ich die Stifte und noch einen Haufen Weihnachtsdeko gekauft habe, fällt mir auf, dass mir eine Federtasche für die Stifte fehlt. Ronnie und Bilal haben überhaupt keinen eigenen Stift und schon gar keine Federtaschen. Eine Federtasche unterstreicht auch nicht gerade die maskuline Seite eines Schülers, wenn schon der Besitz eines eigenen Stiftes einer Kastration gleichkommt. Bilal fragt grundsätzlich sofort, nachdem ich eine schriftliche Arbeitsphase ankündige: »Hat jemand einen Kuli?« Und Ronnie, dem ich schon dreimal einen Kugelschreiber geschenkt habe, schreibt seit einer Woche mit einem grünen Textmarker. Und wenn er sich langweilt – und das tut er in meinem Unterricht immer –, dann unterstreicht er jedes Wort auf dem Arbeitsblatt.

Aber dieses Elend hat jetzt ein Ende, denn nächste Woche bekommen die beiden von mir eine prall gefüllte Federtasche mit mindestens siebzehn Kulis und fünf Gelschreibern. Wenn die irgendwann alle oder weg sind, dann bleiben immer noch die Bleistifte.

Die Stifte haben mein Fünf-Euro-Budget gesprengt, deshalb rufe ich die Frau für alle Fälle an und frage nach Federtaschen. Meine Lehrerfreundin Frau Dienstag, die ich seit dem Referendariat kenne, kann dir nicht nur in der kleinen Pause die Winterreifen aufziehen, sie produziert dir auch im Vorbeigehen Federtaschen mit Applikationen. Wir treffen uns bei Karstadt in der Schuhabteilung. Zwischen Giesswein- und Hush-Puppy-Hausschuhen erfolgt die Übergabe. Ronnie bekommt die Jeanstasche mit pinkfarbenem Pfeil und Bilal die mit einem gelben Stern. Der gelbe Stern irritiert. Er sieht zwar nicht aus wie ein Davidstern, denn er hat weniger Zacken, aber eigentlich erinnert er doch daran. Damit er nicht ganz so aussieht, hat Frau Dienstag noch einen pinkfarbenen Rand draufgestickt. Das macht die Sache nicht besser. Diese Federtasche bekommt Bilal. Da meine Klasse in Geschichte schon im Dritten Reich angekommen ist, könnte das Julklapp-Geschenk Fragen aufwerfen. Bilal ist palästinensischer Libanese. Vielleicht sieht er den Stern aber auch nur als Weihnachtsgruß. Ich könnte mit Edding noch ein Smiley draufmalen. Oder irgendwas in Fraktur.

Ach, was soll's, wird schon gehen. Frau Dienstag hat mir auch schon mal so eine Tasche genäht. Ich benutze sie als Kosmetiktasche. Wenn er sie nicht will, dann gebe ich sie zurück und bestelle bei Frau Dienstag eine Federtasche in den Farben der palästinensischen Flagge mit aufgestickter Tanne. Eigentlich geht es ja auch mehr um den Inhalt. Und die beiden bekommen schließlich Stifte von mir, die für den Rest ihres Lebens reichen werden. Nur noch ein halbes Jahr Schule, und dann wird sich bei den beiden die Dringlichkeit von Schreibmaterialbesitz schlagartig verringern.

Ein paar Tage später – ich dachte, jegliche Julklapp-Vorbereitung sei erledigt – kommt Frau Hinrich in meinen Raum.

Letzte Stunde am Freitag. Dschinges und die anderen basteln gerade an ihren Pappmaché-Pinguinen und labern unheimlich unerträglichen Schwachsinn, als die Tür aufgeht. Frau Hinrich fröhlich, mit Jacke und Tasche. Sie hat früher Schluss, weil sie mit ihrer Klasse an einem Projekt gearbeitet hat und schon fertig geworden ist.

»Soll ich dir einen Kaffee holen?«

»Ja, gerne. Schwarz, bitte.« Und weg ist sie. Die Zeit vergeht, aber sie kommt gar nicht wieder. Irgendwann bemerkt das auch Dschinges: »Diese Frau Hinrich wollte Ihnen doch einen Kaffee holen, oder? Wo bleibt die denn?«

»Dschinges, kannst du Gedanken lesen? Das Gleiche wollte ich auch gerade sagen.« Dieser regelmäßige Unterricht scheint uns geistig in die gleichen Bahnen zu lenken. Privat rede ich auch schon wie die Schüler: »Was geht, Fräulein Krise? Gehst du Karstadt?«

Aber irgendwann kommt Frau Hinrich doch noch mit dem Kaffee. Erschöpft lässt sie sich neben mich auf einen Stuhl plumpsen.

»Ach, Frau Hinrich, gut, dass du kommst. Beim Julklapp hat sich was geändert.«

Ayla und Elif kamen vorhin ganz aufgeregt zu mir. Es gibt Probleme, da Mariella irgendwie zweimal gezogen hat, da ist einiges durcheinandergekommen. Jedenfalls hat Hannah niemanden. Und die Mädchen müssten jetzt unbedingt wissen, wen Frau Hinrich und ich gezogen haben. »Also ich habe Bilal und Ronnie, und Frau Hinrich hat Christine.«

»Christine wurde aber schon von Peter gezogen«, stellt Elif entsetzt fest.

»Dann kann ja Frau Hinrich Bilal nehmen, ich habe doch zwei.«

»Aber Hannah kann sich doch nicht selbst beschenken«,

gibt Ayla zu bedenken. Elif sagt uns, wie wir das machen sollen: »Frau Hinrich beschenkt Hannah, und Hannah nimmt Bilal. Und Sie behalten Ronnie.« Ich denke an die Federtaschen, die ich doch schon gepackt und weihnachtlich eingewickelt zu Hause rumliegen habe. »Okay, das können wir so machen.«

»Frau Hinrich, du beschenkst jetzt doch nicht Christine, sondern Hannah.«

»Du, genau darüber wollte ich mit dir sprechen. Ich schaff das gar nicht, ein Geschenk zu kaufen. Mach du das mal für mich, ja? Ich geb dir das Geld.«

Na toll, bin ich also immer noch nicht fertig mit diesem blöden Julklapp. Die Federtasche mit dem gelben Stern ist ja nun gar nichts für Hannah. Da muss ich also noch mal los. Schönen Dank auch, Frau Hinrich.

Wichteln am Wochenende

Hannah bekommt eine Geschenkpackung Vanille-Jasmin-Dream-irgendwas-Duschgel, Bodylotion, noch so was und einen rosa Schwamm. Alles in einer schönen Packung. Für 5,45 Euro. Sieht super aus und lässt sich gut einpacken.

Obwohl ich dieses Jahr gar nichts mit Weihnachten zu tun haben wollte und deshalb extra seit September nicht mehr in einem Supermarkt war, hat mich dieser ganze Christmas-Kram doch fest am Wickel. Und gibt es eigentlich ein furchtbareres Wort als Wichteln?

Wichteln sagt man, wenn man eigentlich Julklapp meint. Nur man will irgendwie cooler sein und verschenkt nichts Schönes, sondern Schrott. Der Freund hat mir diese Wichteleinladung eingebrockt, und deshalb muss er sich auch um die

Geschenke kümmern. Wir sollen ein gutes und ein blödes Geschenk mitbringen. Kinderfeuerwerk, eine Die-Fantastischen-Vier-Figur aus einem Happy Meal, Smarties und Comics. Und – und hier hört der Spaß eigentlich auf – eine meiner geliebten Hundert-Watt-Glühbirnen, die ich mir aus dem Urlaub in einem unökologischen Schwellenland mitgebracht habe. Schwer ranzukommen an die Dinger – hierzulande.

Jedenfalls wird gewichtelt, das heißt, man muss immer würfeln und bei einer Eins oder einer Sechs darf man sich ein Geschenk nehmen. Am Ende habe ich eigentlich doch ganz gute Sachen ergattert: *Papst J.P. II – sein Leben, seine Zeit, sein Wirken* auf DVD. Die super Kriegsfilm-Collection – drei Filme auf einer DVD: *High Sky Mission*, *Going Back* und *Jäger der Apokalypse*. Und ganz was Feines: das Rauschgift-Quartett. Da erfährt selbst der größte Junkie noch Wissenswertes. Also, ich bin ganz zufrieden mit meinen Geschenken. Mein Freund hat nur eine Bernhard-Brink-Single abgekriegt.

Vorm Einschlafen überlege ich, ob ich Ronnie nicht noch das Quartett zum Julklapp schenke.

Peter hat die Butter

Peter ist krank. Dabei hat Peter doch die Butter. Ich hatte extra ihm die Butter aufgetragen, weil er so zuverlässig ist. Zuverlässig ruft dann auch morgens seine Mutter an und meldet ihn krank. Julklapp-Frühstück ohne Butter geht ja gar nicht. Abdul nimmt sich die Wer-bringt-was-mit-Liste und stellt fest, dass die Butter von Peter und der Eistee von Ronnie fehlen. Den Eistee sollte Peter nämlich ebenfalls mitbringen. »Er hat mich voll abgezockt. Ich hatte ihm gestern einen Euro gegeben«, sagt Ronnie wie üblich schlechtgelaunt. »Abgezockt ist wohl nicht das richtige Wort, Ronnie. Peter ist krank und bestimmt nicht, weil er mit deinem einen Euro durchbrennen will.«

Abdul will einkaufen gehen. Ich gebe ihm fünf Euro.

In der ersten Stunde in Englisch ist kein Unterricht möglich. Ich hatte mich schon zu »Wir machen nur die Hälfte der Stunde Unterricht« überreden lassen. Allerdings tauchen alle Schüler verspätet und ohne Schulsachen auf. Nur Bilal kommt mit einem dicken Plastiksammelordner für Hefter. Schön, denke ich, der hat wenigstens Schulsachen mit. Er macht den Ordner auf: Tilsiter und Gouda in Scheiben.

Ayla übernimmt das Kommando. Tische werden geschrubbt, umgestellt und eine lange Tafel aufgebaut. Die Geschenke kommen in eine goldene Kiste. Also einen Umzugskarton mit Geschenkpapier umwickelt – sieht super weihnachtlich aus, macht echt was her. Neben dem Karton sitzt Funda, die sich meinen Folienstift genommen hat und nun jeden, der sein Geschenk dort reinlegen will, anspricht: »Steht schon Name drauf? Soll ich raufschreiben?«

Da jeder sein Päckchen schon ordentlich beschriftet hat, geht sie dazu über, die Namen aller Schüler auf die Plastikbecher zu schreiben. Meine Servietten, die ich zu Dekozwecken gekauft habe, werden kreativ auf dem Tisch verteilt. Meine Lametta-Dekofäden werden allerdings verschmäht: »Neiiin, Frau Freitag, nicht dis, dis geht dann ins Essen.«

Dann wird gefrühstückt. Meine Klasse ist so dermaßen verfressen: 65 Brötchen werden vertilgt – von zwanzig Schülern. Frau Hinrich sitzt neben mir und freut sich. Ich freue mich auch. Alle führen nette Gespräche. Abdul schluckt immer erst alles runter, bevor er mir antwortet. Dabei fällt mir auf, dass ich immer mit vollem Mund rede. Muss ich mir unbedingt abgewöhnen, wenigstens, wenn ich mit Abdul oder seiner Mutter spreche.

Dann endlich geht's ans Julklappen. Abdul spielt den Weihnachtsmann. Ich habe ihm eine schöne Weihnachtsmannmütze mitgebracht. Bevor er reinkommt, singt die Klasse »In der Weihnachtsbäckerei«. Süß, sie kennen davon noch alle Strophen. Abdul macht seine Sache gut. Zu jedem Schüler sagt er ein paar Sätze. Immer passend, immer sehr lustig. Und ihm fällt zu jedem was ein. »Ohne Ronnie in der Klasse würden wir viel weniger lachen.« Und das liegt nicht daran, dass Ronnie besonders gute Witze macht. Ronnie macht selten Witze. Aber er regt sich immer besonders theatralisch auf und amüsiert dann die Klasse mit seiner schlechten Laune. Ronnie ist eigentlich immer schlecht drauf. Er fühlt sich permanent ungerecht behandelt. Meistens hat er dazu keinen Grund. Meistens – nicht immer. Nicht heute …

Alle packen ihre Geschenke aus. Wie befürchtet, haben die meisten mehr als fünf Euro gekostet. Da gibt es Hello-Kitty-Köfferchen, Ich-liebe-dich-Kissen, viel Parfüm und Kosmetik, Mützen und Handschuhe und so weiter. Ich bekomme auch Parfüm und eine schöne Gesichtscreme. Fatma guckt sich die Tube an und lacht: »Ist das Faltencreme?«

Alle freuen sich über ihre Geschenke und zeigen sie stolz vor. Dann macht Ronnie sein Geschenk auf. Die Federtasche mit dem Pfeil. Die selbstgenähte Federtasche mit dem Pfeil. »Äh, was ist das denn? Ist die selbstgemacht?«, fragt Ronnie angeekelt. Er guckt kurz rein und schiebt sie dann beleidigt von sich weg. »Ist bestimmt von einer Lehrerin«, versucht Christine, ihn zu trösten. »Lass mal sehen, Ronnie«, ruft Elif. »Oh, diese Kulis sind voll gut. Freu dich doch.« Alle reden ihm gut zu, er wird immer saurer. Ich versuche, von mir als Übeltäterin abzulenken: »Zeig mal, Ronnie, was du bekommen hast.« Soll doch Frau Hinrich die Böse sein, die dem armen, armen Ronnie so etwas angetan hat. Ronnie nimmt das Tipp-

Ex aus der Federtasche und will genervt auf dem Tisch rum-
sauen. Ich nehme die fünf Euro, die ich von Frau Hinrich für
Hannahs Geschenk bekommen habe und lege sie ihm auf
den Tisch. »Hier. Dann nimm das Geld. Ist ja nicht mit anzusehen, wie du leidest.« Ich höre ihn irgendwas von zwölf Euro
nuscheln. Anscheinend hat Ronnie mehr investiert, als er jetzt
bekommen hat. Was kann ich denn dafür, wenn sich nie jemand an das Preislimit hält? Am Ende gibt Ronnie mir das
Geld wieder und nimmt die Federtasche. Natürlich habe ich
die Stifte nie wieder im Unterricht gesehen.

Nachmittags kommt der Deutschlehrerfreund vorbei, um mit
Kaffee auf den Ferienbeginn anzustoßen. Ich zeige ihm das
Video vom Julklapp. Abdul hat echt Talent. Er sollte Weihnachtsmann werden. Sehr professionell hat er mir sein Geschenk überreicht:

»Hier ein Geschenk für Frau Freitag. Ich kenn sie sehr
lange. Ab und zu seh ich sie auch bei Lehrerzimmer und bei
Elternabend. Sie ist immer sehr nett. Erst mal, sie weiß, ich bin
schlecht in der Schule, aber sie erzählt, also sie bringt immer
erst die schlechte Nachricht, dann die gute, aber die gute überdeckt die schlechte.«

Dann komme ich nach vorne, wir umarmen uns. Abdul hält
eine Tüte hoch mit einer libanesischen Tanne drauf: »Hier sind
die Geschenke, zwei Geschenke, weil bei mir ist immer so:
Wenn ich ein Junge ziehen würde – ich hol ihm Parfüm oder
was Billiges, bei Mädchen musst du schon ein bisschen mehr
achten, so, damit sie dich mag, aber bei Lehrerin – du musst
richtig schleimen!«

Fatma trifft auf Frau Schwalle

»Ach, dich wollte ich auch noch kurz sprechen«, sagt Frau Schwalle. Trifft sich gut, denn ich habe schon den ganzen Tag nach ihr Ausschau gehalten. Frau Schwalle hatte mir noch am letzten Schultag vor den Ferien einen Tadel für Fatma ins Fach gelegt, der auf Fatmas Zeugnis erscheinen soll.

Frau Schwalle unterrichtet gar nicht mehr in meiner Klasse, aber bei ihrer Hofaufsicht ein paar Tage vor Weihnachten ist sie auf Fatma getroffen. An dem Tadel-Formular, aus dem mir die Wut noch förmlich entgegensprang, hing eine kurze Vorfallsbeschreibung:

Fatma telefonierte auf dem Hof. Als Frau Schwalle ihr das Handy abnehmen wollte (bei uns dürfen die Schüler auf dem ganzen Schulgelände und nicht nur während des Unterrichts keine Handys benutzen), rückte sie es nicht nur nicht heraus, sondern baute sich auch noch drohend und mit nur zehn Zentimeter Abstand vor ihr auf. Frau Schwalle forderte sie auf zurückzutreten, aber Fatma bewegte sich nicht. Frau Schwalle fühlte sich bedroht und schob sie daraufhin auf Armeslänge weg.

In der Gebrauchsanweisung für Fatma steht allerdings: niemals anfassen und schon gar nicht wegschieben! Außerdem kennt Fatma ihre Rechte. Sie schrie also: »Wenn du mich noch einmal anfasst, dann klatsch ich dich.«

Frau Schwalle beendet ihren Bericht ganz sachlich mit den Worten: »Ich möchte bei meiner Arbeit weder geduzt noch bedroht werden und beantrage deshalb eine Klassenkonferenz.«

So eine Konferenz ist zwar schnell beantragt, aber nicht so schnell organisiert. An einer Klassenkonferenz müssen alle

Lehrer teilnehmen, die Fatma unterrichten. Wir brauchen also einen für alle passenden Termin. Und ich muss immer das Protokoll schreiben und abtippen. Kein Lehrer ist Freund von Klassenkonferenzen. Sie können mitunter Genugtuung bringen, spannend, erhellend oder lustig sein, aber sie dauern meistens 90 Minuten, liegen immer erst nach der letzten Stunde und beginnen also frühestens um 17 Uhr.

In diesen Konferenzen werden Erziehungs- und Ordnungsmaßnahmen beschlossen. Meistens verhandeln wir einen konkreten Vorfall, aber es kann auch sein, dass ein Schüler oder eine Schülerin so oft den Unterricht stört, dass man deshalb eine Konferenz einberuft. Gemeinsam beschließen die Lehrer dann, was mit der Schülerin oder dem Schüler passieren soll. Das kann im schlimmsten Fall zum Schulverweis führen. In der 10. Klasse sehen die Lehrer eigentlich davon ab, noch Klassenkonferenzen anzusetzen, weil die Schüler dann ohnehin bald weg sind.

Wegen Fatma hatten wir schon diverse Konferenzen. Sie ist recht arbeitsintensiv. Wenn es zu dieser Konferenz kommt, müssten wir sie eigentlich von der Schule schmeißen. Und das will ich nicht. Ist eigentlich nicht mehr nötig, denn jetzt hat Fatma ihre Schullaufbahn schon fast beendet und steht kurz davor, irgendeine Art von Abschluss zu machen. Die Konferenz muss also verhindert werden.

»Frau Schwalle, ich habe mit Elif und Asmaa gesprochen, die haben mir die Sache ganz anders geschildert. Die meinten, dass Fatma diesmal wirklich gar nichts gemacht hätte und dass du ihr zu nahe gekommen wärst.« Die Schwalle startet eine leichte Schnappatmung und besteht auf der Konferenz. »Okay, aber dann müssen wir uns nach 17 Uhr treffen.« Ich versuche, an die Schonlehrerin in ihr zu appellieren, denn eigentlich hat

Frau Schwalle nie Lust auf Extraarbeit. »Willst du dich denn nachmittags noch zusammensetzen?«

»Na, ich muss da ja gar nicht dabei sein. Zu der Konferenz müssen ja nur die Lehrer kommen, die Fatma unterrichten«, antwortet sie.

Ich bin baff. »Wie jetzt? Du beantragst eine Konferenz und willst nicht mal dran teilnehmen?«

»Ich unterrichte sie ja nicht.«

»Aber du musst doch erzählen, was passiert ist, du beantragst doch die Konferenz.«

»Ich habe doch alles aufgeschrieben.«

»Ja schon, aber Fatma sagt, dass es ganz anders war.«

»Ja, das kann ich mir denken.« Damit lässt sie mich verwirrt stehen.

Ich bequatsche mich mit Kolleginnen. Die Schwalle spinnt doch wohl. Eine Kollegin gibt mir folgenden Tipp: Ein Tadel ist ja schon eine Ordnungsmaßnahme, deshalb kann man gar keine zusätzliche Konferenz beantragen. Das werde ich im Schulgesetz nachlesen. Eine andere sagt: »Mach doch die Konferenz, und wenn Fatma aussagt, dass es anders war, und die Schwalle nicht dabei ist, um sich zu verteidigen, dann bekommt sie eben keine Strafe.«

Das kann ja noch spannend werden. Ich muss mich erst mal mit der Jahrgangsleiterin beraten.

Auch am nächsten Tag bleibt Frau Schwalle hart. Der Konferenzfall »Fatma« wird sich noch hinziehen. Vorsichtig frage ich Kollegin Schwalle, was sie sich denn von einer Konferenz verspricht. Als Reaktion wieder nur Schnappatmung und der Vorwurf, ich würde alles unter den Teppich kehren wollen. Meinetwegen soll sie ihre Konferenz haben. Ist mir langsam alles egal.

Die Jahrgangsleiterin schlägt vor, dass Frau Schwalle dann das Protokoll schreiben soll. Mittlerweile liegt auch eine ganz putzige Gegendarstellung von Fatma vor. Kollegin Schwalle scheint sie demnach gefragt zu haben, ob sie »geistig zurückgeblieben« ist. »Da fühlte ich mich so beleidigt, dass ich sie auch was zurück gesagt habe.« Was sie gesagt hat, kann man dann bei Frau Schwalle lesen. Beide Berichte enthalten zwei subjektive Darstellungen, die wahrscheinlich wenig mit der Realität zu tun haben.

Insgesamt war es heute kein schöner Tag in der Schule. Die Siebte hat gestresst. So richtig gestresst. Ich sie wahrscheinlich auch. Wir waren alle froh, als es endlich geklingelt hat.

Mit meiner Klasse gehe ich dann in den Computerraum, um Tornadovideos zu gucken. Die Hälfte der Klasse sucht die auf Facebook, die andere Hälfte fragt, wie die Tornados entstehen und ob die Sachen, die hochfliegen (Häuser, Autos und Kühe), auch wieder runterkommen. »Neee, wisst ihr, die kommen NIEEE mehr runter.« Schön auch Bilal: »Aber die Wurzeln von dem Haus waren noch da.« Schöner neuer Ausdruck für Fundament.

Als meine Schüler dann einen Augenzeugenbericht schreiben sollen, ist das Interesse schnell verflogen – wahrscheinlich mit dem Tornado – *bye-bye*.

»Können wir auf Klassenfahrt?«

»Nein.«

»Wieso nicht?«

Klassenfahrt ist momentan das Letzte, woran ich denke. Wieso sollte ich mit denen irgendwohin fahren? Schwänzen und nicht mitarbeiten, als wäre das ein Beruf.

Noch hundert Tage, dann ist deren Schulzeit – zumindest mit mir als Klassenlehrerin – vorbei. Und momentan denke ich, halleluja. Abgesehen von ihrer Performance als Schüler mag ich sie alle sehr, und in 101 Tagen können wir uns gerne treffen und alles Mögliche anstellen. Ich würde sogar mit ihnen verreisen. Wenn ich nur endlich die Verantwortung abgeben könnte. Diese Scheißverantwortung für ein Projekt, das schon völlig gegen die Wand gefahren ist.

Bärte, Busen und Bewerbungen

Während ich mir die Strümpfe anziehe und meine Tasche in den Schrank stelle, kommt die Erkenntnis. Einfach so, in der Umkleide beim Sport. Frau Dienstag ist Zeugin.

»Ich will gar nicht wie Fräulein Krise meine Klasse adoptieren, ich will und muss mich mal von der Verantwortung lösen!« Fräulein Krise hatte mir am Vortag erzählt, dass sie geträumt hat, sie hätte ihre gesamte Klasse adoptiert, und die würden alle bei ihr wohnen. Sofort überlegte ich, ob ich das nicht unterbewusst auch möchte.

Nein, ich bin mir sicher, das möchte ich nicht. Mich erwarten deren Halbjahreszensuren. Die muss ich gar nicht erst sehen, um zu wissen, dass sie mies sind. Nichts gemacht, jede dritte Stunde geschwänzt. Und wenn nicht geschwänzt, dann zu spät gekommen. Und wenn zu spät, dann auf jeden Fall mit Butterring, Börek oder Brötchen in den Unterricht, aber dafür ohne Hausaufgaben. Im Unterricht nur gequatscht, den eigenen Namen mit dem Edding, den man sich von der Geschichtslehrerin ausgeliehen hat – »Können wir den mitnehmen, wir machen das Plakat dann zu Hause weiter« –, auf diverse Blätter geschrieben (um sich zu vergewissern, dass man noch weiß, wer man ist, oder warum?).

Wer nicht den eigenen Namen geschrieben hat, malt Bärte,

Burkas oder Busen auf die unschuldigen zwei *Peoples* auf dem Workbook. Und schreibt natürlich auch noch mal den eigenen Namen drauf. Sorry, Leute, den eigenen Namen auf alle Hefter zu klieren, reicht nicht für einen Schulabschluss. Es reicht auch nicht, nur physisch im Raum anwesend zu sein und mit dem Oberkörper auf dem Tisch zu liegen. Kann jemand mal diese magnetischen Tische gegen normale austauschen? Alle Tische in meinem Raum scheinen die Köpfe der Schüler anzuziehen. Im Übrigen gibt es fürs Sich-anziehen, auch wenn man das gut kann, keinen Schulabschluss. In der wöchentlichen Hausaufgabenstunde wird alles gemacht – nur keine Hausaufgaben. Ich bin kurz davor, sie für meine Schüler zu machen: »Was habt ihr auf in Deutsch? Gib mal her, Ronnie, ich mach das schnell, du unterhältst dich ja gerade so angeregt mit Marcella, und gefrühstückt hast du ja auch noch nicht.«

Meine Klasse ist in der Zehnten. Hallo?! Zehnte? War da nicht irgendwas? Bewerben? Ausbildungsplätze? Außer Abdul – »Ich habe schon dreizehn Bewerbungen geschrieben, macht Spaß« – hat sich noch KEINER IRGENDWO beworben! Die Hälfte der Klasse weiß noch nicht mal, was sie machen will. Wenn ich sie frage, dann sagen sie: »Frau Freitag, das stresst.« Vielleicht sollte ich nicht nur ihre Hausaufgaben machen, sondern auch noch ihre Bewerbungen schreiben. Einer muss es ja machen. In der letzten Hausaufgabenstunde hat meine Klasse nur darüber diskutiert, dass sie eine Klassenfahrt machen möchte. Ich bin echt abgegessen.

Ich kann dieses Verhalten, dieses Verdrängen, diese Faulheit nicht mehr ertragen. Und deshalb bin ich in jeder Stunde, die ich mit meiner Klasse habe, extrem schlecht gelaunt. Aber langsam habe ich den Eindruck, dass sie gar nicht wissen, warum ich sauer bin. Dass es mit ihrem Verhalten zusammenhängen könnte, darauf kommen die gar nicht. Und heute dann die Erkenntnis. Ich versaue mir nicht das letzte Halbjahr mit meiner Klasse damit, mich um deren Zukunft zu kümmern. Wenn sie das nicht tun, dann tue ich es eben auch nicht. Ich will nicht mehr so schlecht gelaunt sein.

In der nächsten Stunde, wenn ich die Halbjahreszensuren verkünde, werde ich ihnen meine Gedanken mitteilen und dann die verbleibende Zeit mit ihnen genießen. Freundlich und nett sein und nicht mehr sauer und besorgt. Ich bin nicht deren Mutter!

Fatma lässt nicht locker

Ist bald Weihnachten? Waren schon sieben Wochen Unterricht? Ich bin sooo fertig. Ich kann mir nicht mal mehr die Haare kämmen. Dabei ist erst seit einer Woche wieder Schule. Eigentlich müsste ich noch Fatmas Vater anrufen und ihn über den Schwalle-Konflikt informieren. Aber ich kann nicht, keine Kraft mehr.

Stundenlang habe ich auf die Schwalle eingequatscht, dass sie von einer Klassenkonferenz absehen soll. Dann hatte ich sie endlich so weit: »Okay, dann verlange ich aber eine Entschuldigung. Und Fatma soll eine Art Sozialdienst machen. Irgendwo irgendwas fegen, oder so.«

Ich, froh, um die Sitzung rumzukommen, teile es Fatma mit. Die flippt aus: »ICH MICH entschuldigen, DIE muss sich bei MIR entschuldigen, diese Hurentochter.«

»Fatma, die Beleidigung habe ich jetzt nicht gehört. Aber überleg dir das doch noch mal, mit so einer Entschuldigung und so ein paar Sozialstunden, damit bist du doch fein raus.«

»SOZIALSTUNDEN? Ich bin doch nicht im Knast! NIE-MAAAALS entschuldige ich mich bei der. Dann kriege ich eben eine Sitzung. Und wenn ich von der Schule fliege, wenn ich von der Schule fliege, wenn ich von der Schule fliege ...«

»Was ist dann?«

»Dann passiert was. Dann kriegt die ganze Schule einen Arschtritt.« Fatma steigert sich in Was-wäre-wenn-Phantasien hinein, die ich irgendwann stoppen muss: »Schluss jetzt, wenn du hier weiter so redest, bin ich gezwungen, deinen Vater oder die Polizei zu verständigen.«

Die Sitzung kommt also auf jeden Fall. Ich bete, dass Frau Schwalle wenigstens das Protokoll schreiben muss.

Heute gab's die Halbjahresnoten. Allerdings – mal wieder typisch – noch nicht alle. Zwei Kollegen haben die Zensuren immer noch nicht eingetragen. Das regt mich sooo auf. Da will man alles ausrechnen und die Prognosen wissen, die brauche ich auch für meine große Ansprache, und dann fehlen da noch Noten. Grrr!

Ja, meine Rede. Was will ich überhaupt sagen?

»Liebe Klasse, vielleicht habt ihr ja gemerkt, dass ich in letzter Zeit immer – oder oft – sehr schlecht gelaunt war. Hat jemand eine Idee, woran das liegen könnte?«

»Weil Sie Ihre Tage haben?«

»Weil Ihr Freund doof ist?«

»Weil Ihre Haare so komisch aussehen?«

»Weil Winter ist?«

»Weil Sie dicker geworden sind und die Hosen nicht mehr passen?«

»Nein, nein, nein, alles falsch. Es hat mit euch zu tun.«

»Mit uns? *Vallah*, wieso? Wir machen doch gar nichts.«

»Genau das ist es ja gerade! Ihr macht nichts. Gar nichts. Ihr kümmert euch nicht um eure Schulleistungen, eure Noten sind miserabel.«

»Haben Sie die Noten? Können wir die sehen?«

»Jaaaa, *vallah*, bitte, sagen Sie.«

»Nein.«

»Aber warum nein? Sagen Sie doch einfach.«

»Nein, ich wollte euch was anderes sagen. Jetzt habt ihr mich ganz rausgebracht. Also, wo war ich, ja, genau, eure Noten sind schlecht … Elif, was ist denn?«

»Frau Freitag, ich wollte nur mal fragen, also, wenn wir Klassenfahrt gehen, könnten wir dann nicht zwei Wochen machen?«

»Ja, bitte zwei Wochen, dann können wir doch auch nach Italien!«

»Nein ja, Italien ist schwul, lass mal Türkei fahrn.«

»Türkei, neeein. Spanien mit Meer und so, voll schön.«

Vielleicht sollte ich ihnen doch lieber einen Brief schreiben.

Was denkt sie, wer sie ist, Hässlichkeit

Tag der Rede! Frau Freitags Neujahrsansprache! Ich komme mir vor wie Frau Merkel am ersten Januar. Kurz vorm Klingeln trudeln ein paar Schüler ein. »Frau Freitag, Elif und Abdul verspäten sich. *Vallah*, ich schwöre, Bus hat Ersatzverkehr.«

Vor meiner Nase sitzt Fatma. »Fatma.« Ich beuge mich zu ihr, um die Wichtigkeit meiner Worte zu unterstreichen: »Fatma, ich habe gerade Frau Schwalle im Lehrerzimmer gesprochen, und die sagt, dass du sie provozierst.« Das ist noch untertrieben, denn eigentlich hat Kollegin Schwalle getobt.

»WAS? ICH SIE provozieren? Die kommt immer an zu mir. Hat die keine Freunde? Dauernd labert sie mich voll. Was denkt sie, wer sie ist, Hässlichkeit. Die soll mal abhauen. Was will die Frau?«

»Na, ich bezweifle, dass sie mit dir befreundet sein möchte. Aber du solltest aufhören, ihr zu drohen, dass irgendetwas passiert ...«

»Wenn ICH wegen DER von der Schule fliege, dann, dann, dann passiert auch was.«

»Fatma, hör auf zu drohen.«

»Was drohen? Wenn ich von der Schule fliege, dann gehe ich zur Schulbehörde.«

»Ja und dann?«

»Ja, das werden Sie dann ja sehen. Dann erzähle ich denen mal was über die Schule. Was das hier für eine Schule ist. Hm, können Sie dann ja sehen. Und ich werde mir den Anwalt von meinem Onkel nehmen, und dann gehe ich an die Presse.«

»Was willst du denen denn erzählen?«

»Werden Sie dann ja sehen.«

»Fatma, du fliegst doch gar nicht von der Schule. Das steht doch gar nicht zur Debatte. Aber wenn du hier die Lehrer bedrohst, dann könnte es dazu kommen, denn dann müssen wir uns ja schützen.«

Fatma kneift drohend die Augen zu zwei kleinen Schlitzen zusammen und zischt: »Sie werden sehen, wenn ich von der Schule fliege, dann geht die Schule mit dem Arsch auf Grundeis.«

Mit dem Arsch auf Grundeis? Ich versuche mir das vorzustellen. Asmaa, die neben Fatma sitzt, grinst und sagt: »Fatma, schrei doch nicht so rum. Guck mal, es ist acht Uhr. Noch so früh, reg dich doch nicht so auf.«

»ICH SOLL MICH NICHT AUFREGEN? DIESE SCHEISS SCHWALLE REGT MICH AUF!«

Jetzt meldet sich Funda von hinten: »Fatma, was ist denn

los? Warum bist du denn so sauer?« Fatma erzählt. Funda relativiert. Macht sie super. Ich ziehe mich aus dem Gespräch zurück, und Funda und Asmaa managen die aufgebrachte Fatma.

Die anderen Schüler erscheinen nach und nach (»*Vallah*, fünf Busse sind vorbeigefahren. Alle voll.«), nehmen sich ihre Kunstarbeiten und fangen an zu malen. Wir aquarellieren wieder. Die Bilder sehen super aus. Sie setzen meine Tipps 1 a um.

Kurz vorm Klingeln bitte ich sie aufzuräumen. Niemand bewegt sich. »Leute, wascht mal die Pinsel aus, gleich ist Pause.« Das Wort »Pause« führt sonst zu Pawlow'schen Reflexen. Heute nicht. Alle pinseln weiter vor sich hin.

»Frau Freitag, können wir nicht weitermachen? Macht gerade so Spaß.«

»Aber die Pause. Ihr habt doch gleich Mathe.«

»Aber machen wir das nächste Woche weiter?«

»Ja, auf jeden Fall.«

Dann wird aufgeräumt. »Tschüs, Frau Freitag, schönes Wochenende.«

»Schönes Wochenende, Frau Freitag.«

»Ja, euch auch, Tschüssi.«

Plötzlich sind sie alle weg. Der Raum ist sauber und leer. Da war doch noch irgendwas. Irgendwas habe ich doch vergessen. Aber es fällt mir nicht mehr ein.

Voll ohne Sinn, liebe Schulbehörde

»Aber die müssen sich bald anmelden«, sagt Frau Dienstag. »Auch an den OSZs gibt es nicht unendlich viele freie Plätze.«

Frau Dienstag klärt mich auf, wie das mit meiner Klasse nach dem Schulabgang und ihren verkackten Abschlüssen weitergehen soll.

Jetzt muss ich mich also auch noch darüber informieren und dann neue Mantren streuen: »Ihr müsst euch dort bewerben. Da gibt es einen Bewerbungsschluss. Warst du schon da? Hast du dich da angemeldet?« Das hört ja wohl nie auf.

Morgen haben wir Zensurenkonferenz. Zur Realschulprüfung zugelassen werden fast alle, die es wollten – außer Mariella und Emre, aber die sind ja nun wirklich selbst dran schuld. Die Realschulprognose haben aber nur sehr wenige. Prognose heißt, dass ausgerechnet wird, welchen Schulabschluss sie bekämen, sollten ihre Noten so bleiben wie auf dem Halbjahreszeugnis. Irgendwie total paradox. Da darf man sich anmelden, wenn man nicht mehr als vier Fünfen und Sechsen hat, aber am Ende braucht man in fast allen Fächern eine Drei.

Als würde man 100-Kilo-Frauen beim Casting für *Germany's next Topmodel* auswählen, sie ins Modelhaus einziehen lassen und ihnen dann am Ende sagen: »Sorry, hier kannst du nur gewinnen, wenn du 48 Kilo wiegst.«

Die Logik der Schulbehörde erschließt sich mir nicht. Haben die Angst, dass wir nicht genug zu tun haben? Schließlich muss ja jeder Angemeldete betreut und jede geschriebene Arbeit korrigiert, bewertet und in irgendwelche Computer eingegeben werden. Weniger Anmeldungen bedeutet eben auch weniger Arbeit für uns. Das darf wohl nicht sein. Außerdem müssten die Schüler sich ja, wenn sie sich nicht anmelden dürften, mit ihrer nahen Zukunft auseinandersetzen. So aber können sie diese unangenehmen Gedanken mit der Ausrede »Ich mache ja die Realschulprüfung« vor sich her ins Nirwana schieben.

Rechnerisch ist bei manchen Schülern gar kein Realschulzeugnis mehr möglich – wer zum Beispiel nur einen Punkt in Mathe hat und im Sommer mindestens sieben braucht, der müsste ja dreizehn Punkte im zweiten Halbjahr bekommen. Die Note vom ersten Halbjahr plus die Note vom zweiten Halbjahr geteilt durch zwei ergibt die Endjahresnote. Es gibt an Gesamtschulen aber nur zwölf Punkte zu holen in Mathe. Und selbst, wenn rechnerisch alles möglich wäre, dann ist da ja noch die kleine Hürde, dass man sich für eine gute Note vielleicht ein wenig anstrengen muss.

Ach, ich sehe schwarz. Aber Frau Dienstag hat mich beruhigt: »Bilde dir doch nicht ein, dass wir die letzten Menschen sind, die Einfluss auf die Schüler haben.« Stolz erzählt sie mir immer wieder, dass zwei ihrer ehemaligen Schüler jetzt bei der Deutschen Bahn arbeiten.

Ich war nicht Arzt – ich bin Arzt

Unglaublich, ich habe mich von einer akuten Magenschleimhautentzündung selbst geheilt. Vielleicht sollte ich Arzt werden. Ich wache auf und schleiche gekrümmt ins Bad. Wegen großer Lücken im biologischen Wissensbereich kann ich die Schmerzen keinem inneren Organ zuordnen. Der Freund weiß auch keinen Rat. »Hier, in der Mitte. Was ist denn da?«

»Wahrscheinlich Magen.« Oder Lunge? Ist die Lunge nicht an der Seite?

Ich kann nur noch gekrümmt laufen, schaffe es gerade, mir einen Kaffee zu machen. Auf die Idee, dass der, in Kombination mit Zigaretten, vielleicht gar nicht so sehr zur Genesung beiträgt, komme ich leider nicht. Aua! Alles in der oberen Mitte schmerzt, wenn ich mich gerade hinstelle. Wie soll ich denn in die Schule kommen? Anrufen, dass ich nicht komme, geht auch nicht, denn es ist schon nach halb acht. Ich gehe also mit einem um 90 Grad nach vorne gebogenen Oberkörper zum Bus. Sitzen geht. Stehen tut wieder weh.

In der Schule krepele ich gleich ins Sekretariat. Die Sekretärin hat eine Erste-Hilfe-Ausbildung, denkt aber irgendwie, dass sie Medizin studiert hat. »Gabi, aua, guck mal, hier tut's weh, was ist das für ein Organ? Das geht von hier bis hier.« Ich markiere mit dem Finger, wo der Schmerz liegt.

»Magen.« Ich denke sofort: Krebs.

Sie: »Wahrscheinlich eine Magenschleimhautentzündung.«

»Du, Gabi, ich kann gar nicht richtig stehen, das tut so weh. Ich habe jetzt gleich die 7. Klasse. Wenn es schlimmer wird, schicke ich einen Schüler, die kann ich nämlich nicht alleine lassen. Aber dann musst du kommen. Okay?«

»Okay.«

Ich schleiche ins Lehrerzimmer zu meinem Fach. Aua, aua. Gabi kommt mir hinterher: »Du, Frau Freitag, auf Kaffee solltest du aber verzichten. Alles, was den Magen jetzt reizt, geht nicht.« Oh Mann, wie ich das hasse. Immer, wenn man was hat, soll man auf Kaffee und Zigaretten verzichten. Sehe ich gar nicht ein. Da ist man schon krank, und dann darf man nicht mal rauchen? Und auf Tee umsteigen? Das klappt ja nicht mal, wenn man gesund ist.

Dann die 7. Klasse. Genau das brauchst du, wenn es dir nicht gutgeht. Ein Haufen Irrer fliegt in den Raum. Alle schreien durcheinander, keiner geht an seinen Platz. Mert sitzt direkt vor meiner Nase. Die Schmerzen werden schlimmer. »Was haben Sie?«, fragt er. Er merkt, dass ich irgendwie anders bin. Heute stehe ich nicht wie sonst in der Mitte des Raumes und domptiere die Schüler an ihre Plätze. Ich bleibe an meinem Tisch sitzen. »Ich habe Bauchschmerzen.« Ich höre mich an wie die Entschuldigungszettel von Marcella. »Wegen starker

Bauchschmerzen konnte Marcella dies nicht und das nicht und schon gar nicht in die Schule kommen.«

Mert überlegt. »Warum kommen Sie dann in die Schule? Warum bleiben Sie nicht zu Hause?« Ja, warum bleibe ich nicht zu Hause? Ich habe wahrscheinlich Magenkrebs.

Ich stehe auf und setze mich so lehrermäßig mit der halben Arschbacke auf Merts Tisch, um die Aufmerksamkeit der Schüler zu bekommen. Klappt nur bedingt. »Setzt euch mal hin! Sie hat Bauchschmerzen!«, brüllt Mert seine Mitschüler an. Ich hauche mit letzter Kraft: »Danke. Geht schon. Pack mal dein Buch aus.«

Irgendwie machen wir dann Unterricht. Irgendwie sind sie etwas gedämpft. Irgendwie überleben wir alle die Stunde. In der Pause gehe ich eine Zigarette rauchen. Aus purer Gewohnheit. Und als ich wieder in meinem Raum bin, merke ich: Die Schmerzen sind weg. Ich bin geheilt.

Fazit: Bei einer Magenschleimhautentzündung muss man in einer besonders anstrengenden 7. Klasse unterrichten und sofort im Anschluss eine Zigarette rauchen, dann ist die Entzündung weg.

Gezielte Demotivation

Mein neues Credo: Motivation durch gezielte Demotivation. Alle aquarellieren fröhlich vor sich hin. Die Stimmung ist gut. Die Schüler sind ausgesprochen nett, zuvorkommend und höflich. Nur Ronnie sitzt vor mir und weigert sich, mit der Aufgabe zu beginnen. Ich fordere ihn mehrmals dazu auf, dann ignoriere ich ihn für den Rest der Stunde.

»Abdul, bist du eigentlich noch am Realschulabschluss interessiert?«

»Klar, sicher.«

»Und ist dir auch bewusst, dass du dich noch SEHR verbessern musst, wenn das noch was werden soll?«

»Hm, ja.«

Vor ein paar Tagen habe ich meiner Klasse endlich ihre Zensuren mitgeteilt. Allerdings dann doch ohne die Rede, die ich mir vorgenommen hatte.

»Soll ich dir mal zeigen, wie dein Zeugnis im nächsten Halbjahr aussehen muss, damit du es noch schaffst?« Er nickt.

»Also, pass auf!« Ich schreibe groß Abdul an die Tafel und unterstreiche seinen Namen. »Du weißt ja, dass du in den meisten Fächern insgesamt – also in beiden Halbjahren zusammen – auf 14 Punkte kommen musst. Das heißt zum Beispiel für Deutsch, dass du da acht Punkte brauchst. Eine Drei. Schaffst du doch locker. In Englisch brauchst du sogar eine Zwei – mindestens neun Punkte. Aber das sollte ja kein Problem sein, denn eine Vier hast du ja schon. Hups, Mathe, da müsstest du elf Punkte haben, also eine Eins.«

Kollektives Gelächter in der Klasse.

»Ach, Abdul, lass dich nicht verunsichern. Das schaffst du schon. Okay, weiter. Bio und Physik wird nicht so das Problem – auch jeweils eine Zwei. Und in Chemie – oh, das wird haarig, da bräuchtest du dreizehn Punkte. Das wird wohl nichts, weil du da ja nur zwölf Punkte bekommen kannst.«

Ich stelle mich neben die Tafel und lasse die Zahlen ein wenig nachwirken. Abdul schweigt. »So, jetzt sag mal, in welchen Fächern du dich wahrscheinlich nicht mehr verbessern kannst. Denn zwei können wir streichen.«

»Na, ich denke in Chemie und in Mathe.«

Ich streiche die beiden Fächer weg. »Voilà, hier, Abdul. So muss dein zweites Halbjahreszeugnis aussehen. Geht doch, schaffst du schon. Das packst du.«

»Noch jemand Interesse an einer Beispielrechnung?«

Sofort melden sich mehrere ziemlich hoffnungslose Kandidaten. Ich laufe zur Höchstform auf. Ich sage: »Bilal, eine Zwei in Englisch – null Problemo. Du solltest mal versuchen, nicht nur mit dem Oberkörper auf dem Tisch zu liegen. Dafür hast du jetzt nur eine Vier bekommen. Leg dich doch im zweiten Halbjahr ganz drauf, dann gibt es bestimmt eine Zwei. Fatma, du musst einfach noch öfter zu spät kommen, dann klappt das auch mit den elf Punkten in Mathe.«

Die Schüler sind voll motiviert. Jeder möchte seine persönliche Rechnung. Aylas Zukunftsperspektive errechne ich sogar noch in der Pause. »Das schaffe ich, Frau Freitag. Danke und schönes Wochenende.«

Ich wische die Tafel, gehe eine rauchen und denke: Meine Klasse spinnt.

Der Stress stresst mich

Toll, nach einem längeren Telefonat mit Fräulein Krise habe ich jetzt einen Magendurchbruch. Stand bei Wikipedia. Hat sie mir vorgelesen. Na ja, also Durchbruch habe ich wahrscheinlich noch nicht. Aber irgendwas wird schon mit dem Magen sein. Und jetzt denke ich über unseren Beruf nach. Ist ja schon stressig. Wie wirkt sich denn der Stress auf meinen Körper aus?

Merke ich Stress immer? Oder kann es auch sein, dass ich an einem Tag, an dem ich denke »lief doch alles super«, trotzdem Stress ausgesetzt war, der sich dann in den Magen frisst? Wie ist das mit dem Oi-Stress? Habe ich vielleicht zu viel positive Anstrengung? Was passiert denn mit einem, wenn man dauerhaft Stress ausgesetzt ist? Und vor allem, wie lange dauert es, bis etwas passiert? Ist das dann so ein »Kann – muss aber nicht«-Fall?

Ist das eigentlich schädlich – also gesundheitlich schlecht für meinen Körper –, wenn ich Mert, Mohamed und Mervin unterrichte, sprich, mindestens fünf Mal in 45 Minuten richtig austicke und aus voller Lunge rumbrülle? Ist kontrolliertes Ausflippen nur für die Stimmbänder schädlich oder auch für den Magen? Wie sieht es mit Monoernährung aus – hauptsächlich Brot und nie Obst? Zigaretten ... Na, da gibt es wahrscheinlich nichts Neues drüber. Kann man den Magen schonen – mal abgesehen von Keinenkaffeetrinken und Nichtrauchen?

Soll ich den Beruf wechseln? Aber wo hat man so viel Spaß wie in der Schule?

Heute Murat aus der Siebten: »Frau Freitag, kennen Sie den: Was sagt der Japaner vor der Mülltonne?«

»Äh? Japaner?«

»Ja, vor der Mülltonne?«

»Murat, das ist ein uralter Türkenwitz, der funktioniert gar nicht mit Japanern.«

»Ja, ja, das ist Türkenwitz«, schreit Tarkan aufgeregt von hinten. »Sagt der Türke: Türkendisko. Oder kennen Sie: Was ist türkische Familie vor Mülltonne?«

Alle brennen darauf, das zu erfahren. Tarkan genießt die Aufmerksamkeit und sagt nach einer langen Pause: »Familienfoto. Oder was sagt der eine Türke zu den andern Türke ...«

Ich verstehe die Welt nicht mehr, lehne mich zu Dragan und flüstere: »Häh, die sind doch beide türkisch, warum erzählen die denn diese Türkenwitze?« Aber ich weiß auch, wenn ich jetzt versuche zu erklären, warum diese Witze nicht mit Japanern funktionieren, weil sie ihren Ursprung in der Zeit der Anwerbeabkommen haben, dass ich dann wieder eine Diskussion über das Trümmerwegräumen nach dem Zweiten Welt-krieg starte. Ich warte also einfach, bis ihnen keine Witze mehr einfallen, und gebe dann das Signal zum Aufräumen.

Ich würde euch nicht einstellen

»Wollen wir die Aufgabe im Buch jetzt noch machen, oder soll ich was zu euren Fehlzeiten sagen?«

»Jaaa, Fehlzeiten!«, rufen alle begeistert.

»Eure Fehlzeiten ... puhhh – die sind echt schlimm. Viel Spaß beim Bewerben. Ich würde euch nicht einstellen!«

Betrübte Gesichter. Nachdenkliche Stille.

»Also, so steht das auf euren Zeugnissen: Erst steht da *Tage* und dann: *davon unentschuldigt,* dann *Stunden* und: *davon un-entschuldigt,* und dann *Verspätungen.* Soll ich mal eine Rang-folge anschreiben?«

Wir haben noch zehn Minuten, die wollen sinnvoll gefüllt werden.

»Wer steht denn wohl ganz oben?«

»Christine!«

»Marcella!«

»Ich!«

Ich schreibe Namen an die Tafel: Marcella, Ayla, Christine, Emre ...

»Ähhh, kann gar nicht sein. Er hat mehr gefehlt als ich.«

»Gar nicht! Du hast öfters gefehlt!«

Ich habe nur einen Schüler, der nie unentschuldigt gefehlt hat und immer pünktlich war. Ich male ein dickes Herz hinter seinen Namen. »Den würde ich sofort einstellen.« Irfan wird rot und grinst.

Dann lese ich die unentschuldigten Tage und Stunden vor.

Meine Klasse kommt gerne in die Schule, sie sind keine typischen Schwänzer, die tagelang zu Hause bleiben oder sich im Center rumdrücken. Ich habe nur zwei Schüler, die vier Tage unentschuldigt gefehlt haben – bei denen weiß ich ganz genau, dass sie krank waren und nur vergessen haben, ihre Entschuldigungen abzugeben.

Dann gibt es drei Schüler mit drei Tagen, mehrere mit zwei Tagen und eine Reihe mit einem unentschuldigten Tag. Acht Schüler haben gar keinen Tag, an dem sie nicht von ihren Eltern eine Entschuldigung für ihr Fehlen bekommen haben. Da könnte man meinen: Super, hört sich doch gut an. Aber nix da! Selbst wenn die Schüler in der Schule sind, heißt es noch lange nicht, dass sie auch zum Unterricht gehen. Marcella hat zum Beispiel über siebzig einzelne Stunden geschwänzt. Meistens die ersten beiden morgens, dann aber auch gern mal die letzten. Es gibt nur sechs Tage in diesem Halbjahr, an denen sie weder zu spät kam noch eine Stunde zwischendurch gefehlt hat oder früher ging. Unter diesen sechs Tagen sind allerdings zwei Wandertage und eine Exkursion.

Bei neunzehn Schulwochen kommen schnell mal sechzehn, siebzehn unentschuldigte Stunden zusammen. Das hört sich viel an, aber eigentlich heißt es nur, dass man einmal in der Woche morgens verschlafen hat oder keine Lust auf die letzte Stunde hatte.

Aber das Geschrei ist groß. Einige Schüler realisieren wahrscheinlich erst jetzt, dass sich fünfundzwanzig geschwänzte Stunden auf dem Zeugnis bei der Bewerbung schlecht machen werden.

In der Pause stehen drei empörte Schülerinnen vor mir: »Ich habe bestimmt nicht sooo viele Stunden gefehlt. Ganz sicher nicht!« Ich verspreche, alles noch mal nachzurechnen.

In meiner Freistunde zähle und zähle ich und siehe da:

Bei denen, die sich so massiv beschwert haben, habe ich mich doch tatsächlich auch massiv verrechnet. Die eine hatte das Pech, auf der Liste direkt unter Ayla zu stehen, und da bin ich wohl in der einen oder anderen Woche beim Zählen in der Zeile verrutscht.

Ich setze mich an den Computer und korrigiere die Zahlen. Plötzlich überkommt mich eine große Milde: Na, werde ich mal nett sein und jedem zwei unentschuldigte Stunden abziehen. Bei fünf statt sieben mag das noch was bringen, aber ob man nun fünfunddreißig oder dreiunddreißig Stunden geschwänzt hat, wird den Arbeitgeber wohl kaum interessieren, oder?

500 Freunde und eine Pinnwand

»Worum geht es in dem Interview?«

»Frau Freitag, das versteht man gar nicht.«

»Jaaa, alles Englisch, ich habe gaaar nichts verstanden.«

»Kinder, ihr wollt doch die Realschulprüfung machen. Wie wollt ihr denn die Englischarbeit schaffen, wenn ihr hier schon nichts versteht?«

»*Abo*, das ist doch was anderes.«

»Warum ist das was anderes? Da werdet ihr auch einen englischen Text hören und Aufgaben dazu lösen müssen. Und da stoppt niemand das Band nach jedem Satz – so wie ich eben gerade. Also Elif, *tell us what the woman said about Facebook.*«

»Dass man chatten kann und mit Pinnwand …«

»*Elif, in English please!*«

»Mann, Frau Freitag. *She say you can* chatten *and the* Pinnwand.«

»*No, that's not true. Don't tell us what you think or know about Facebook. Please tell us what the woman said.*«

»Aber ich hab nichts verstanden.«

»Dann Ayla. *Can you tell us?*«

»Kein Plan.«

So geht das die ganze Stunde. Ronnie macht erst gar nicht mit. Mit den Worten »Facebook ist behindert« verweigert er seit Beginn der Unterrichtseinheit jegliche Mitarbeit.

Um die Schüler bei der Stange zu halten, um sie überhaupt erst mal in die Nähe der Stange zu bringen, setze ich mich auf meinen Tisch und fange an zu erzählen. Am Tonfall erkennen sie, dass es was Persönliches wird. Alle sind sofort ruhig und starren mich gebannt an.

Ich fasse kurz den Inhalt des Interviews zusammen, das ja anscheinend NIEMAND außer mir verstanden hat: »Die Frau beschreibt, wie sich die Kommunikation in den letzten Jahren und Jahrzehnten verändert hat. Sie spricht über das Web 2.0, über Facebook und über *mobile phones*. Wie war das denn früher, als es noch kein Internet gab? Peter, das hatten wir letzte Woche. Seit wann gibt es das Internet?

Ja, genau, seit 20 Jahren. Als ich also so alt war wie ihr, gab es das noch nicht. Fragt mal eure Eltern, wie das war. Wir saßen immer nur zu Hause, haben uns gelangweilt und hatten keine 500 Freunde und eine Pinnwand. Niemand wusste, was ich denke oder was ich gerade mache. Und es gab auch keine Handys. Wenn ich mal telefonieren wollte, dann hat sich mein Vater oft vom anderen Apparat aus dazugeschaltet, und dann war ich weg. Dann hat er mit meinen Freunden gesprochen.«

Ich lese Entsetzen in den Gesichtern der Mädchen bei der bloßen Vorstellung, ihr Vater könnte mit auch nur einem ihrer 500 Freunde telefonieren.

»Und es gab ja auch keine E-Mails. Da gab es nur Briefe.«

»Ja, Briefe, wir haben früher auch immer Briefe nach Türkei geschickt. Voll schön. Mit Fotos«, schwärmt Elif.

»Und, Elif, frag mal deine Mutter, wie teuer es früher war, dahin zu telefonieren.«

»Wieso? Nimmst du Alice, *vallah*, is nicht teuer«, sagt Bilal.

»Alice is voll Abzocke«, sagt Fatma.

»Was Abzocke?«

Wir schweifen ab, ich wollte eigentlich beim Thema »Briefe-schreiben« bleiben.

»Also, ich hatte damals einen Freund in Amerika. Wir haben uns immer Briefe geschrieben.«

»Voll schön!«, säuselt Elif mit verklärtem Blick.

»Ja, ja, voll schön. Aber die haben immer voll lange gebraucht, bis sie ankamen. Und wenn ich zum Beispiel geschrieben habe: Ach, du fehlst mir so, ich vermisse dich und so weiter, dann brauchte der Brief eine Woche hin und der Antwortbrief auch noch mal eine Woche, und in der Zeit lernte ich einen anderen Jungen kennen.«

Jetzt starren mich alle Mädchen böse an. So wollten sie die Geschichte nicht haben.

»Na ja, heute kann so was ja nicht mehr passieren«, sage ich schnell. »Heute schreibt man eine E-Mail – Hallo, sorry, ich hab 'nen Neuen! –, das bekommt der andere dann in Echtzeit.«

Ich grinse in die Runde. Niemand sagt was. Dann klingelt es. Langsam schlurfen sie raus. Vielleicht hätten wir doch lieber die Grammatikaufgabe im Buch machen sollen. *If-clauses.*

Was macht denn der Schüler unterm Tisch?

Ich komme ins Lehrerzimmer und will mich an meinen Stammplatz setzen. Neben dem Tisch steht Herr Werner und sortiert Fehlzettel. Er ist hochkonzentriert und nicht ansprechbar. Ich setze mich an den Tisch, aber was ist das? Ich traue meinen Augen nicht. Wer sitzt denn da? Ich gucke noch mal weg und dann wieder hin. Keine optische Täuschung. Mir gegenüber sitzt doch tatsächlich ein SCHÜLER, kippelt und grinst mich blöde an.

Ein Schüler! Im Lehrerzimmer?! Hallo?! Was ist denn jetzt los? Der einzige schülerfreie Ort in der Schule *invaded*? Ich bin fassungslos. Wie kommt der hier rein? Was will der hier? Und warum traut der sich sogar, hier zu kippeln?

Vielleicht ist der mit Herrn Werner hier. Vielleicht muss er mit Herrn Werner ein pädagogisches Gespräch führen. Aber dafür gibt es doch den Tisch VORM Lehrerzimmer. Vielleicht muss er eine Arbeit bei Herrn Werner nachschreiben. Aber dafür gibt es doch den Tisch VORM Lehrerzimmer.

»Kollege Werner, äh, guck mal, was ...?«

»Du, ich kann grad nicht«, sagt Herr Werner und verschwindet Richtung Sekretariat. Ich gucke zum Schüler. Der kippelt hin und her und grinst dazu – unverschämt. »Sag mal, was machst du hier?«, frage ich unfreundlich.

»Ist doch meine Sache«, antwortet er und kippelt noch heftiger.

»Schüler haben hier nichts zu suchen! Das hier ist ein LEHRERzimmer!«, zische ich, springe auf und zerre ihn vom Stuhl. Der muss hier raus. Ich kann mich nicht entspannen, wenn da ein Schüler ist. Er wehrt sich. Ich werde grob. Er taumelt, ich lasse los, er fällt theatralisch zu Boden und bleibt unterm Tisch liegen. Er macht einen auf bewusstlos. Ich kicke ihn leicht mit dem Fuß. »Los, steh auf, und geh raus!« Er regt sich nicht.

Plötzlich kommen die Kollegen. »Was macht denn der Schüler unterm Tisch?«

»Das frage ich mich auch. Der hat doch gar nichts hier verloren. Der muss raus!«, sage ich und hole mir einen Kaffee. Sollen sich doch die Kollegen darum kümmern. Frau Schwalle kniet neben dem Schüler: »Der bewegt sich gar nicht mehr«, sagt sie mit zittriger Stimme.

»Ach, der simuliert nur«, rufe ich aus dem Küchenbereich.

Dann wache ich auf. Es ist fünf Uhr. Und es sind Ferien. Ein kippelnder Schüler im Lehrerzimmer – was kommt als Nächstes? Werde ich davon träumen, dass Ronnie mir die Haare abschneidet? Dass mir Marcella auf den Rücken springt und von mir nach Hause getragen wird, damit sich ihre Eltern ihr Zeugnis ansehen? Oder dass ich den Fernseher anmache und auf jedem Sender nur noch meine Schüler zu sehen sind? Dass Funda und Emre bei mir klingeln und fragen, ob ich runterkomme?

Kann ich nicht einfach nur Ferien haben? Ferien von allem? Ferien ohne eine einzige Person unter fünfundzwanzig?

Er sieht voll aus wie aus der Zalando-Werbung

»Ihr hattet doch gestern bei dem neuen Mathelehrer, oder? Wie war das denn?«

Jetzt kann alles kommen. Ich versuche, in den Gesichtern meiner Schüler zu lesen. Wird das was mit dem neuen Lehrer oder nicht? Es schreit schon mal keiner auf: »Abooo, er ist voll behindert, der Mann.« Eigentlich ein gutes Zeichen.

»War nett«, sagt Elif.

»Der ist lustig«, sagt Bilal.

»Habt ihr denn gut mitgemacht im Unterricht?«, frage ich.

Funda: »Frau Freitag, wir haben noch gar keinen Unterricht gemacht. Wir haben uns nur kennengelernt.«

»Kennengelernt?«

»Ja, wir haben so gequatscht. Abdul hat so seine Storys erzählt.«

Der arme neue Lehrer. Funda sieht, was ich denke: »Nein, Frau Freitag, keine Angst, war echt voll nett, und er fand Abdul voll lustig. Und er hat uns sein Leben erzählt.«

»Echt?«

»Ja, Sie müssen nett sein zu ihm, er hatte früher immer Ärger mit Lehrern. Und mit Schulleitern und so. Aber wir haben gesagt, da muss er hier keine Angst haben, die sind alle nett. Hier sind nur die Schüler blöd.«

»Wissen Sie, wie er aussieht, Frau Freitag? Er sieht voll aus wie aus der Zalando-Werbung. Voll ein Hippie«, ruft Funda.

Stimmt. Ich hatte ihn kurz vor den Ferien im Lehrerzimmer kennengelernt: Nickelbrille, lange Haare, Zopf: Hippie.

»Ich habe gefragt, ob er schon über 60 ist«, sagt Asmaa.

Funda: »Ja, hahaha, aber er ist erst 48. Und er hat gefragt, ob er schon so alt aussieht.«

»Na, da hat er sich sicher gefreut. Aber schön, dass es so gut lief. Bleibt mal dabei. Macht gut mit, und seid nett, ihr könntet alle gute Noten in Mathe gebrauchen. Und jetzt guckt mal auf das Arbeitsblatt von gestern. Wer liest denn mal die zweite Aufgabe vor?«

Sie lesen, ich erkläre. Sie lesen was in Englisch, ich übersetze, wir machen alle Aufgaben erst mündlich, dann noch mal schriftlich. Alle arbeiten, alle verstehen alles. Keiner stört, beim Schreiben ist es total still. Draußen scheint auch noch die Sonne. Kurz vorm Klingeln trage ich jedem eine gute Mitarbeitsnote ein, und wir gehen gemeinsam in die Pause. Im Referendariat hätte man mir diese recht lehrerzentrierte und ziemlich unmoderne Stunde um die Ohren gehauen. In der Realität haben mich diese 45 Minuten glücklich gemacht.

Auf euch wartet keiner

Neulich habe ich was voll Gutes im Fernsehen gesehen. Eine Dokumentation über drei Wuppertaler Hauptschüler, die vom Tag ihres Schulabgangs an für zwei Jahre begleitet werden. Der Titel *Auf euch wartet keiner* – sehr schön. Begeistert klebte ich vor der Glotze.

Michelle: »Ich will Floristin werden.«

Ivan: »Ich Feindingensmechaniker.«

Florian: »Ich will zur Bundeswehr.«

Und dann: härtester Realitycheck.

Ivan: »Huch, mit dem schlechten Zeugnis werde ich gar nicht überall genommen?«

Florian: »Äh, ich wollte mich doch für zwölf Jahre verpflichten und dort eine Ausbildung zum Koch machen. Äh, und jetzt nehmen die da nur Realschüler? Hm, na ja, mache ich erst mal Schule, dann mache ich den Realschulabschluss nach und dann …«

Michelle: »Super, ich habe gleich ein Praktikum als Floristin bekommen!«

Und dann nach einem Jahr: Michelle: »Das ist doch Ausbeutung, ein Praktikum … Das habe ich geschmissen. Jetzt habe ich viele persönliche Probleme, da kann ich mich nicht so um Bewerbungen kümmern.«

Florian: »In Mathe hatte ich eine zu schlechte Note, nee, den Realschulabschluss habe ich nicht bekommen. Tja, jetzt muss ich mal sehen. Ich habe gleich einen Termin beim Arbeitsamt. Aber ich finde mein Zeugnis nicht.«

Michelle: »Ich suche jetzt erst mal eine eigene Wohnung – ich will mit meinem Freund zusammenziehen.«

Ich konnte mich gar nicht sattsehen. »Freund, Freund, komm mal, guck dir diese Traumtänzer an! GENAU WIE

MEINE KLASSE! ABER ORIGINAL! Nie sind sie selbst Schuld an irgendetwas. Immer die anderen. Die Umstände, die Scheiß-Firma, der Staat, die vielen persönlichen Probleme.«

Das MÜSSEN meine Schüler sehen. Ich habe schon alles geplant: Sie kommen rein. Der Beamer steht schon, wortlos drücke ich auf *play* und warte. Das müssen die sich reinziehen. Die Sprüche von diesen Schülern im Film, die höre ich täglich. Dann können sich meine Schüler mal angucken, wie es ihnen in den nächsten zwei Jahren ergehen könnte. Und wenn sie fertig geguckt haben, dann mache ich aus und dann: stummer IMPULS. Einfach warten, was sie sagen. In der nächsten Kunststunde werde ich genau das machen, das wird herrlich.

Haben Säugetiere auch deren Tage?

Fräulein Krise erzählt mir am Telefon von ihrem Tag. Ich durchstöbere währenddessen mein Kinder-Facebook. Wir klagen uns gegenseitig unser Leid. Wir verstehen nicht, wie sich unsere Schüler so wenig für ihre Zukunft interessieren können – also Schule, Schulabschluss, Ausbildung. Plötzlich macht es »plopp«, ein Chatfenster geht auf mit Fatmas Bild.

Fatma: frau Freitag müssen sie nicht schon im bett liegen??

Frau Freitag: Ja.

Fatma: was hält sie auf?

Frau Freitag: Meine Klasse.

Fatma: hahahaha und wiesoo?

Frau Freitag: Weil ich mich frage, welchen Abschluss du eigentlich verfolgst.

Fatma: ehmm real

Frau Freitag: Wie denn?

Fatma: indem ich lerne und nicht zuspät komme hab ich eigendlich am montag vorgehabt

Frau Freitag: Wann fängst du damit an? Meinst du nicht, dass du dir eigentlich was vormachst?

Fatma: montag nächste woche versprochen kein schwänzen nur wenn es richtige gründe gibt. nein ich mach mir nichts vor ich weiß was ich tuhe

Frau Freitag: Na, dann ist ja gut.

Fatma: frau freitag ich hab eine frage haben seugetiere auch deren tage?

Frau Freitag: Ist nur nicht mehr viel Zeit. Und ich würde mich an deiner Stelle ärgern, wenn ich meine Chance auf einen guten Abschluss so verkacken würde. Ach, zu deiner Frage: Ich glaube, ja. Ich hatte mal einen Freund, der hatte eine Dogge – einen großen Hund. Und die hatte ihre Tage, aber ich glaube, nicht so oft wie Menschen. Aber das musst du mal Frau Müller oder Herrn Werner fragen. Ich frage morgen auch mal nach. Interessiert mich auch.

Fatma: versprochen nächste woche anstrengen kein schwänzen nur lernen und pünktlich sein/okay ich frag dann Herr werner hahaha Tiere bekommen auch tage hätte ich nicht gedacht HAHAH ja ich kann auch interessante fragen stellen

Frau Freitag: Ja. Bis morgen. Kunst – 8.00 Uhr!!!

Fatma: jaaa haben wir eig. ein neues thema?

Frau Freitag: Morgen sollt ihr noch mal Blumen aquarellieren. So. Ich muss jetzt ins Bett. Bis morgen, meine Liebe.

Fatma: asoo okayyy guttt okkay guten nacht

Frau Freitag: Gute Nacht. Mach nicht mehr so lange.

Fatma: oki ich geh auch gleich ins bett

Frau Freitag: Tschüs.

Als ich den Laptop ausschalte, fällt mir ein, dass ich ja eigentlich in der nächsten Kunststunde den Film zeigen will. Na ja, soll ja auch eine Überraschung werden.

Is immer noch Deutschland, Frau Freitag?

»Machen wir kein Kunst?«, fragt Fatma, während ich an dem Laptop rumfummele. »Nein, ich will euch heute einen Film zeigen.« Scheiße, wo ist das Netzkabel von dem blöden Gerät? Ah, da. Mist, warum geht der Film jetzt nicht? »Abdul, komm mal.«

Abdul kommt, checkt und stellt fest: »Frau Freitag, Sie haben das als MP4 runtergeladen. Wir müssten jetzt aus dem Internet ein Programm downloaden.«

Mist, Mist, Mist, scheiß Medienkompetenz – da war ich nun so froh, dass ich den Film überhaupt runtergeladen habe. Na ja, dann Plan B: Computerraumschlüssel holen, Abdul vorschicken, damit er den Beamer anschließt, dann alle rüber. Statt Aquarellmalerei gibt es heute *Auf euch wartet keiner*, vielleicht wachen meine Schüler dann endlich auf.

»Ich habe neulich einen Film im Fernsehen gesehen, da dachte ich, der ist extra für euch gedreht worden. Den will ich euch jetzt zeigen. Film ab!«

Alle gucken. Funda und Elif diskutieren, ob das singende Mädchen aus der ersten Szene arabisch oder türkisch ist. Ich werte das als ersten Identifikationserfolg. Dann, beim Gruppenfoto der Schüler, werden die Mädchen mit Kopftuch gezählt. Miriam fragt: »Ist das in Deutschland?« Miriam und viele andere können sich wahrscheinlich nur schwer vorstellen, dass die Welt hinter ihrer eigenen Straße und den angrenzenden Querstraßen tatsächlich noch weitergeht.

Und dann: Auftritt »Die Schwebebahn«. Die von mir leider völlig unterschätzte Schwebebahn. Falls jemand den Film in seiner Klasse zeigen möchte, macht das so: »Ich zeige euch jetzt einen Film, und da kommt eine Schwebebahn drin vor.«

Tafelanschrieb: die Schwebebahn.

Vorwissen abfragen, dann erklären, warum die nicht runterfällt.

Dann den Film an der Stelle anmachen, an der die Schwebebahn das erste Mal auftaucht, den Film anhalten und jeden Schüler etwas zur Schwebebahn sagen lassen.

Wir sind mitten im Film, und plötzlich ein heilloses Durcheinander: »Aäääh, was das? Wieso fällt die nicht runter?«

»*Abo*, niemals würde ich damit…«

»Kenn ich, kenn ich, Frankfurt.«

»Is immer noch Deutschland, Frau Freitag?«

Dann kommt Ivan auf dem Weg zum Arbeitsamt. Im Film heißt es: »Ivan hat einen Termin um acht Uhr.« Auf der Schwebebahnbahnhofsuhr ist es zwanzig vor acht. Ich denke sofort: Der kommt doch zu spät, und will die Schüler darauf hinweisen. Die gucken aber zu konzentriert. Bilal und Abdul diskutieren leise, ob Ivan nicht genau wie Hakan aus der Parallelklasse aussieht. Als die Bahn kommt, ist es bereits siebzehn Minuten vor acht. Stellvertretend für Ivan werde ich unruhig. Nur noch siebzehn Minuten, na ja, da muss das Arbeitsamt aber direkt an der Station liegen. Wenn er jetzt noch zu Fuß gehen muss…

Die Hakan-oder-nicht-Hakan-Diskussion weitet sich aus. Ich habe Angst, dass die Schüler nicht mehr richtig zuhören. »Habt ihr gehört, wie viele Bewerbungen er abgeschickt hat?« Die gesamte Klasse im Chor: »Dreißig!«

Dann wird Michelle gezeigt. Fatma: »Frau Freitag, was ist Floristin?« Ich erkläre es.

Dann wieder Ivan. Im Kommentar heißt es: »Währenddessen ist Ivan durch die ganze Stadt zum Arbeitsamt gefahren. Zum dritten Mal.« Jetzt sieht man ihn gemütlich zum Arbeitsamt schlendern. ZU SPÄT! Der kommt GARANTIERT zu spät. Innerlich kriege ich mich gar nicht mehr ein. Ivan ist für mich schon untendurch. Wie kann der so gemütlich gehen. Ist irgendwo eine Uhr zu sehen, wie spät ist es jetzt im Film? Warum beeilt der sich nicht? Aus dem wird bestimmt GAR nichts mehr.

Dann der Berufsberater. Brille, lange Haare, Zopf: Hippie. Ha, der sieht ja original aus wie der neue Kollege – der aus der Zalando-Werbung. Ich gucke zu den Schülern. Keiner sagt was. Merken die das nicht? Soll ich sie darauf hinweisen? Aber wenn ich das mache, dann verstehen die wieder nicht, was der Typ sagt. Ich schweige also, obwohl es mir sehr schwerfällt.

Dann geht es um Restausbildungsplätze. Ich stoppe den Film und frage in die Runde, ob jemand weiß, wann das nächste Ausbildungsjahr beginnt. Sie wissen es. Sie wissen auch, wann man sich bewerben muss. Sie sind echt gut informiert.

Also weiter. Im Film sieht man Jugendliche, die an einem Berufskolleg ihren Abschluss verbessern wollen. Sie lesen irgendwas vor, alle sehen sehr gelangweilt aus, einige tragen Mützen. Äußerst bedrückende Stimmung.

»Hier, guckt, die machen das, was viele von euch auch machen wollen. Den Abschluss verbessern auf einem Oberstufenzentrum.« Schweigen.

OSZ – das ist das Zauberwort in der 10. Klasse. »Ich geh OSZ und mach Realabschluss.« Wenn man erst mal diese Entscheidung getroffen hat, dann kann man sich bequem zurücklehnen. Meine Schüler denken, dass sie den Realschulabschluss dort AUF JEDEN FALL schaffen. Ich kann es ihnen nicht verübeln. Würde ich mir auch einreden.

Bei Ivan läuft es gut. Er darf in seiner Berufsschule auch mit Metall arbeiten. Und dann kommt die Szene, bei der alle voll aufmerksam sind. Ivan erzählt, wie er einem Jungen hinterher-gelaufen ist, der sich dann »verletzte«. Ivan hat eine Anzeige bekommen. Seine erste Anzeige. Er denkt, dass der Richter ihm glauben wird, dass er nichts gemacht hat. Das wird noch sehr interessant. Meine Schüler werden ganz schön doof gucken, wenn sie sehen, dass Ivan aufgrund dieser Anzeige eine Woche in den Jugendarrest gehen muss.

Dann sehen wir Florian, der eigentlich zur Bundeswehr will, wie er bei einer Maßnahme einen Holzfisch feilt.

»Ah, das haben wir auch gemacht«, schreien Funda und Abdul gleichzeitig. Ja, wir haben uns letztes Jahr eine Woche lang so eine Maßnahme angesehen und dort Fische gemacht. Diese Fischfeilaufgabe scheint ein echter Klassiker zu sein.

Eigentlich läuft bis jetzt ja noch alles recht gut für die Jugendlichen.

Bisher hat meine Klasse interessiert und ohne dumme Kom-mentare alles über sich ergehen lassen. Marina, eine sehr schlaue und ehrgeizige Schülerin meiner Klasse, vermutet, dass Michelle gleich schwanger wird. Vom Typ her wäre diese Michelle so eine, die mit siebzehn ein Baby bekommt.

Wir sehen den Film bis zum bitteren Ende an. Nicht eine blöde Bemerkung fällt. Nicht, als Michelle aufhört, sich zu be-werben, und nur noch eine Wohnung für sich und ihren neuen Freund sucht, nicht, als Florian in einer dubiosen Nazi-Jacke vor seinem Haus sitzt und sagt: »Ich liebe mein Land, aber ich hasse den Staat.« Und auch nicht, als Ivan seinen angepeilten Abschluss nicht schafft.

Wir lachen alle, als Florian bei der Bundeswehr gefragt wird, ob er irgendwelche speziellen Fähigkeiten hätte: Computer – nein; Führerschein – nein; Klettern – nein; Skilaufen – nein; Erste-Hilfe-Schein – nein; Sportabzeichen – ja: Seepferdchen.

Komisch, obwohl er doch Seepferdchen und einen Einfachen Hauptschulabschluss hat, wollte die Bundeswehr ihn trotzdem nicht nehmen. Dabei hätte er sich doch für zwölf Jahre verpflichtet.

Nach dem Film sagt Funda: »Die haben es alle nicht geschafft.«

Kurzes nachdenkliches Schweigen.

Dann entspinnt sich eine Diskussion über den Wert von: »Ich mach den Abschluss noch mal auf OSZ.« Die Wiederholer in meiner Klasse und die etwas fleißigeren Schüler sind davon überzeugt, dass man in diesen Schulen wahrscheinlich keinen besseren Abschluss machen wird, weil man sich dort genauso wenig anstrengen würde. Die Schüler, die aber genau das vorhaben, wollen so etwas natürlich nicht hören und glauben fest an einen Neuanfang. Bilal sagt, dass alle seine Freunde das Probehalbjahr auf dem OSZ bestanden hätten. Obwohl man in den ersten sechs Monaten rausfliegen kann, wenn man zu oft schwänzt.

Meine Schüler haben sich den Film aufmerksam angesehen. Sie haben sich gemerkt, wie viele Bewerbungen die Jugendlichen geschrieben haben, wie viele Absagen sie bekamen und wie sie am Ende zugaben, dass sie völlig unrealistische Ziele und Vorstellungen hatten. Mir taten diese drei Schüler aus dem Film, aber auch meine eigene Klasse leid. Niemals würde ich mit ihnen tauschen wollen. Floristin ist der Traumberuf von Michelle. Und dann bekommt sie dafür noch nicht mal einen Ausbildungsplatz.

Ich würde weder als Floristin noch als Industriemechanikerin arbeiten wollen und mich schon gar nicht für zwölf Jahre bei der Bundeswehr verpflichten. Okay, wahrscheinlich will auch kein Jugendlicher Lehrerin sein.

Ayla sagt mir, als ich sie ermahne, nicht so viel mit Marcella zu quatschen, sondern den Film anzusehen: »Aber Frau Freitag, warum soll ich mir das angucken? Ich werde schon noch früh genug mitkriegen, wie das ist.« Und damit hat sie wahrscheinlich sogar recht.

Die Störer sind irgendwie nichts für mich

»Und, wie läuft's so?«, frage ich die neue Kollegin. Sie ist total klein und unheimlich jung. Meiner Meinung nach gehört die in die Oberstufe und nicht als Lehrerin ins Lehrerzimmer. Sie sieht sehr brav aus. Brav, harmlos, verletzlich, zart, unbedarft, weich, lieb, zu lieb, jung – sie sieht einfach zu jung aus. Wäre ich Schulleiter meiner Schule und sie würde sich bei mir vorstellen – dann würde ich sie mütterlich beiseitenehmen, so mit Arm um die Schulter legen, sie aus dem Raum zum Ausgang begleiten und leise zu ihr sagen: »Meine Liebe, das ist hier nichts für Sie. Jetzt gehen Sie mal schnell und suchen sich ein nettes Gymnasium.«

»Ach, geht«, sagt sie.

Ich will ihr entgegenkommen, denn ganz offensichtlich geht es nicht. »Na, du warst doch vorher an einem Gymnasium. Da war es doch bestimmt ein bisschen anders, oder?«

»Ha, anders … gar kein Vergleich. Hier muss man ja so oft, also dauernd, also immer muss man die zur Ruhe rufen. Dauernd, immer. So was kenne ich gar nicht. Und das NIVEAU!«

»Ja, was ist damit? Niedriger als am Gymnasium?«

»NIEDRIGER? Also ich schaffe ja gaaar nichts in einer Stunde. Wenn ich was vorbereite, dann …«

»Dann reicht das für eine Woche. Oder?«

»Ja. Das gibt es doch gar nicht.«

»Na, hat doch auch sein Gutes … musst du nicht so viel vorbereiten.«

»Ständig muss der Unterricht unterbrochen werden, weil jemand stört. Also, ein halbes Jahr mache ich das vielleicht, aber dann …«

Ihr Vertrag geht nur bis zum Sommer.

»Also, man bekommt ja nicht so viel zurück. Immer muss man sich um die Störer kümmern. Das ist irgendwie nichts für mich. Da muss man wissen, was man will«, sagt sie.

»Was meinst du damit?« Ich bin verwirrt. »Denkst du, das ist das, was WIR wollen?«

Dann klingelt es, und sie muss in den Unterricht. Was war das denn? Denkt sie, wir wollen immer mit diesen Störern im Unterricht zu tun haben, wir wollen nur mit Deppen arbeiten? Hallo? Geht's noch? »Da muss man wissen, was man will.« Was ist das denn für eine Einstellung? Der Gymnasiallehrer will also keinen schlechten Unterricht, und wir wollen das, oder wie? Der Gymnasiallehrer will den Schülern störungsfrei Wissen vermitteln, und wir wollen das nicht?

Na, meine liebe, neue, unbedarfte Kollegin … noch ist kein Sommer, noch bist du bei uns, und da lernst du mal besser ganz schnell, das alles hier zu WOLLEN!

Hallo, hier spricht Frau Freitag

»Hallo, hier ist Frau Freitag, ich bin die Klassenlehrerin von Peter, könnte ich bitte mit Frau Müller sprechen?«

Am anderen Ende der Leitung Schweigen. Peter war heute nicht in der Schule, und es wurde eine Mathearbeit geschrieben. Nachmittags will ich wissen, ob er krank ist oder geschwänzt hat. »Hallo?«

»Äh, ja?«

Frau Müller ist meines Wissens alleinerziehend, und Peter ist der Älteste.

»Peter, bist du das?«

»Äh, nein.«

»Wer ist denn da?«

»Rainer.« Rainer ist der kleine Bruder von Peter.

»Also, Rainer, wann kommt denn deine Mutter wieder?«, frage ich, obwohl ich weiß, dass Peter am Apparat ist, denn ich kenne ja seine Stimme.

Ich höre, wie das Telefon weitergereicht wird. Dann eine Kinderstimme: »Die kommt, äh, die kommt ...« Pause, der Telefonhörer wird zugehalten, dann: »Die kommt erst heute Nacht wieder.«

»Aha, heute Nacht. Okay, dann versuche ich es später noch mal. Tschüs.« Damit lege ich auf. Na, den beiden geht jetzt die Düse. Nachher werde ich mich erst mal bei der Aquagymnastik abreagieren, dann rufe ich heute Abend jede Stunde an, bis ich Frau Müller erwische. Und falls das nicht klappt, schreibe ich einen Brief und werfe den morgen ein.

Nach dem Anruf bei Frau Müller schnappe ich mir eine neue Kollegin und versuche, sie zu beruhigen. Sie soll am Montag anfangen und hat Schiss. Sie ist eine sehr große und sehr junge Frau. Sie sieht sehr nett aus, und ich hätte sie gerne im Kollegium. Sie raucht sogar, so was hat ja heutzutage Seltenheitswert. Ich erzähle ihr, wie gerne ich unsere Schüler unterrichte und wie nett die Schüler sein können. Gleichzeitig versuche ich, sie zu warnen, nicht zu nett zu sein – zumindest nicht am Anfang. Ich weiß nicht, ob sie versteht, was ich meine. Aber bei uns gilt der Satz: »*Don't smile until Christmas.*« In der 7. Klasse habe ich damit wirklich gute Erfahrungen gemacht. Ich war voll der Körnel bis zu den Weihnachtsferien und werde jetzt freundlicher. Andersrum ist echt scheiße: Nett anfangen, dann steigen die Schüler einem aufs Dach, und nach fünf Wochen verteilt man Tadel und ruft die Eltern an.

Ich habe mal älteren Schülern zugehört, die über eine neue Lehrerin sprachen: »Sie ist nett.«

»Ja, sie lächelt IMMER. Aber gib ihr fünf Wochen, dann zeigt sie ihr wahres Gesicht.«

Ein paar Tage später kommt noch ein neuer Kollege zu mir. Ich bin ja immer sofort zur Stelle, wenn es um Schlauquatschen und brauchbare Unterrichtstipps geht, die ich selber nicht umsetzen muss.

»Ich packe das nicht.« Er ist erst seit einer Woche bei uns, und er sieht nett aus. Wahrscheinlich zu nett. Das mit dem Nettsein ist so eine Sache. Ich bin super-duper-kingmäßig nett. Das würden auch alle Schüler bestätigen. Aber als neuer Lehrer in neuen Klassen bekommt das Nettsein eine ganz andere Bedeutung. Da hat es so etwas Verletzliches, so etwas Hilfloses mit Spurenelementen des Scheiterns.

»Ich packe das einfach nicht. Das ist echt zu heavy hier.« Er sieht fertig aus, abgekämpft, verzweifelt und müde.

»Nun warte doch mal ab. Du musst jetzt zeigen, dass du der Chef bist. Das wollen die jetzt in den Klassen von dir sehen. Wenn du nicht der Chef sein willst, dann übernehmen die.«

Er guckt mich verwundert an.

»Na, machen denn *alle* nicht mit, oder nur einige?«

»Die meisten stören, aber ein paar machen auch mit.«

»Dann kommt jetzt Teilen und Herrschen. Du musst die Mitmacher unterstützen und loben und ihnen jede Stunde gute Mitarbeitsnoten geben. Die Störer musst du aufschreiben und alles durchziehen: Klassenlehrer informieren, Eltern anrufen, Briefe schreiben, Tadel vergeben und so weiter. Einige Schüler werden schon aufhören zu stören, wenn du den Klassenlehrer benachrichtigst, und bei den anderen arbeitest du dann Schritt für Schritt alle Maßnahmen ab.«

Er guckt mich erschöpft an.

»Kennst du die Namen der Schüler?«

»Noch nicht alle.«

»Also: Namen lernen, Chef sein, teilen, herrschen, und dann wird das schon. Und jetzt erst mal einen schönen Feierabend.«

Mit hängenden Schultern zieht er ab. Der Arme. Ich hatte ihn schon gewarnt, dass das erste Jahr schlimm wird. Aber das hat er mir wahrscheinlich nicht geglaubt.

Die große junge Frau, die bei uns anfangen sollte, hat sich das leider doch anders überlegt. Dafür kam Peter zu mir und hat zugegeben, dass er die Mathestunde geschwänzt hat.

Hello Kitty findet Sauberkeit süüüüß!

Erste Stunde Kunst in meiner Klasse. Wir stecken zwischen zwei Aufgaben, ein unangenehmer Zustand für den Kunstpädagogen: Die eine Hälfte der Klasse ist noch nicht fertig, die andere schon. Unangenehmer ist aber, dass ich mir zwar gestern eine neue Kunstaufgabe ausgedacht habe, die verlangt jedoch leider nach einer kleinen Vorbereitung, die ich über Nacht nicht leisten konnte – farbkopieren, laminieren und so weiter.

Jedenfalls versuche ich, den Anfangsteil – Organisatorisches – zu strecken. »Marina, vielleicht berichtest du mal von dem

Klassensprechertreffen gestern. Ihr habt doch über die Cafeteria gesprochen. Was ist denn da jetzt rausgekommen?« Die Cafeteria ist uns Lehrern ein Dorn im Auge. Die Schüler halten sich gerne da auf und hinterlassen sie unheimlich verdreckt. Jeder schmeißt seinen Müll einfach auf den Boden, und jeden Nachmittag sieht es dort aus wie nach der Loveparade.

Marina kommt nach vorne. Alle verstummen. Komischerweise hört meine Klasse ihren Mitschülern stets aufmerksam zu. Bei mir unterhalten sie sich immer. Aber die Schüler schreien sich auch nicht gegenseitig an – ich werde ja öfter mal laut. Marina fragt höflich: »Ronnie, könntest du so viel Respekt haben, mir zuzuhören, wenn ich spreche?« Daraufhin errötet und verstummt er sofort.

Marina berichtet, dass die Cafeteria geschlossen werden soll, wenn sich in Sachen Müll nichts tut. Sie schlägt vor, dass wir Plakate malen, um die Schüler zur Sauberkeit anzuhalten. Plakate malen – super, damit kriege ich die Stunde rum! Sofort rufe ich: »Ich hole welche – welche Farben wollt ihr?«, und stürze nach unten in den Materialraum. Als ich wiederkomme, stehen Marina und Abdul vor der Tafel und diskutieren mit den anderen, was sie auf die Plakate schreiben könnten. Ich sage: »Lasst uns mal lustige Sprüche machen, damit die Schüler auch was zu lachen haben. Zum Beispiel: Stühle ranstellen ist *king, vallah!*«

Die Schüler kichern, und sofort fallen ihnen noch andere Sprüche ein. Nach fünf Minuten ist die Tafel vollgeschrieben, und die Aufgaben sind verteilt. Jeder sitzt alleine oder zu zweit an einem Plakat und schreibt. Die Poster sind in Nullkommanix fertig, sehen super aus und werden sofort von den Schülern aufgehängt. Darunter sind ganz herrliche Aufforderungen, die Cafeteria sauberzuhalten:

»Machst du Dreck weg, sonst gehst du Plankton« (Hat wohl

irgendwas mit *Spongebob* zu tun.) Und Abdul besteht noch auf dem Zusatz »Du Rabauke!«.

»Die Cafeteria ist das Gesicht der Schule und der Schüler.« Abdul besteht darauf, dass man »Schüler/innen« schreibt. Sieh an, sieh an, der Abdul, von wem er das wohl hat? Von mir jedenfalls nicht.

»Die Schule ist dein zweites Zuhause, schmeißt du dort deinen Dreck auf den Boden?«

»Abdul und Bilal sagen dich: Die Entsorgung des selbstfabrizierten Abfalls wäre wünschenswert.«

Von mir: »*Lan*, stell die Stühle ran!«

Das schönste Plakat allerdings kommt von Elif und hängt jetzt gleich am Eingang der Cafeteria: »Hello Kitty findet Sauberkeit süüüüüß!«

Schon in der nächsten Pause gibt es sehr positive Reaktionen. Alle Schüler lesen und lachen. Mittags sehe ich zwei Mädchen aus der Neunten fegen. Abdul erzählt mir, dass er sie gefragt hat, warum sie fegen: »Na, wir haben die Plakate gelesen.«

Bevor ich nach Hause gehe, gucke ich noch mal in die Cafeteria. Alle Stühle stehen ordentlich an den Tischen, und NIX liegt auf dem Boden.

Schüler, ich liebe euch! Meine Klasse rockt, aber *big time*!

Ich erkläre Ohrhaare

Der Unterricht in der 7. Klasse – nicht gerade eine Glanzleistung. Wir steigern nun schon seit Wochen mehr oder weniger erfolgreich diverse Adjektive. Zur erfolgreichen Vermittlung des Superlativs habe ich mir Seiten aus dem *Guinnessbuch der Rekorde* kopiert – aus einer englischen Ausgabe, die ich in Amerika erworben habe.

Ich greife auf eine Unterrichtskonzeption zurück, die ich vor Jahren für eine andere Gruppe erstellt hatte. Ich plane die Stunde so, wie ich es irgendwann mal gelernt habe. Hypothesen am Anfang. Eine Folie mit vier Fragen:

1. Wer hat die längsten Ohrhaare, und wie lang sind die?
2. Wer hat die meisten Finger und Zehen?
3. Wer hat den längsten Bart?
4. Wie lange dauerte die längste Schluckaufattacke?
(Natürlich alles auf Englisch.)

Unter jeder Frage stehen drei mögliche Antworten.

Ich schmeiße den Overhead-Projektor an und warte. Die Schüler melden sich und stellen ihre Vermutungen an. Ich erkläre Ohrhaare.

Dann verteile ich ein Arbeitsblatt mit elf weiteren Fragen. Leider stehen die nur in der Fremdsprache auf dem Blatt, wir machen uns an ein mühsames Übersetzen. Die Fragen sind für diese Klasse zu schwer. Die andere Klasse hatte damals gar keine Probleme damit. Ich übersetze und übersetze. Nachdem die Schüler nun wissen, nach welchen Antworten sie suchen sollen, verteile ich drei kopierte Blätter aus dem *Guinnessbuch*. Leider ist die Schrift sehr klein – deshalb steigen Murat, Mert und Samantha schon mal vorsorglich aus: »Ich kann diese Schrift nicht leeesen!«

Leider ist der Text auf Englisch – deswegen verliere ich auch Tarkan, Kevin und Vanessa. Fuad macht grundsätzlich nicht mit, und Angie will eigentlich immer nur aufs Klo, den Lidstrich nachziehen. Die anderen rackern sich mühevoll ab. Manche sogar mit großem Interesse. Helfen kann ich ihnen nicht, denn ich renne durch den Raum und versuche, die Nichtteilnehmer in Schach zu halten. Mist, das hat man nun davon, wenn man die Binnendifferenzierung unterschätzt, indem man gar keine macht. Eigentlich hätte ich hier mit zwanzig unterschiedlichen Aufgaben anmarschieren müssen – für die verschiedenen Lerntypen ein jeweils eigenes Arbeitsblatt –, manche hätten die Aufgabe vielleicht lieber gemalt, andere getanzt oder gesungen … tja.

Aber ich bin erfahren genug, um wenigstens das Ende der Stunde in eine einigermaßen konzentrierte Arbeitsatmosphäre zurückzusteuern. Ich lasse mir von den fleißigen Schülern die Antworten diktieren, schreibe sie an die Tafel und zwinge die Verweigerer, alles von der Tafel abzuschreiben. Als ich anschreibe, dass ein Mann achtundsechzig Jahre lang mit einem Schluckauf gelebt hat, werden alle hellhörig. Das interessiert sie, fast so sehr wie der Mann, der über Jahrzehnte mit einer Patrone im Kopf lebte.

Ich versuche, ihnen die Schluckaufgeschichte, die ich im *Guinnessbuch* gefunden habe, schön plastisch darzustellen: Wie der Mann beim Schlachten eines Schweins plötzlich einen Schluckauf bekam, wie er wahrscheinlich alles probierte, um ihn wieder loszuwerden. Im Raum ist Totenstille. Die Schüler kleben an meinen Lippen, während ich ihnen vorspiele, wie der arme Mann mit seinem Schluckauf von Arzt zu Arzt wandert. Ich erzähle und erzähle, und sie hören mir zu. So was habe ich fast noch nie erlebt. Als ich fertig bin, stellen sie Fragen, ich versuche, Antworten zu finden. Es macht voll Spaß. Ich glaube, so muss Unterricht sein.

Halt die Fresse, sonst gehen wir nicht PC

Am nächsten Tag möchte ich zur Abwechslung eine gute Stunde in der 7. Klasse abliefern. Nicht dass ich mich so von einem Tag auf den anderen gut darauf vorbereitet hätte –

nein, ich habe nur was richtig »Schönes« geplant: Computer-raum!

Computerraumunterricht muss man zelebrieren. Computer-raumunterricht möchte gut vorbereitet sein und darf – damit er seine Wirkung entfaltet – nur in kleinen Dosen verabreicht werden. Ich beginne meine homöopathische Stunde folgen-dermaßen: »So, ihr Lieben, heute habe ich was richtig Tolles mit euch vor. Zuerst will ich mit euch zwei popeleinfache Auf-gaben im Workbook machen, dann den Test zurückgeben.« Der Test war auch voll popelig, weshalb sich da fast jeder über eine gute Note freuen kann. »Und dann, wenn ihr euch bis dahin gut benommen habt und alle gut mitgearbeitet haben, ja, dann gehen wir in den Computerraum!«

»Jaaa, Computerraum!«

»Mann, halt die Fresse, sei leise, sonst gehen wir nicht PC!«

Ich höre die Wörter *Facebook* und *Onlinepoker*. Aber den Zahn werde ich ihnen noch ziehen. Wir gehen nämlich in den Computerraum, um dort ein paar spitzenmäßige Aufgaben zur Steigerung der Adjektive zu bearbeiten. Aber man muss ja nicht gleich alles verraten.

Die Workbook-Arbeit läuft wie geschmiert. Vanessa ist als Erste fertig. Ich verbessere ihre Aufgabe. Dann muss sie die anderen verbessern. Daniel war schon vor dem Klingeln im Raum, und wir haben uns ein wenig unterhalten. Er erzählte begeistert, wie gut er mit Computern umgehen kann. Da er die Workbook-Aufgabe bereits am Vortag bearbeitet hat, weil er schon weit vor den anderen fertig war, schickte ich ihn zu den PCs und sagte ihm, er soll alle anstellen und auf die Übungs-seite gehen.

Und dann kommt der Moment, in dem ich die Regeln für den Computerraum verkünde: »So, jeder benimmt sich dort. Wenn ich sehe, dass jemand auf eine andere Seite geht als die, auf der ihr arbeiten sollt, dann wird der Computer sofort ausgemacht, und ihr bekommt ein Arbeitsblatt.« Ich überhöre ein gewimmertes: »Aber, aber … Facebook, können wir nicht …«

Ich war schon oft mit meiner Klasse im Computerraum, und es gab immer welche, die ständig auf YouTube und Facebook oder auf den Onlinekatalog von H&M gingen. So schnell kann man gar nicht gucken, wie die sich hin- und herklicken.

Ein besonderes Phänomen an unserer Schule ist, dass jeder Schüler, sobald er vor einem Bildschirm sitzt, erst mal ein neues Hintergrundbild für den Monitor einrichtet. Es sind immer die Flaggen der Vorfahren. Wenn ich ihnen die Aufgabe erkläre, sieht es aus, als unterrichte ich im UN-Hauptgebäude bei einer sehr internationalen Sitzung.

Aber diese 7. Klasse denkt wohl immer noch: *Abo*, Frau Freitag – voll streng, mach ich lieber nicht Facebook.

Artig steigern sie Adjektive und werden sogar immer besser: »Super, Vanessa, du bist ja schon bei Level vier.« Lehrerstolz steigt in mir auf, denn ich scheine ihnen wirklich etwas beigebracht zu haben. Vanessa erklärt nur müde: »Das hatten wir schon in der Grundschule.«

Die Stunde läuft super, und ich erlaube ihnen noch nicht mal, in den letzten drei Minuten zu Facebook zu gehen. Erlaube ich meiner Klasse immer. Aber hier ist ja meine Devise – nicht zu schnell nachgeben, ich habe die schließlich noch in der Achten, Neunten und Zehnten.

Als ich nach Hause gehe, treffe ich den Klassenlehrer der Siebten: »Du, deine haben heute super mitgearbeitet. Wir waren im Computerraum.«

»Ja, sie haben mir erzählt, dass es ihnen viel Spaß gemacht hat.«

Computer sind echt eine tolle Erfindung. Vielleicht hätte ich Informatiklehrer werden sollen.

Frau Freitag interviewt
Fräulein Krise

Fräulein Krise sitzt neben mir am Schreibtisch. Wir starren beide auf den leeren Bildschirm. »Also los, dann fang mal an«, sagt sie. Fräulein Krise, meine persönliche Pädagogik-Heldin, unterrichtet ja an einer anderen Schule, und sie ist schon viel länger im Schuldienst als ich. Alles, was ich kann, habe ich von ihr gelernt. Sie ist mein großes Vorbild. Deswegen möchte ich ihr mal ein paar Fragen stellen.

Frau Freitag: Macht dir dein Beruf eigentlich noch Spaß?

Fräulein Krise: Ja, eigentlich schon. Eigentlich, weil es natürlich auch manchmal Situationen gibt, in denen ich den ganzen Krempel hinschmeißen möchte. Aber ich gehe jeden Tag wohlgemut in die Schule und denke: Das ist mein Tag!

Freitag: Fräulein Krise, sag mal, warst du schon mal in einen Kollegen verknallt?

Krise: Nein! Lehrer sind unsexy.

Freitag: Hat nicht gerade ein Schüler beim Rücken-Stärken-Spiel auf deinen Pappteller geschrieben, du seiest eine SEX-BOMBE?

Krise: Ja, aber der hat Wahrnehmungsstörungen. Der Arme.

Freitag: Habt ihr auch Referendare bei euch?

Krise: Natürlich.

Freitag: Ich war ja mal deine Auszubildende. Wie war ich?

Krise: Du warst unproblematisch. Und du hast mir immer tiefe Löcher in den Bauch gefragt ...

Freitag: Wo sind die Löcher jetzt? Ich sehe keine.

Krise: Eine Wunderheilung ... und du löcherst mich ja jetzt mit anderen Fragen, die geben mehr Schäden im Hirn.

Freitag: Warum willst du mich eigentlich nicht adoptieren?

Krise: Wegen der Erbschaft!

Freitag: Ich will doch gar nichts. Nur vielleicht die eine Couch.

Krise: Welche Couch?

Freitag: Die weiße.

Krise: Die kaputte? Die kannste haben, bring ich bei Gelegenheit mal mit.

Freitag: Weißt du, was ich gerne mal mit dir machen würde?

Krise: Ich höre?

Freitag: Ich würde so gerne mal zu so einem Kunstdingens in die Toskana, so eine Gruppenreise mit lauter Lehrern.

Krise: Das ist ein grauenhafter Gedanke, andererseits ... das gäbe sicher krasse Geschichten!

Freitag: Diese Sommerferien? Oder Herbst?

Krise: Nächstes Jahr! Ich muss mich erst an die Vorstellung gewöhnen.

Freitag: Na, dann gewöhn dich erst mal daran. Hast du Bock auf Schule morgen? BIO!

Krise: Stöhn!

Freitag: Frag du doch auch mal was.

Krise: Frau Freitag, hast du dich schon mal in einen Schüler verliebt?

Freitag: Was ist das denn für eine Frage?

Krise: Gut, lassen wir das. Keine Antwort ist auch eine Antwort. Frau Freitag, ich wollte Sie immer schon mal fragen, ob Sie sich vorstellen könnten, einen anderen Beruf zu haben: Blumenverkäuferin oder Masseurin, oder so?

Freitag: Ja, ich würde gerne nachts die Briefe im Postamt stempeln und nach Postleitzahlen sortieren, aber ich fürchte, das macht mittlerweile eine Maschine. Aber irgendwas mit Stempeln und Ablage fände ich schön. Mit Büromaterial und so. Und du, möchtest du noch zum Zirkus?

Krise: Ja! Hier ein Aufruf: Welcher Zirkus sucht eine Lehrerin? Ich möchte einen kleinen Schulzirkuswagen und abends Popcorn verkaufen. Und eine eigene Nummer.

Freitag: … mit dem Direktor.

(*Fräulein Krise reißt Frau Freitag die Tastatur aus der Hand*)

Krise: Bist du degoutant! Ich möchte eine Nummer in der Manege: Ich treibe ein kleines Nilpferd im Kreis herum, gewandet in ein hautenges, langes silbernes Kleid.

Freitag: Das lässt sich bestimmt einrichten. Herr Krone, hätten Sie da nicht Bedarf? Und was machst du eigentlich, wenn du nicht mehr arbeiten musst – so rentemäßig?

Krise: Ich weiß nicht, aber nur zu Hause sitzen geht gar nicht. Ich mache ein Café auf, damit dein Freund auch mal rauskommt.

Freitag: Kannst du nicht einen Wollladen machen? Und der Freund dürfte aber nur auf 'nen schnellen Kaffee, wenn er zu Lidl geht.

Krise: Definitiv kein Wollladen. So viel Wolle verwirrt mich.

Freitag: Okay, Fräulein Krise, jetzt erst mal Schluss. Das war sehr nett mit Ihnen hier.

Krise: Vielen Dank.

Mein Freund sagt immer: »Du bist die Beatles, und Fräulein Krise ist die Rolling Stones.« Und was sagt das Fräulein dazu? Erst sagt sie: »Ich will die Beatles sein.« Und dann sagt sie: »Ich bin Queen Mum.«

Das macht mich dann ja zur Königin von England. Dann wäre allerdings mein Englischunterricht elaborierter und meine Kleidung farblich besser aufeinander abgestimmt. Ich trüge jeden Tag pastellige Complets.

Extremes Kniefett

Es passiert was in den Schulen. Mit den Schülern. Genauer gesagt – mit den Schüler*innen*. Heute habe ich es gesehen und dachte: Was ist DAS denn? Das gibt es doch gar nicht. Was denken die sich eigentlich?

Die Schülerinnen meiner Schule unterliegen einem ganz schlimmen Modefluch. Irgendjemand – wahrscheinlich H&M – hat ihnen suggeriert, dass der letzte Schrei in Sachen Mode jetzt hautenge Leggings sind, die man ohne irgendwas drüber trägt. Das sieht vielleicht gut aus, wenn man fünfundvierzig Kilo wiegt und schlanke, wohlgeformte Beine hat. Aber wer hat die schon? Meine Schülerinnen jedenfalls nicht. Die haben sogar durchweg ziemlich kurze und ziemlich wurstige Beine. Die Leggings-Mode hatten wir ja vor Jahren schon mal – ich glaube, das war so 1999/2000. Aber damals konnte man mit kurzen Röcken, die man darübertrug, noch so ziemlich alle Problemstellen kaschieren. Außer, man hatte extremes Kniefett.

Jetzt tragen die Mädchen hautenge, also wirklich h-a-u-t-e-n-g-e schwarze, glänzende, neoprenartige Leggings und NIX drüber. Fatma hatte neulich so eine an, und ich musste echt immer wieder hingucken, weil es so krass unförmig und irgendwie dellig aussah. Haben die denn keine Spiegel oder eine beste Freundin, die ihnen sagt, dass sie verboten aussehen? Heute kommt Samira, die echt schlank ist, mit solchen schwarzen Hosen an. Letzte Woche trug sie auch schon welche in Blau. Aber da war mir dieses neue Phänomen noch gar nicht so bewusst geworden, also, ich hatte den Look zwar gesehen, aber irgendwie noch nicht richtig registriert. Das sieht ja selbst bei so schmalen Mädchen schlimm aus.

Im schönsten Frühlingssonnenschein laufe ich durch die

Gegend und stelle mich an die Bushaltestelle. Neben mir ein junges Mädchen. Sie ist sehr klein – wahrscheinlich keine 1,60 m groß. Sie trägt weiße Leggings. Glänzende weiße Leggings. Ich kann meinen Blick nicht abwenden. Es sieht echt zu krass aus. Sie ist nicht gerade schlank, und das Oberschenkelfett von dem einen Bein reibt an dem vom anderen Bein.

Was wollen die Mädchen uns mit diesem Outfit sagen? Guck her – ich verheimliche nichts? Ich stehe zu meiner Cellulite, die sich hinten unter meinen glänzenden rosa Leggings abzeichnet? Vielleicht beneide ich diese Mädchen auch. Ich hätte mich das als Teenager nie getraut. Ich war wirklich ein Gerippe, aber das hat mich nicht davon abgehalten, an meinen klapprigen Beinen wulstige Speckschwarten zu imaginieren. Die Hosen, die Pullis – alles musste weit sein und durfte auf keinen Fall die Figur betonen.

Bin ich froh, dass ich heute keine Jugendliche sein muss! Ich muss diesen ganzen Modemist nicht mitmachen. Ich kann mir das alles schön von außen angucken und mir dann mit zwei Jahren Verzögerung Teile davon kaufen. Frau Dienstag und ich checken nämlich eigentlich immer erst sehr spät, was gerade angesagt ist. Obwohl … Frau Dienstag hat auch so eine hautenge Leggings. Ach nein, das war eine hautenge Jeans. Aber die trägt sie immer mit einem Kleid drüber. So wie 1999. Man sieht also: Wir machen alles etwas verspätet.

Und wenn ich mir mal was zum Anziehen kaufen will, dann gibt es nichts. Sind vielleicht die Sachen, die mir gefallen würden, immer dann zu haben, wenn ich gerade nicht in die Läden gehe? Langsam kommt es mir vor wie eine Verschwörung.

Also zum Beispiel: Ich will mir Hosen kaufen – stinknormale Jeans. Ich gehe in den einen Laden bei mir um die Ecke und grapsche alles an, bis endlich eine Verkäuferin kommt.

»Ja, Sie können mir helfen. Ich suche eine Hose. So eine normale. Möglichst unmodern und ohne Schnickschnack. Natürlich nicht zu eng.«

»Hm, schwierig. Also die hier und die, das sind Röhrenjeans. Und die hier ist unten mit Gummizug.«

»Ui, nein, so was geht gaaar nicht. Die sollten schon ein wenig weiter sein. So bequem halt.«

Sie breitet ein paar Hosen vor mir aus, die alle aussehen, als käme man zwar oben rein, unten mit dem Fuß aber nicht mehr raus. Ah, typisch, wieder ein ganz schlauer Schachzug der Bekleidungsindustrie. Es gibt mal wieder nur einen Style.

»Man soll jetzt nur enge Hosen tragen, oder?«, frage ich. Ich will in dieser Modeboutique auch nicht völlig ahnungslos rüberkommen. »Trägt man jetzt so, nicht? Enge Hosen. Tja, ich kann ja mal eine nicht ganz so enge von den Engen anprobieren.«

Mit einem Stapel Beinkleider mache ich mich auf den Weg in die Umkleide. Wenigstens ist die Beleuchtung hier nicht so fies cellulitebetont wie in den Kaufhäusern. Scheiße sieht man trotzdem aus. Meine Unterhose hat Löcher. Ich nehme die erste Hose, und beim Anziehen merke ich bereits wie meine Blutzufuhr abgeschnürt wird. Die also schon mal nicht. Die Zweite ziehe ich mit enormer Kraftanstrengung nach oben und kann sie sogar schließen. Ich gehe raus und gucke in den Spiegel.

»Sieht super aus«, stellt die Fachverkäuferin ungefragt fest. Das sagen sie immer. Immer sieht es super aus, nur mir gefällt es nicht. Vielleicht sollte ich einfach eine Röhre in zwei Nummern zu groß nehmen. Ich betrachte mich und muss unweigerlich an die Leggings meiner Schülerinnen denken. Was die sich trauen. Mir ist die Zurschaustellung meines Oberschenkelfetts echt ein Graus. Hose also wieder aus, die Nächste an, wieder aus und dann noch eine.

Irgendwann kann ich nicht mehr. Ich will aber unbedingt

konsumieren, also kaufe ich eine ziemlich enge schwarze Hose. Trägt man halt so heutzutage, denke ich an der Kasse.

Einen Tag später ist mein Konsumrausch noch nicht gestillt, also nötige ich den Freund, sich neu einzukleiden. Der hat nun wirklich nie Bock, sich neue Sachen zu kaufen, und sieht deshalb oft so aus, als wären wir ausgebombt worden und alle Einkaufsmöglichkeiten auch.

Und wie läuft das bei ihm? Die Verkäuferin: »Weite Hosen? – Kein Problem! Hier.«

Er – Hose an: »Passt, nehm ich.« Das geht mir viel zu schnell, deshalb zwinge ich ihn, noch eine in Schwarz und eine Jeans anzuziehen. Gibt's doch gar nicht. Der zieht drei Hosen an, alle drei Hosen sehen gut aus und werden deshalb auch alle drei gekauft.

Schön, dass die Männer in ihren weiten, bequemen Hosen uns Frauen in den unbequemen Röhrendingern und wurstigen Leggigns hinterherglotzen können.

Haben Sie Angst vorm Teufel?

»Könnt ihr mal leise sein, ich möchte jetzt echt endlich anfangen.«

»Frau Freitag, kennen Sie Flanders von den *Simpsons*?« Kenne ich – aber der hat jetzt nichts in meiner Einführung zu *Parts of the Body* zu suchen.

»Frau Freitag, kennen Sie? Flanders? Von den *Simpsons*?«

»Kann ich Fenster aufmachen? Ist so heiß hier.«

»Frau Freitag, benutzen Sie Kajal?«

»Frau Freitag, ich habe *Geosense* gespielt, am Computer, aber ist nicht so geil, wie Sie gesagt haben. Es gib's ja nicht mal Punkte.«

»Frau Freitag, gucken Sie überhaupt die *Simpsons*?«

»Heute fängt *Topmodels* an. Ich freue mich schon. Gucken Sie auch?«

»Frau Freitag, gehen wir wieder Computerraum?«

Fragen über Fragen und kein aufmerksames Lauschen. Wie soll ich denn hier mit dem Unterricht beginnen? Ich muss meine ganze Energie, meine ganze pädagogische Kraft aufbringen. Mein Didaktiknetz über sie werfen, sie einfangen und auf meine Seite ziehen. Da wollen sie aber gar nicht sein. Sie wollen Fragen stellen und Antworten bekommen. Wie leicht wäre es, mich einfach nur an meinen Schreibtisch zu setzen, um die Fragen der 7C zu beantworten.

»Ja, ich gucke auch die *Simpsons,* und was ist denn nun mit Flanders?«

»Ich finde den irgendwie komisch.«

»Na, weißt du denn nicht, dass Flanders der Teufel ist?«

»Der TEUFEL? Echt?«

»Ja, es gibt einige ältere Folgen, und da kommt raus, dass er Satan ist.«

»Sind Satan und der Teufel eigentlich zwei oder nur einer?«

»Ist nur ein anderer Name. Wie Allah und Gott.«

»Ich habe Angst vor dem Teufel. Sie auch?«

»Nee, Angst irgendwie nicht. Angst habe ich vor Altersarmut, aber lassen wir das. Wir müssen ja nicht über den Teufel sprechen. So, nächste Frage? Ach so, Vanessa, Kajal. Na, da dir heute offenbar aufgefallen ist, dass ich Kajal benutzt habe, kannst du dir die Frage ja selbst beantworten. Ich benutze ab und zu Kajal. Und wenn ich das mache, dann fällt euch das eben auf.«

»Frau Freitag, mir ist das gar nicht aufgefallen.«

»Mert, du bist ja auch ein Junge. Hast wahrscheinlich keinen Blick dafür. Jetzt habe ich aber mal eine Frage an euch.«

»Jaaa? Was denn?«

»Warum wollt ihr von mir jetzt keine Stunde zu den Körperteilen? Guckt doch mal an die Tafel, ich habe mich extra da drangezeichnet.«

»Hahaha, ach, das sollen Sie sein? So schlimm sehen Sie doch gar nicht aus.«

»Danke, Murat. Freundlich.«

»Na gut, wenn Sie unbedingt wollen, dann können wir ja die Stunde machen. Aber können wir dann auch früher gehen?«

»Früher gehen? Nein, auf keinsten. Aber wir können nachher noch Viereckenraten spielen.«

»Au jaaa, Viereckenraten!«

»Frau Freitag, nun fangen Sie schon an mit Ihrer blöden Stunde. Aber kann ich das Fenster aufmachen?«

Ahmet, der Hurensohn

»So, jetzt setzt euch mal alle hin«, sage ich mit letzter Kraft am Ende der Stunde. Fünf Minuten trennen mich vom Wochenende. Dschinges mit seinem ADHS und die anderen mit ihrer verrohten Sprache haben mir heute echt den Rest gegeben. Warum mache ich mit denen auch Pappmaché in Kunst?

»Ich fass den Schleim nicht an!«

»Das ist Kleister. Kein Schleim. Tapetenkleister.«

Mittlerweile nennen sie es schon Gleim. »Ihh, du hast mir Gleim an die Jacke geschmiert, Hurensohn!« Und bevor aufgeklärt werden kann, dass es sich lediglich um Wasser handelt, hat Dschinges eine Ladung Gleim auf seinem Pulli.

Zu Beginn jeder Stunde rennen die Jungs – in diesem Kurs sind NUR Jungs – durch den Raum und schlagen sich mit ihren Pappmachétieren. Bei einem fliegen gleich zwei Beine ab. Ahmet arbeitet seit Stunden gar nicht mehr an seiner Plastik. Ich sage ihm dann immer: »Dann kannst du auch gehen.«

»Aber dann bekomme ich ja eine Fehlstunde.« Er hat einfach Angst, was zu versäumen. *Ich* hätte gar nichts dagegen, diese Stunden zu versäumen. Gerne würde ich dafür die eine oder andere Fehlstunde in Kauf nehmen. Heute arbeitet Ahmet sogar. Aber am Ende sehe ich, dass er nur ganz viel Kleister auf den Kopf von seinem Pinguin geschmiert hat – damit der schön hart ist für die Schlacht am Beginn der nächsten Stunde, Optimierung der Waffen sozusagen. Nächste Stunde verstecke ich das Teil. Mal sehen, womit er dann kämpfen wird.

Irgendwie schaffe ich es, die Stunde zu überleben. Am meisten nervt echt die versaute Sprache der Jungs. Keine Klasse, die ich unterrichte, ist so dermaßen ordinär. Ständig geht es nur ums Ficken, obwohl die das alle noch nicht machen. Und jeder Satz beginnt und endet mit »du Hurensohn«.

Jetzt sitzen sie alle ruhig auf ihren Plätzen. Der Raum ist aufgeräumt, ich möchte ihnen ihre Mitarbeitsnoten vorlesen. Ein kleines Ritual am Ende jeder Stunde, das wir alle mögen, denn so können wir in den letzten fünf Minuten einfach nur rumsitzen.

»So, jetzt eure Noten.«

Ahmet guckt mich entsetzt an: »Was haben Sie gesagt? Ihr NUTTEN?«

»Ja, Ahmet, ich habe gesagt: ›So, ihr Nutten.‹ Ja, Ahmet, du Hurensohn, genau das habe ich gesagt.«

Ahmet versteht die Welt nicht mehr. Frau Freitag hat »Hurensohn« zu ihm gesagt. Bevor er diese für ihn völlig ungewohnte Situation einordnen kann, kläre ich ihn auf.

»Ahmet, das war ein Witz, aber so redet ihr die ganze Zeit. Ich kann es echt nicht mehr ertragen.«

Die anderen kichern, jetzt grinst auch Ahmet wieder, es klingelt, wir wünschen uns alle ein schönes Wochenende und schlendern in unseren »Feierabend«. Und draußen scheint sogar die Sonne.

Deutschlernen und Kinderkriegen

Abdul sagt, dass sein Vater jetzt einen Deutschkurs besucht, aber nie seine Hausaufgaben macht. »Und er benutzt die Artikel immer falsch.« Kichernd erzählt er, welche Fehler sein Papa macht. Fatma schmeißt sich weg, weil ihre Mutter neulich am Telefon gesagt hat, dass sie jetzt auf ein Gymnasium geht, obwohl sie auch nur einen Deutschkurs besucht. »Meine Mutter macht auch einen Deutschkurs«, erzählt Elif. »Voll schlimm, immer nur: ich bin, du bist, er ist ...«

Dann geht es ums Kinderkriegen. »Mein Kuseng ist fast im Klo geboren«, erzählt Fatma. Die Mädchen sind sich einig, dass sie höchstens drei Kinder haben wollen. »*Vallah*, ich will nicht so leben wie meine Mutter. Immer nur zu Hause und den Haushalt machen.«

»Ist nicht schwer, Haushalt. Mach ich immer«, sagt Elif.

»Ja, ich mach auch immer alles«, sagt Fatma, »aber ist voll langweilig.«

»Na ja, manchmal denke ich, ist doch auch schön. Meine Mutter kann immer zu Hause chillen, und ich muss zur Schule gehen.«

»Also ich will auf jeden Fall arbeiten gehen. Und ich will auch nicht so früh heiraten«, sagt Elif.

Fatma: »Hast du gehört, Ebru ist verheiratet. Sie bereut es voll. Sie sitzt immer nur zu Hause und starrt die Decke an.«

Ach herrlich, so könnte es immer sein. Die Schüler erzählen

mir aus ihrem Leben und von ihren Zukunftsvorstellungen. Und alles hört sich gut an. Warum soll man sich da noch Sorgen machen? Das wird schon. Ich bin da ganz zuversichtlich, weil die einfach ganz toll sind.

Kernschmelze in Japan

»Frau Freitag, Japan!«

»Ja, voll schlimm. Ich kriege voll Gänsehaut. Heute Morgen ist ja noch mal was explodiert.«

»Echt? Noch ein Atomkraftwerk?«

»Nein, aber so ein … na, also in dem einen Atomkraftwerk drin. Diese eckigen Teile. Hast du doch bestimmt gesehen im Fernsehen.«

»Frau Freitag?!«

»Ja, Elif?«

»Warum ist das eigentlich alles so schlimm?«

Ich spreche über Kernschmelze, Verstrahlung, erzähle von Tschernobyl. Es ist voll früh. Es ist voll leer. Es ist voll gemütlich. Die paar Schüler, die sich aus dem Bett gewagt haben, sitzen ganz dicht an meinem Schreibtisch.

»Soll ich mal Radio anmachen?«, fragt Mustafa und wartet meine Antwort gar nicht erst ab. Wir hören die Nachrichten. Katastrophennachrichten. Auf der Straße und in der Schule ist es noch menschenleer und unheimlich ruhig. Ich komme mir vor, als wäre ich mit den Schülern sehr nah dran an Japan.

»Frau Freitag, warum machen die das denn mit den Atomkraftwerken, wenn das so gefährlich ist?«, fragt Elif. Eine einfache und sehr schlaue Frage. Ich finde keine Antwort darauf. »Ich glaube, weil es billig ist. Sonst wüsste ich auch nicht, wieso.«

Das Radio ist wieder aus, und in friedvoller Ruhe zeichnen die Schüler vor sich hin. Ich gucke sie mir an und denke: Die sind super. Jeder Einzelne von denen.

Dschinges

»Frau Freitag?«

»Ja, Dschinges?«

»Was haben Lehrer für Gedanken?«

Dschinges guckt gar nicht von seiner Zeichnung auf. Er sitzt direkt vor mir, die anderen Schüler sind im Raum verteilt und hören uns nicht.

»Was meinst du? Was für Gedanken?«, frage ich ihn.

Jetzt legt er den Bleistift weg und guckt mich an: »Was denken Lehrer so? Ich würde gerne wissen, wie die so denken.«

Im Paralleluniversum, in dem es keine Atomkraftwerke und keinen Krieg gibt, kein Privatfernsehen und keine Häme, wo überall gelbe Tulpen wachsen und es immer Frühling ist, da sage ich: »Dschinges, wenn dich das wirklich interessiert – ich schreibe das jeden Tag auf, was ich denke.«

»Sie schreiben das jeden Tag auf?«

»Ja. Wenn du willst, bringe ich dir das mal mit. Du kommst auch oft vor.«

»Echt? Ich?«

»Ja, vor zwei Jahren, weißt du noch, wie du immer so genervt hast? Da habe ich viel drüber geschrieben. Kannst du dich daran erinnern?«

Er grinst und nickt.

»Ich beschreibe dich aber recht liebenswert. Weil, du warst ja irgendwie auch ganz süß.«

»Bin ich doch immer noch.«

»Ja, bist du immer noch. Und jetzt nervst du auch nicht mehr so doll.«

»Sie auch nicht. Und was Sie da schreiben … ja, würde ich gerne mal lesen.«

In der Realität sage ich: »Was meinst du denn?«

»Na, was denken die Lehrer über die Schüler?«

»Also, ich verstehe zum Beispiel nicht, warum meine Schüler immer so viel schwänzen. Vor allem die in meiner Klasse. Das ärgert mich. Das macht mich richtig wütend. Weil die sich ja ihren Schulabschluss versauen.«

»Das macht Sie wütend?«

»Ja, voll, weil die eigentlich gute Noten haben könnten.«

»Ich glaube, vielen Lehrern sind die Schüler egal.«

»Meinst du? Aber nicht den Klassenlehrern. Was sagt denn Herr Werner? Was meinst du denn, was der über euch denkt?«

»Ich glaube, der denkt so, dass wir so seine Jungs sind, auf die er sich verlassen kann, aber wenn er zu Hause ist, dann denkt er, dass wir keine Zukunft haben.«

»Und was meinst du? Habt ihr eine Zukunft?«

»Klar, ich will doch auch nicht später nur rumhängen und nichts arbeiten.«

»Aber Dschinges, ich höre hier so oft, dass den Schülern alles egal ist und ›blablabla, Hartz IV und chill'n‹ und so weiter.«

»Ach, das sagen die doch nur, um cool zu sein. Eigentlich ist denen ihre Zukunft gar nicht egal.«

Dschinges grinst mich an. Dass aus dem was wird, habe ich noch nie bezweifelt.

Der eine Typ war übertrieben
begeistert von mir

»Guten Morgen, Frau Freitag, Montag und Dienstag krank, Entschuldigung vergessen, bring ich morgen, und gestern war ich bei diesem Job-Dings.«

»Guten Morgen, Abdul. Also, wo warst du gestern?«

»Frau Freitag, gestern war das Highlight in meiner Ausbildungsplatzsuche. Ich war bei so Job-Messe oder so was. Und das war voll hammer. Der eine Typ war übertrieben begeistert von mir. Er meinte: Er wird mir auf JEDEN Fall einen Ausbildungsplatz besorgen. Er meint: Ja, du bist sympathisch, kommst gut rüber und so dies, das.«

Abdul strahlt. Ich auch.

»Frau Freitag?«

»Ja, Mina?« Mina wiederholt die Zehnte. Sie hat die Realschulprüfung nicht bestanden. Sie ist sehr zuverlässig, immer höflich, nett, sozial und alles – aber sie wird wahrscheinlich auch diesmal die Prüfung nicht schaffen. Ihre Noten werden und werden einfach nicht besser.

»Mina«, frage ich, »wie war denn dein Bewerbungsgespräch?«

»Super. Er meinte: Du brauchst mir gar nicht dein Zeugnis zu zeigen – ich sehe, du bist ordentlich, höflich und zuverlässig.«

»Na, das klingt ja auch toll. Hast du denn da eine feste Zusage?«

»Frau Freitag, ich habe jetzt FÜNF Zusagen, bei verschiedenen Ärzten.«

»FÜÜÜNF?«

Mina nickt. Sie strahlt. Ich auch.

Was ist los? Scheint ja doch alles nicht so aussichtslos zu sein. Was ist, liebe Wirtschaft? Gibt es nicht mehr genug

Abiturienten, die sich bei euch bewerben? Dürfen meine Schüler jetzt auch wieder auf dem Arbeitsmarkt mitspielen? Ich garantiere euch, dass sie ihre Sache gut machen werden. Obwohl sie in der Schule so oft zu spät kommen, glaube ich fest daran, dass sie sich später »auf Arbeit« ganz anders benehmen werden. Die wissen doch, dass es dann um mehr geht.

Zwei meiner Schüler scheinen also schon versorgt zu sein. Mina könnte sogar noch vier Ausbildungsplätze an ihre Mitschülerinnen abgeben. Müssen nur noch knapp zwanzig Stellen klargemacht werden.

Auf jeden Fall weisen meine Schüler einige besondere Fähigkeiten auf, nützlich für fast jeden Job:

- humorvoll
- gut angezogen
- Haare immer perfekt gestylt oder schön gebundenes Kopftuch
- gut geschminkt
- gut »solariert« (vor allem die Jungs)
- sehr sozial im täglichen Miteinander
- sehr gute Handykenntnisse
- hervorragende Computerkenntnisse, vor allem Facebook
- nicht auf den Mund gefallen
- wenn sie was interessiert, sind sie voll dabei
- wenn sie was nicht interessiert, merkt man das sofort
- sie übernehmen gerne Verantwortung (wenn auch nicht immer für ihr eigenes Leben)
- sie sind selbstbewusst, nicht unsicher oder wischiwaschi
- sie sind tolle Menschen – ich würde sie sofort einstellen

Und als Betrieb kann man damit glänzen, dass man sich einen Jugendlichen mit Migrationshintergrund geschnappt hat. Da gibt es doch bestimmt Tausende Förderprogramme vom Job-center oder ein paar schicke EU-Gelder.

Und das alles nur wegen Kopftuch

Die Zeitumstellung packen meine Schüler natürlich nicht. Sommerzeit – Winterzeit, wer soll denn so was mitbekommen? Jedes Mal das Gleiche. In der ersten Stunde sitze ich mit ganz wenigen Schülern da, in der zweiten Stunde fehlen immer noch acht. Fatma kommt um elf. »Fatma, es ist elf Uhr! Jetzt komm mir nicht mit der Zeitumstellung!«

»Doch, Frau Freitag, und der Bus, der hatte Ersatzverkehr, ich schwöre, was kann ich dafür? Gehen Sie gucken.« Bin ich nicht. Also gucken gegangen.

Weil so wenig Schüler da sind, kann ich mich endlich mal länger mit Einzelnen beschäftigen. Dafür bleibt ja leider kaum Zeit, wenn die ganze Meute anwesend ist. Asmaa ist heute ganz alleine. Sonst ist sie immer umringt von ihrer Gang, aber Fatma, Miriam, Elif und Funda fehlen. Also sitzt Asmaa ganz einsam am Fenster. Ich setze mich zu ihr. Wir quatschen über ihre Zukunft.

»Frau Freitag, das ist echt schwierig, einen Ausbildungs-platz zu finden, so wegen Kopftuch.« Asmaa trägt seit der 9. Klasse ein Kopftuch. Sie ist trotzdem immer total geschminkt und sehr modisch angezogen. Sie sieht echt super aus, wird von allen Jungen heiß begehrt und auf Facebook täglich an-geflirtet. Asmaa hat sich noch bei keinem Betrieb oder sonst irgendwo beworben. Kein Wunder, dass sie die Suche nach einem Ausbildungsplatz als schwierig empfindet. Ohne Bewer-bungen bekommt man wohl auch keine Angebote.

»Frau Freitag, diese Isra, kennen Sie die? Sie hat auch Kopftuch, sie war letztes Jahr noch auf der Schule. Sie hat einen ganz tollen Abschluss. Und dann hat sie sich beworben bei so einer ganz tollen Firma, und sie hatte ein Foto geschickt, wo sie ohne Kopftuch war, und sie hat auch den Ausbildungsplatz bekommen. Aber dann, als sie anfangen wollte, da haben sie gesagt, dass sie sie mit Kopftuch nicht nehmen werden. Dann saß sie ganz lange zu Hause. Und jetzt arbeitet sie in dem Laden von ihren Eltern. Ihre Mutter sitzt immer hinten mit Freundinnen, trinkt Tee und quatscht. Und sie muss den ganzen Tag an der Kasse sitzen. Aber das ist so ein Laden, wo die so Taschen verkaufen. So für zehn bis fünfzehn Euro.«

Asmaa verzieht das Gesicht, um mir zu zeigen, dass diese Taschen nicht kaufenswert sind und der Verkauf deshalb wahrscheinlich auch keinen Spaß macht.

»Frau Freitag, wenn ich so eine Arbeit hätte, dann wäre das ja okay, ich, mit meinem schlechten Zeugnis und so. Aber Isra, die war sooo gut und hatte sooo ein tolles Zeugnis.«

Wir starren beide in die Luft und denken nach.

»Und das alles nur wegen Kopftuch«, sagt Asmaa.

Wir überlegen, was man tun könnte. Spielen verschiedene Möglichkeiten durch: Kopftuch tragen, Kopftuch abnehmen, Kopftuch auf der Arbeit nicht tragen und sonst doch – es ist alles nicht so leicht.

Asmaa sagt, dass viele Frauen in ihrer Umgebung jetzt ihren eigenen Weg gehen: »Viele sind geschieden und lernen jetzt Deutsch.« Ich erkläre ihr, was Emanzipation ist.

Hodda hört uns zu. Sie glaubt, dass sie die letzte Generation sein werden, die Kopftuch trägt: »Unsere Kinder werden das nicht mehr machen. Die werden sich bestimmt immer mehr anpassen.« Nüchtern sagt sie das. Ohne Groll, Angst oder Ablehnung. Sie stellt es einfach fest.

Asmaa nützt das momentan nichts. »Tja, Asmaa«, sage ich,

»vielleicht musst du die Erste sein, die das Kopftuch abnimmt, um einen guten Ausbildungsplatz zu bekommen. Und vielleicht musst du das aushalten, wenn die Leute dann Blödsinn über dich erzählen. Vielleicht tust du dich mit anderen Mädchen zusammen, und ihr macht das alle gleichzeitig.«

Irgendjemand muss ja mal anfangen. Irgendeine Frau hat ja auch als Erste die Scheidung eingereicht. Aber Asmaa scheint nicht damit anzufangen. Soweit ich weiß, fährt sie ständig in den Libanon und wird bestimmt bald dort verheiratet.

Lohnt sich nicht

Lohnt sich nicht. Lohnt sich nicht. Lohnt sich nicht.

»Fatma, wo warst du am letzten Mittwoch in den ersten drei Stunden?«

»Die letzten Stunden sind doch ausgefallen. Lohnt sich nicht, dann zu kommen.«

»Miriam, wo warst du heute Morgen?«

»Ich wollte nur meinen Hefter abgeben, wegen der Zensur. Ich habe gleich um 13 Uhr einen Termin bei Jobcenter. Da dachte ich, dann fehle ich lieber den ganzen Tag. Weil, lohnt sich ja nicht, für die paar Stunden zu kommen.«

»Die paar Stunden? Du hattest vier Stunden heute Morgen. Und es hätte sich sehr wohl gelohnt. Ihr habt eine Mathearbeit geschrieben.«

»Schwör?!«

»Ja, schwör.«

»Bilal, wo ist deine Schultasche?«

»Lohnt sich nicht, wir haben heute nur Kunst, Musik, Erdkunde, Mathe und Geschichte.«

»Peter, warum hast du keinen Stift?«

Seit mehreren Wochen kommt Peter ohne Stift zur Schule.

»Ich muss immer so früh los, da schaffe ich es nicht, einen mitzunehmen.«

»Mustafa, du warst jetzt seit Wochen nicht in meinem Kunstunterricht. Wir haben nur einmal die Woche. Es fällt noch so viel aus, wir haben wahrscheinlich nur noch acht Mal bis zu den Zeugnissen. Du stehst zurzeit auf einer Fünf.«

»Wenn ich sowieso einen Ausfall in Kunst hab, muss ich dann überhaupt noch kommen?«

»Marcella, Ayla, warum wart ihr nicht beim Sport?«

»Wir waren zu spät, und da dachten wir, dann brauchen wir auch gar nicht mehr hinzugehen.«

Lohnt sich nicht. Lohnt sich nicht. Lohnt sich nicht. Die Schülerlogik bleibt mir ein ewiges Rätsel.

Fragt mich ruhig mal nach einer Klassenfahrt! Ich weiß schon, was ich antworte: »Lohnt sich nicht.«

Aber ich sollte mich eigentlich nicht beschweren. Durch die Dauerschwänzerei unterrichte ich seit einigen Wochen in sehr angenehmen Kleinstgruppen. Gestern kamen die Briefe an. Darin habe ich jede einzelne unentschuldigte Fehlstunde der Schüler im zweiten Halbjahr für die Erziehungsberechtigten dokumentiert. Zwei Eltern haben sich bei mir gemeldet. Zwei von über zwanzig. Was ist mit den anderen? Denken die sich auch: Lohnt sich nicht mit meinem Sohn? Lohnt sich nicht mit meiner Tochter?

Jetzt geht meiner Klasse echt die Puste aus. Besonders angestrengt haben die sich zwar noch nie. Aber mittlerweile kommen einige anscheinend gar nicht mehr aus dem Bett. Echt traurig. So jung und sich schon so aufgegeben. Ich frage mich, was sich überhaupt noch lohnt. Diese Frage müssen die Schüler beantworten. Ich gehe mal in mein Kinder-Facebook und chatte jeden einzeln an.

Jetzt geht mal von der Tür weg

Heute habe ich mich aufgeregt. Tierisch. Über einen Kollegen. So wie lange nicht mehr. Geschnauft und geflucht habe ich, so lange, bis mein Lieblingskollege mit mir einen Kaffee trinken gegangen ist, um mich wieder runterzuregeln.

Der Lieblingskollege und ich gehen also zum Ausgang. Am Schultor stehen lauter Schüler. Alles Jungs. Ich kenne alle vom Sehen, habe aber keinen von ihnen im Unterricht. Viele von denen sind in der 7. Klasse und fallen mir immer wieder unangenehm auf. Die stehen also alle vor der Tür, und wir wollen raus.

»So, Jungs, geht mal von der Tür weg, wir wollen raus.« Keiner bewegt sich. Ich bin immer noch sauer, werde jetzt sogar noch ärgerlicher. »Leute, ich bin echt NICHT gut drauf! Also geht jetzt von der Tür weg!«

Am liebsten würde ich jemanden schlagen. So was kenne ich von mir gar nicht. Ich will meine Wut irgendwie ablassen. Da ich mich nicht mit Rasierklingen ritze und auch nicht wahllos zuschlage, bleibt mir nur die Verbalität. Ich also ziemlich fies und laut zu den Vor-der-Tür-Rumstehern: »Jetzt haut mal da ab, ihr ... (sehr schlimmes Wort)!« Schockstarre. Die Schüler gucken mich ungläubig an. Hat diese Lehrerin das wirklich eben gesagt? Dieses schlimme Wort? Hat die das gerade wirklich gesagt?

Mein Lieblingskollege, genauso geschockt wie die Schüler, weicht ein paar Schritte zurück: »Komm, Frau Freitag, wir gehen hinten raus.« Ich glaube, er hat Angst, dass die Schülermeute uns beim Durchgehen lynchen könnte.

»Nichts da! Wir gehen hier raus!« Ich bin vor lauter Wut wild entschlossen. Ich weiche nicht zurück! Ich werde jetzt durch diese Tür gehen, und diese Schüler werden zurücktreten und uns durchlassen.

Und so ist es dann auch. Die Schüler gehen auseinander und lassen uns durch. Immer noch verwirrt, murmeln sie etwas von »Dürfen Lehrer …« – »Hat sie wirklich …?« Und einer ruft mir noch hinterher: »Wo haben Sie denn Ihren Lehrerschein her?! Im Lotto gewonnen, oder was?!«

»Lehrerschein, hihihi«, sage ich kichernd zu meinem Lieblingskollegen, während wir zum Café latschen. »Wie lustig, die denken, man macht so einen Schein und ist dann Lehrer.«

Und plötzlich verschwindet meine Wut, meine schlechte Laune. Und noch bevor wir unseren Kaffee bestellen, tut es mir total leid, dass diese armen Jungs völlig unschuldig meinen Ärger abgekriegt haben. Haben sie echt nicht verdient. Wenn ich die morgen sehe, muss ich mich sofort entschuldigen. Und das mit dem Schein … das muss ich auch noch mal geraderücken. Wo haben Sie denn Ihren Lehrerschein her … Hihihihi.

Als ich die Jungs am nächsten Morgen in der Cafeteria treffe und mich entschuldigen will, wissen sie erst gar nicht, wovon ich spreche. Umständlich erkläre ich, dass mir mein verbaler Ausbruch vom Vortag leidtut. »Ach, Frau Freitag, Schwamm drüber. Schon vergessen.«

April, April

Kann ich Dschinges adoptieren? Der ist echt so süß. Ich gehe über den Hof und sehe ihn grinsend auf mich zukommen. Ich grinse auch und nicke ihm zu. Als ich weitergehe, ruft er plötzlich in voller Lautstärke über den Hof: »Frau Freitag, ich küsse Ihr Herz!« Kann ein Tag besser anfangen?

Und überhaupt war seine Klasse heute echt Zucker. Morgens hatte ich mir noch vorgenommen, eine Kopfschmerzattacke zu simulieren, um mich von dieser Stunde zu erlösen. Aber das mache ich ja sowieso nie. Dann ist auch alles ganz anders als sonst in der krassen Siebten von Dschinges. Die Schüler sitzen friedlich und hoch konzentriert vor ihren individuellen Aufgaben und arbeiten. Keiner spricht, herrlich. Ich korrigiere nebenbei die Englischarbeiten der Siebten und freue mich meines Lehrerlebens. Irgendwann kommt ein Mädchen rein und fragt, warum in der Klasse nur so wenige Leute sind. »Das ist die Hochbegabtenklasse. Die werden hier separat gefördert. Die sind zu schlau und zu gut für die normalen Klassen«, sage ich spontan, und keiner widerspricht.

Eigentlich sind es nur so wenig Schüler, weil jeder Einzelne von denen sich aufführen kann wie zehn nervige Schüler. Die machen normalerweise echt einen Haufen Arbeit. Aber heute, heute waren sie lammfromm und echt toll. Am Ende der Stunde gebe ich jedem eine Eins für die Mitarbeit. Ihrem Klassenlehrer schreibe ich auf, dass sie super waren und er sie noch mal loben soll.

Und weil der erste April ist, will ich meine Klasse mal so richtig schön verarschen. Letztes Jahr habe ich meinen Englischkurs in den April geschickt. Ich habe ihnen einen Zettel vorgelesen, so in Beamtendeutsch und mit irgend so einem offiziellen Briefkopf, dass man aus verschiedenen Gründen – Zentralabitur, blablabla, lauter Zeugs, das sie nicht kapierten –, jedenfalls hätte man die Realschulprüfungen vorverlegt. Dann habe ich die neuen Daten an die Tafel geschrieben und beobachtet, wie sie sich vor Schock in die Hosen gemacht haben: »Waaas, in ZWEI Wochen, oh Gott, oh Gott, oh Gott … das schaffe ich nie!« Das war super.

Dieses Jahr will ich meiner Klasse sagen, dass ich ihre Zwischennoten bereits erhalten hätte und mich total freue, dass sie sich ja so massiv verbessert haben. Ich habe extra lauter Phantasiezensuren in eine Klassenliste eingetragen, damit ich die dann laut vorlesen kann. Aber als die Schüler in den Raum kommen, denke ich: Das nehmen die mir NIE ab. Also lasse ich es.

Marcella begrüßt mich mit einem lapidaren »Frau Freitag, haben Sie gehört – Robbie Williams ist gestorben«.

»Echt? Wie denn?«

»Herzversagen.«

Sofort denke ich »April, April« und »darf man solche Witze machen? Mit Tod und so?«.

In allen anderen Klassen bekomme ich ein schnödes »Frau Freitag, Sie haben da was«. Jedes Mal schaue ich dann an mir runter und höre »April, April«.

Aber dann kommt Peter. »Frau Freitag, meine Mutter hat mich übelst in den April geschickt.«

»Ja? Wie denn?«

»Sie hat alle Uhren in der Wohnung zwei Stunden vorgestellt. Auch mein Handy, und als ich aufwachte, dachte ich, es ist schon halb zehn, und alle waren weg, und ich habe mich übelst beeilt, in die Schule zu kommen. Und sie hat mir sogar noch eine Entschuldigung dagelassen, dass ich verschlafen hätte. Ich war echt gestresst heute Morgen.«

Guck mal, Treppe hoch, Treppe runter

»So, ihr Lieben, jetzt packt mal zusammen, ich muss die Bilder heute zum Zensieren mitnehmen, und es klingelt gleich.«

»Frau Freitag, können wir noch ein paar Minuten weitermachen? Ich bin gleich fertig, wirklich.« Martin wimmert, bettelt und versucht, mich charmant zu umgarnen. Die ganze

Stunde hat er hinten in der letzten Reihe nur Quatsch gemacht. Jetzt meint er, mit drei Minuten mehr könnte er noch alles hinbiegen.

»Bitte, Frau Freitag, nur noch ein paar Minuten.«

»Martin, ich hab Feierabend.«

»Ich fahr Sie nach Hause.« Alle kichern. Martin hat seit knapp einer Woche seinen Führerschein und wurde schon nach zwei Tagen geblitzt.

»Nein danke, Martin, lass mal. Ich muss noch schnell ins Lehrerzimmer, wenn ich wiederkomme, seid ihr aber fertig, okay?«

Irgendwie rührend, wie die Schüler auf einmal an ihren Noten interessiert sind – eine Woche, bevor ich sie abgeben muss.

Meine Klasse dagegen … die haben in zwei Tagen ihre erste Realschulprüfung, und ich habe keine Ahnung, was das werden soll. Ich prüfe zwar keinen von ihnen, hätte sie aber beraten können. Aber keiner hat mir irgendwas gezeigt. Gehört habe ich immer nur: »Fertig! Schon laaange.«

»Fast fertig.« Bei denen vermute ich, dass sie noch gar nicht angefangen haben.

»Machen Sie sich mal keinen Kopf, Frau Freitag, das wird mindestens eine Eins.«

»Alles kein Problem.«

Niemanden habe ich lernen oder sich vorbereiten sehen. Nun kann ich sowieso nichts mehr machen. Die Messen sind gelesen. Ich kann nur noch abwarten und mich überraschen lassen. Der Moment in der Zensurenkonferenz, in dem ich vorlese, dass bei mir GAR KEINER den Realschulabschluss geschafft hat, dieser Moment wird schnell vorbeigehen. Die Lehrer, die im letzten Jahr viele Realschulabschlüsse produziert haben, bekamen auch keinen Blumenstrauß überreicht. Ich werde es schon überleben. Meine Klasse sowieso. Das sind Survivor. Die merken ja gar nicht, wie sie sich alles vergurken.

Zum Glück gibt es auch noch andere Schüler.

In der Pause kommt Yassin zu mir. Den hatte ich mal ein Jahr in Kunst und jetzt macht er Abitur.

»Frau Freitag, die Romantik in der Kunst.«

»Ja? Was ist damit?«

»Sagen Sie mir mal was dazu.«

Oh Lord, war das nicht Caspar David Friedrich mit diesen kitschigen Kreidefelsen?

»Na, Yassin, was weißt du denn darüber?«

Wir stehen auf dem Schulhof. Yassin zeigt auf einen Baum und erzählt was von einem Bach und so. Ich will ihm nichts Falsches sagen und schlage deshalb vor: »Komm doch kurz mit, dann gebe ich dir ein Kunstbuch, wo was zur Romantik drinsteht.«

Es klingelt zum Unterricht. Wir gehen um die Schule herum, damit ich noch eine rauchen kann. »Und du machst jetzt Abitur?«

»Ja.«

»Und schaffst du das?«

»Warum nicht? Haben doch vor mir auch welche geschafft. Ich denke mal, das schaffe ich auch.«

Im Treppenhaus frage ich ihn, was er danach machen will. »Hauptsache was, wo ich mich bewegen kann.«

»Werd doch Lehrer. Guck mal, Treppe hoch, Treppe runter – immer Bewegung.«

Er guckt mich an, dann die Siebtklässler, die sich im Gang über den Boden prügeln. »Auf keinen Fall. Ich würde so ausflippen bei den Schülern.« Ich denke an meine verbale Verfehlung eine Woche zuvor und grinse innerlich. »Ja, manchmal flippt man auch aus. Macht aber trotzdem Spaß.«

Bis zum Tellerrand und
nicht weiter

Wir üben für die Englischarbeit. Lesen einen Text, angeblich
ein Blog – Lehrbücher asseln sich immer an Trends ran – über
einen Jungen, der sich fragt, ob er nach der Schule den Job
annehmen soll, den man ihm angeboten hat, oder lieber für
ein Jahr reisen soll. Was ist das denn für eine bekloppte Frage?
Natürlich soll der Junge reisen. Ein Jahr, möglichst noch
länger.

»Wisst ihr denn, was ein Blog ist?«, frage ich.

»Ein Forum«, antwortet Abdul.

»Ja, ja, es ist so was wie ein Forum. Jedenfalls fragt dieser
Junge etwas, und andere Leute können ihm antworten.«

Wir krepeln uns gemeinsam durch den Text. Übersetzen so
völlig neue und unbekannte Wörter wie *traveling*. Und dann
die Antworten oder eher Ratschläge. Einer sagt, dass man ohne
Geld nicht reisen kann, und gibt den Tipp, erst mal zu arbeiten. Der Nächste schreibt, dass der Fragende doch *Work-and-
Travel* machen kann. *Work-and-Travel* erschließt sich meinen
Schülern nicht, da wir *traveling* ja schon sieben Zeilen früher
übersetzt haben und ihnen die Bedeutung bereits entfallen ist.
Ich erkläre also, wie es funktioniert, weil ich das selbst auch
schon mal gemacht habe. Einige Schüler sind interessiert, andere quatschen leise vor sich hin, Elif ist gut drauf und summt
ein wenig. Ronnie hat wieder keinen Stift dabei und sich deshalb schon mal geistig abgemeldet.

Bilal guckt mich verwirrt an: »Aber ich kann doch nicht in
ein Land gehen, also nach Amerika oder so, wenn ich die Sprache gar nicht spreche.«

»Na, die lernst du doch da, Trottel«, sagt Abdul.

Ich erkläre, was das Visum und die ganze Sache vor hundert

Jahren gekostet haben. Ich war damals in Amerika und habe unzählige Teller gewaschen. Und weil ich das so zuverlässig gemacht habe – wir Deutschen können ja gar nicht anders –, hat man mich drei Monate abwaschen lassen, obwohl ich eigentlich kellnern wollte.

Plötzlich schaltet sich Elif ein: »Äh, aber wieso sollten die einem denn in einem anderen Land einen Job geben? Die kennen einen doch gar nicht.«

»Elif, bekommt man denn in Deutschland nur einen Job, wenn man den Arbeitgeber kennt?« Langsam wird mir klar, warum sich Elif noch nicht beworben hat, sie kennt einfach keine Chefs. »Nein, aber ich meine, wenn die Leute die Sprache nicht gut können.«

»Na, die sollst und wirst du doch vor Ort lernen. Wenn du ein Jahr in Amerika bist, dann lernst du doch auch Englisch. Und die Jobs sind natürlich nur so Hilfsjobs – kellnern, Tische abräumen, Teller waschen. Die stellen dich da jetzt nicht als Polizist oder im Büro ein.«

Das Konzept »Auslandsaufenthalt« kennen meine Schüler überhaupt nicht. Bilal denkt immer noch über den Spracherwerb nach: »Aber Frau Freitag, das kann doch nicht sein, dass man die Sprache dort so schnell lernt. Ich wohne jetzt seit fünfzehn Jahren hier und spreche immer noch so schlecht.« Bilal benutzt immer falsche Präpositionen – und die Artikel … auweia. »Bilal, wenn du NUR mit Deutschen, die alle gut Deutsch sprechen, zusammen wärst, dann wäre dein Deutsch auch besser.«

Diese Antwort scheint ihm einzuleuchten, er versinkt in Gedanken.

»Wer von euch könnte sich denn vorstellen, ein Jahr ins Ausland zu gehen? Und ich meine jetzt nicht einen verlängerten Sommerurlaub bei Oma in der Türkei oder im Libanon.

Bilal? Abdul?« Die Jungs haben durchaus Interesse. Dann frage ich Elif. »Ich? Aleiiiine? Niemaaals!« Miriam und Fatma können sich ebenfalls ÜBERHAUPT nicht vorstellen, irgendwo anders als in ihrem kleinen Teil der Stadt zu wohnen. Typisch, bis zum Tellerrand und nicht weiter. »Elif, du traust dich noch nicht mal, in einen anderen Stadtteil zu gehen, oder?«

Sie denkt nach. »Doch, aber nicht alleine. Und nicht lange.«

Wie kamen die Leute eigentlich ins Internet, als es noch keine Computer gab?

So, Halbzeit: Zwei Drittel meiner Klasse hatten heute die erste Realschulprüfung. Sie mussten ihre Vorträge, die sie zu selbstgewählten Themen ausgearbeitet haben, vor einer Prüfungskommission präsentieren. In ein paar Wochen folgen dann die schriftlichen Prüfungen in Mathe, Deutsch und Englisch. Ich saß auch in ein paar Prüfungen – aber natürlich nicht in denen meiner Klasse. Einige Schüler habe ich heute nach ihrer Prüfung getroffen, dann habe ich mit einigen Prüfern gesprochen, und die fehlenden Informationen habe ich mir eben auf Kinder-Facebook geholt. Die Zensuren erfahren die Schüler direkt nach der Prüfung. Es ist wirklich alles dabei. Alle Noten, die es gibt. Eins, Zwei, Drei, Vier, Fünf und sogar eine Sechs.

Es gab Freude und Tränen. Es gab wildes Ausgeflippe und schon eine »Terrorwarnung«: Mustafa hat sich über seine Fünf so aufgeregt, dass er durchs Schulgebäude rannte und jedem mitteilte, dass es »Terror« geben wird. Am nächsten Tag hat er allerdings eingesehen, dass die schlechte Note nur ein Indiz für seine schlechte Vorbereitung war.

Gut, dass morgen der erste Teil vorbei ist, wenn auch die letzten Schüler meiner Klasse ihre erste Prüfung abgelegt haben. Keiner von ihnen hat das Angebot angenommen, seinen Vortrag mal vorab in meinen Stunden zu halten. Keiner wollte mir seine Medien zeigen. Niemand hat mich um Rat gefragt. Immer: »Wird schon, kein Problem, easy, wir machen das schon.«

Und jetzt haben sie die Quittung dafür bekommen. Vielleicht reichen drei Tage »intensiven« Arbeitens – das sich wahrscheinlich auf intensives »aus Wikipedia abschreiben und nichts verstehen« beschränkt – doch nicht aus.

Zwei Mädchen bekamen eine schlechte Note, weil ihre Plakate zu viele Rechtschreibfehler hatten. Völlig unnötig so was. Aber was will man machen?

Bilal meinte noch morgens vor der Prüfung zu mir: »Frau Freitag, ich habe die ganze Nacht gelernt, glauben Sie mir?« Und ja, ich glaube ihm so was von. Wenn man sechs Wochen Zeit hatte und nichts gemacht hat, am Vorabend Fußball guckt, sich stundenlang darüber bei Facebook auslässt und dann plötzlich merkt, dass man am nächsten Tag eine Prüfung hat, dann würde wohl jeder die ganze Nacht lernen.

In den Osterferien gibt es kostenlose Nachhilfestunden in der Stadtbibliothek um die Ecke – zur Vorbereitung auf die anderen Prüfungen. Ich bin gespannt, wer daran Interesse hat. Ich höre allerdings schon: »Brauch ich nicht. In den Ferien lernen? – Niiiemaaals!!!!«

Und das Schärfste: Mariella. Mariella, die ursprünglich nicht zugelassen wurde, weil sie den Antrag auf die Teilnahme an der Prüfung zu spät abgegeben hatte. Letztendlich wurde sie doch zugelassen und darf die Prüfung sogar später als die anderen Schüler machen. Neulich sagt sie doch tatsächlich zu mir, dass sie das Schuljahr lieber noch mal wiederholen möchte, weil ihre Noten wahrscheinlich zu schlecht sind. Im Klartext: Ich habe keinen Bock, mich noch ein wenig anzustrengen. Und dann sehe ich sie fröhlich Tischtennis spielen – während der Mathestunde.

»Das darf doch jetzt nicht wahr sein! Erst machst du so einen Larry und heulst rum, dass du uuunbedingt an der Prüfung teilnehmen willst, und jetzt darfst du und gehst nicht mal in den Unterricht? Ich glaub, ich spinne!« Sie guckt mich leicht schuldbewusst an: »Jetzt lohnt es sich aber nicht mehr, zu Mathe zu gehen, klingelt ja in zwanzig Minuten.«

Die Prüfungen am nächsten Tag sind ein einziges Desaster.

»Wie, wir können kein Internet benutzen in der Prüfung?«

Herr Schwarz, der Prüfer: »Ich hatte euch doch gesagt, dass ihr die Videos runterladen sollt. Warum habt ihr das nicht gemacht?«

»Na, weil wir dachten, hier ist Internet.«

Die Schlussfolgerung liegt dann ja auf der Hand: »Was können wir dafür, dass dort kein Internet ist? Sonst hätten wir auch keine Fünf gemacht.«

Oder Justin: »Ja, ich habe ein gutes Gefühl. Wird bestimmt eine gute Note.« Ich bin extra noch länger in der Schule geblieben, um sein Ergebnis zu erfahren. Wir warten gemeinsam darauf. »Ich musste gestern alles noch mal umstellen. Hat voll lange gedauert«, sagt er. Das klingt nicht gut. Die Prüfer kommen raus und teilen ihm mit, dass er eine Fünf hat.

»Der wusste wirklich gaaar nichts. Und in der Prüfung klingelte auch noch sein Handy.«

Eigentlich sollte ich mich weder wundern noch ärgern. Genau die Schüler, die auch nicht die notwendigen Zeugnisnoten für den Realschulabschluss bekommen werden, haben die Fünfen und die Sechs in den Prüfungen gemacht.

Ich will das da,
was der Hund hat

»Frau Freitag, wissen Sie, was ich gerne erleben würde? Wenn die Simpsons-Dinger wachsen würden.«

Dschinges zeichnet seit mehreren Stunden einen riesigen Bart Simpson auf eine Leinwand.

»Du meinst, wenn sie älter werden würden?«

»Ja, wenn Maggie mal sprechen würde. Was würde die sagen?«

»Es gibt diese eine Folge, in der Homers Bruder eine Maschine baut, mit der man die Babysprache übersetzen kann. Und dann hören alle ganz gespannt zu, was Maggie sagt.«

Dschinges guckt von seiner Leinwand hoch. »Und was sagt sie?«

»Sie sagt: Ich will das da, was der Hund hat.«

Dschinges grinst. »Frau Freitag, meinen Sie, dass ich Abitur schaffen würde?« Nach dem Prüfungsdesaster fühle ich mich nicht gerade wie ein Motivationscoach. »Dschinges, ich halte dich für ziemlich schlau. Mach doch erst mal die Realschulprüfung, und dann sehen wir weiter.« Dschinges steckt das zweite Jahr in der 7. Klasse. Aber er ist wirklich schlau. Vielleicht aber etwas zu faul.

»Frau Freitag, auf Freitag freue ich mich immer am meisten. Ich stehe immer gerne um sieben auf, weil ich weiß, dass wir Kunst haben. Ich finde, Sie sind die beste Lehrerin.«

Ich will gerade anfangen, mich darüber zu freuen, da mischt sich Ahmet vom letzten Tisch ein: »Das sagt er jedem.« Etwas enttäuscht sortiere ich weiter die Millionen Blätter auf meinem Schreibtisch. Aber Dschinges lässt nicht locker. »Frau Freitag, bin ich Ihr Lieblingsschüler?« Ach, Lieblingsschüler … das waren noch Zeiten mit meinem letzten Lieblingsschüler. »Ach

Dschinges, Lieblingsschüler ...« Dann schweigen wir ein wenig, und Dschinges zeichnet konzentriert.

Irgendwann guckt er hoch: »Ich hoffe, dass ich irgendwann Ihr Lieblingsschüler bin.«

In der Pause gehe ich in den Mathevorbereitungsraum zu einem meiner Lieblingskollegen. Von dem lasse ich mich immer aufbauen. »Du, Rainer, diese eine Klasse, die mir zugeteilt wurde, die ich nun schon seit vier Jahren unterrichte, die hatte gestern Prüfungen, und die waren sooo extrem schlecht.«

Rainer guckt mich verwirrt an.

»Na, diese Klasse, die ich immer unterrichten und betreuen muss.«

»Meinst du DEINE Klasse?«

»Ja, verdammt, MEINE Klasse. Die waren sooo verdammt schlecht. Total schlechte Noten. Fast alle. Grauenhaft! Und ständig gingen die Türen der anderen Räume auf, und Schüler aus den anderen Klassen kamen raus: ›Eine Eins.‹ – ›Ich auch.‹ – ›Ich auch.‹ – ›Ich eine Zwei.‹ Und selbst die lernbehinderte Dilara aus der Schwalle-Klasse hat bestanden und sich dann auch noch über eine Drei geärgert. Aber meine ... schlimm, schlimm, schlimm.«

»Mensch, Frau Freitag, zieh dir das doch nicht an. Das ist doch nicht deine Schuld.«

»Doch.«

»Nein. Wo steht denn das? Wer sagt das denn? Die verlassen doch morgens nicht *dein* Haus. Hoffe ich jedenfalls.«

»Nein. Tun sie nicht. Aber trotzdem.«

Rainer baut mich wieder auf. Distanziert und gestärkt gehe ich in den Unterricht mit der anstrengenden 7. Klasse.

Ups

»Ich hatte vor, erst mal zu gucken, wie das ist mit der Real-schulprüfung. Aber ich habe ja so viel gefehlt, da konnte ich ja nicht so gut gucken.« Fatma sitzt neben mir. Ich diktiere ihr ihre Noten. Eigentlich war ihr Ziel die Mittlere Reife. Zurzeit sieht es nach einem Einfachen Hauptschulabschluss aus. Wenn sie sich sehr anstrengt, kann daraus eventuell noch der HS-Deluxe werden – der Erweiterte Hauptschulabschluss. Den gibt es, wenn man in fast allen Fächern noch eine Vier hat. In der Prüfung hat sie eine schlechte Vier gemacht, und ihre Zeugnisnoten sehen auch übel aus.

Fatma pinselt die Fünfen und Sechsen sowie die halbgaren Vieren in die Tabelle, die ich ihr hingeschoben habe. Unter der Tabelle ist eine Art Flow-Chart abgebildet. In jedem Kästchen steht eine Frage, wenn man die mit »Ja« beantwortet, wandert man nach unten, wenn man die mit »Nein« beantwortet, wandert man nach rechts.

Unten links steht »Übergang in die gymnasiale Oberstufe«, daneben »Realschulabschluss« und rechts »Erweiterter Haupt-schulabschluss« – und ganz am rechten Rand »Hauptschul-abschluss«.

Den Einfachen Hauptschulabschluss haben die Schüler be-reits mit dem Übergang in die 10. Klasse erhalten.

Fatma schreibt stoisch ihre schlechten Zensuren auf. Am Freitag nach ihrem Vortrag guckte sie mich noch ganz ungläu-big an, als ich ihr sagte, dass sie sich jetzt sehr anstrengen müsse, um noch den »Erweiterten« zu bekommen. Sie rech-nete immer noch mit dem Realschulabschluss.

»Also, wo waren wir, Fatma? Mathe: zwei Punkte. Physik: drei Punkte. Bio: vier Punkte.«

Dann gucken wir, wo noch was zu retten ist. Eigentlich

kann sie den Realschulabschluss knicken, aber das wird nie ein Schüler von mir hören. Das Äußerste in dieser Richtung war heute eine zaghafte Nachfrage meinerseits: »Meinst du, du kannst hier oben noch überall auf sieben Punkte kommen und hier unten auf mindestens vier?«

Spätestens heute haben sich einige meiner Schüler innerlich davon verabschiedet, es bis zum Juni noch zu schaffen, von mehreren Fünfen und Sechsen auf lauter Dreien zu kommen.

Wir justieren also bei fast allen die Zielvorgaben. Endlich wird es mal realistisch. Eigentlich sieht es gar nicht so schlecht aus. Die meisten könnten noch einen Erweiterten Hauptschulabschluss schaffen. Auch die, bei denen der Realschulabschluss in Sicht ist, wissen genau, in welchen Fächern sie noch mal reinhauen müssen.

Dann kommt Abdul. Ich sage ihm seine Noten, er schreibt sie auf. Dann lasse ich ihn die Fragen in dem Diagramm vorlesen.

Im ersten Kästchen steht: »Ich habe in Deutsch oder Mathe mindestens fünf Punkte.«

Abdul guckt auf seine Noten: »Deutsch 4 Punkte und Mathe 3 Punkte.«

»Dann darfst du jetzt nicht nach unten wandern, sondern musst nach rechts.« Abdul zeichnet mit seinem Finger die Linie nach. Die geht ganz an den Rand der Seite und dann steil nach unten. Unten steht: »Einfacher Hauptschulabschluss«.

»Ups.« Abdul guckt mich verwirrt an.

»Tja, kannst du mal sehen.«

Stille.

»Äh?«

»Na, Abdul, ohne eine Vier, also fünf Punkte in Deutsch oder Mathe, kriegst du keinen Erweiterten. Aber träumen wir mal. Nehmen wir mal an, dass du es irgendwie schaffst, in

Deutsch doch noch einen Punkt zu ergattern. Ihr schreibt ja übermorgen noch eine Arbeit. Dann kannst du ja mal gucken, was dir sonst noch fehlt.«

Wir umkringeln einzelne Fächer, schreiben die fehlenden Punkte darüber, und Abdul murmelt das schülertypische: »Schaff ich … in Erdkunde, locker, Bio … nur einen Punkt … schaff ich, geht schon. Kein Problem.«

Am Ende der Stunde zähle ich ihnen noch mal auf, wie viele Montage, Dienstage, Mittwoche, Donnerstage und Freitage es noch bis zur endgültigen Zensurenabgabe sind, verabschiede mich mit meinem üblichen »Geht zum Unterricht, und lernt was!« In meinen Freistunden checke ich auf dem Hof und in der Cafeteria, ob jemand schwänzt. Aber alle sind im Unterricht.

Frau Merkel

»Aber so viel verdient man doch als Lehrer auch nicht, oder?«, fragt Abdul. Mein Gehalt interessiert die Schüler unheimlich. Und ich bin immer sofort dabei: »Also brutto und netto – den Unterschied kennst du, oder?«

»Brutto ist das, was übrigbleibt, oder?«

»Genau umgekehrt. Also pass mal auf.« Ich schreibe meinen Bruttolohn an die Tafel. Irgendwas mit 4.500 Euro oder so.

»Echt? So viel?« Abdul ist überrascht. »Ist ja mehr, als ich dachte. Aber Sie haben doch studiert. Da könnten Sie doch auch noch mehr verdienen.«

Ich wische gerade die Tische ab und bücke mich immer wieder, um irgendwelche Papierfetzen und Taschentücher vom Boden aufzuheben. Abdul latscht mir hinterher.

»Ja, klar. Es gibt viele Berufe, in denen man mehr verdient.«

»In welchem Beruf verdient man eigentlich am meisten?«, fragt Bilal.

»Frau Merkel«, sagt Funda.

»Nee, Funda, ich glaube, so viel verdient die gar nicht. Das ist weniger, als man denkt. Aber natürlich mehr als ich. Ich denke mal, der Chef von der Deutschen Bank verdient am besten.«

Abdul ist immer noch an meinem Werdegang interessiert: »Aber warum haben Sie dann nicht was anderes studiert? Irgendwas, wo man mehr Geld verdient.«

»Weißt du, Abdul, Geld ist auch nicht alles. Der Beruf muss einem doch auch Spaß machen. Und mir macht Lehrersein halt Spaß.«

»Und Sie sind Beamtin«, sagt Abdul.

»Nein, bin ich nicht. Ich bin Angestellte.«

»Was? Sie sind nicht Beamtin? Beamte darf man ja nicht beleidigen. Das ist dann Beamtenbeleidigung.«

»Ja, ja, mich darfst du beleidigen.«

Ich schließe die Tür ab und begebe mich Richtung Lehrerzimmer. Abdul neben mir. Herr Werner kommt aus einem Raum und schließt die Tür ab.

»Guck mal, Abdul, Herr Werner ist Beamter. Den darfst du nicht beleidigen.«

»Ja, Herr Werner, genau, das wäre dann nämlich Beamtenbeleidigung.«

Dialog in meiner Klasse

»Sieg Heil.«

Ich: »Justin, was soll das? So was will ich hier nicht hören!«

Miriam: »Wieso? Wer ist denn Sieg Heil?«

Obama got Osama

»Frau Freitag, haben Sie gehört, dieser Bin Laden ist tot.«

»Ja, habe ich gehört.« Endlich. Genau für solche Fälle tue ich mir meine tägliche Ration Frühstücksfernsehen an. Es könnte ja was Weltbewegendes passiert sein.

Erste Stunde mit meiner Klasse. Eigentlich sollen sie Hausaufgaben machen oder lernen, aber sie sitzen und quatschen. Ich übe mich in engagierter Gelassenheit.

»Hat jemand die Unterschriften für den Elternabend dabei?«

»Welche Unterschriften? Welcher Elternabend?«

»Habt ihr an das Geld für den Fotografen gedacht? Das müsst ihr heute abgeben.« Der Fotograf kommt jedes Jahr und fotografiert die Klassen. Die Schüler bekommen die Bilder, und wenn sie sie behalten wollen, dann müssen sie die bezahlen.

»Oh, habe ich vergessen.«

»Ich auch.«

»Welches Geld? Welcher Fotograf?«

Engagierte Gelassenheit! Fragen, Antwort abwarten, keine Emotionen ausschütten. Dann gibt es eben keine Unterschriften und kein Geld. Emotionslos lebt es sich echt besser.

Ich miste meine Regale aus und schalte mich ab und zu in die Unterhaltungen ein.

»Wisst ihr denn, wer Osama Bin Laden war?«

»Ja, der hat doch letztes Jahr diesen Terroranschlag gemacht.«

»Letztes Jahr?«

»Mann, das war 2001, du Spastenkind.«

Das habe nicht ich gesagt. Gedacht vielleicht schon. Engagierte Gelassenheit heißt auch, dass man nicht jeden Schwachsinn sofort beantwortet, sondern erst mal abwartet, ob nicht irgendein Schüler mal was weiß.

»Frau Freitag, haben die den einfach so umgebracht?«, fragt Elif.

»Ja, ich glaube schon.«

»Kopfgeld«, stellt Abdul trocken fest.

»Nein, Abdul, das war so ein Sondereinsatzkommando von den Amerikanern.«

»Aber Kopfgeld.«

»Nein, die bekommen höchstens Orden oder so was.«

»Aber Frau Freitag, woher wissen die denn, dass es Bin Laden war mit den Türmen?«

Ich erkläre, dass er der Chef von al-Qaida war.

Marcella: »Ich glaube, dass das die Amis selbst waren, denn die Explosion kam ja von unten … Blablabla, Verschwörungstheoriebla … *Galileo* hat gezeigt, dass die Türme von unten … blablabla.«

»Nein, also das waren ganz bestimmt nicht die Amis. Erstens, warum sollten sie das tun, damit zeigen sie sich doch als ganz schwach, und außerdem sind da ja offensichtlich zwei Flugzeuge reingeflogen.«

»Ja, und letztes Jahr hat man gesagt, dass das Palästinenser waren«, sagt Abdul.

»Hä, Palästinenser? Also, man weiß doch, wer die Flugzeuge gekidnappt hat. Das war doch unter anderem dieser Mohammed Atta, und der war doch Ägypter«, sage ich und bin kurz davor, meine engagierte Gelassenheit zu vergessen.

Elif ist verwirrt: »Also doch nicht Osama Bin Laden?«

»Nein, der hatte denen aber den Auftrag gegeben.«

»Höhö, der war Auftraggeber«, kichert Abdul.

»Ja, sozusagen.«

Ich räume weiter auf. Die Hälfte meines Regals sieht schon

super aus.

»Aber warum haben die ihn nicht nach seinen Gründen gefragt?«, will Asmaa noch wissen.

»Wen?«

»Diesen Bin Laden. Warum haben sie nicht nach seinen Gründen gefragt?«

»Gründen? Ach, du meinst seine Beweggründe. Na, das brauchte man doch nicht mehr zu fragen, das wusste man doch schon alles: Hass auf die westliche Welt.«

»Frau Freitag, können wir nicht Hansapark gehen, oder Phantasialand?«, schreit Funda durch den ganzen Raum. HANSAPARK?! PHANTASIALAND?! Ich arbeite doch die ganze Woche im Phantasialand.

»Och nö, Kinder, ich will nicht noch mal in so einen Park. Wir waren doch schon im Heidepark.«

»Aber Hansapark ist viel geiler«, informiert uns Funda.

»Wer sagt das?«, fragt Marcella.

»*Galileo.*«

Engagierte Gelassenheit. Es klingelt sowieso gleich.

Bin Laden in der Yucca-Palme

»Frau Freitag, Bin Laden ist nicht tot«, sagt Abdul.

Warum wundert mich das jetzt nicht?

»Oh, ist er nicht, ja? Verschwöööörungstheorie, hu, oder was jetzt?«

Abdul grinst. Ich warte auf die »Fakten«, die wahrscheinlich seit gestern Abend im Kinder-Facebook kursieren.

»Ach, Abdul, ja, Bin Laden lebt und Tupac auch, und den Weihnachtsmann gibt es ebenfalls.«

»Nein, aber wirklich jetzt, Frau Freitag«, mischt sich Asmaa ein. Asmaa, die noch am Vortag ganz erschüttert war, dass man Bin Laden nicht nach seinen »Gründen« gefragt hat. »Der ist nicht tot. Wo sind denn Fotos?«

»Was für Fotos?«

»Na, Fotos. Warum hat man keine Fotos gemacht? Wenn er wirklich tot ist, warum haben die Amis ihn dann einfach weggeschmissen?«

»Okay, also angenommen, er ist nicht tot. Wo ist er denn jetzt? Wenn er nicht tot wäre, dann würde er sich doch melden und eine Videobotschaft verschicken mit einer aktuellen Tageszeitung, dass man sieht, dass er noch lebt.«

»Videobotschaft. Höhö.« Abdul grinst. In seinem Hirn rattert es.

»Ja, Abdul. Heute Abend hat Bin Laden seinen eigenen YouTube-Channel *Bin Laden TV*.«

»Nein, aber wirklich jetzt, Frau Freitag, das steht auch in der Zeitung.«

»In welcher Zeitung?«

»Also in der *Bildzei …*«

»*BILD*? ABDUL, DU WILLST MIR DOCH JETZT NICHT DIE *BILDZEITUNG* ALS SERIÖSE QUELLE UNTERJUBELN, ODER?«

»Die haben bestimmt DNA genommen, bevor sie ihn ins Meer getan haben«, sagt Ronnie.

»Ja, und ich glaube, wir werden auch noch Fotos sehen«, sage ich.

Abdul und Asmaa sind nicht überzeugt. Gestern noch nicht mal wissen, wer Bin Laden ist, aber heute darauf bestehen, dass er noch lebt. Ich liebe meine Schüler. Und Teenager sind ja immer für Verschwörungstheorien zu haben. Für die werden die ja gemacht. *Bin Laden TV* auf YouTube hätte allerdings wirklich was: »Ätschibätsch, *I'm still alive. Alive and kicking*!«

»Frau Freitag, haben Sie schon mal Gläserrücken gemacht?«, fragt Ronnie.

Süß. Jetzt kommt das auch noch. Weil ich nicht sofort reagiere, wendet er sich an Peter. Ich höre was von »Todesdatum« und »Stimmen aus dem Jenseits«.

Ich sehe mich mit meinen Freundinnen Stefanie und Ela bei Petra im Kinderzimmer, mit Kerzen und unter unglaublichem Gekicher, wie wir immer wieder mit monotoner Stimme »Schwiegermutter erscheine« chanten. Bis plötzlich Petras Vater in der Tür steht und wir alle vor Schreck loskreischen.

Ich höre mich altklug fragen: »Glaubst du an Geister, Ronnie?« Hundertprozentig bejahen will er die Frage nicht, druckst rum, besteht allerdings darauf, dass man niemals nach seinem Todesdatum fragen darf.

Die Stunde ist fast rum. »Ach, apropos Geister, hat jemand heute die Unterschriften für den Elternabend oder das Geld für den Fotografen dabei?« Ich bekomme eine Unterschrift.

Plötzlich geht die Tür auf. »Fatma, guten Morgen. Wo kommst du denn jetzt her?«

»Ich war Postbank, wegen Jobcenter.«

»???«

»Na, wegen Jobcenter. Die schicken doch immer so Zettel, mit Ausbildungsplätze.«

»Echt? Na, ist doch super. Hast du dich schon beworben?«

»Nein. Ich wiederhole doch.«

»Ach so. Und was hat jetzt die Postbank damit zu tun?«

»Na, ich muss dann immer schreiben, dass ich den Ausbildungsplatz nicht will. Und das muss ich zur Post bringen.«

»IN DER SCHULZEIT?«

»*Abo*, ja! Wissen Sie, wie voll Postbank am Nachmittag ist?«

Unser Dorf

»Do you speak German or Turkish at home?«

»I speak Turkish with my mother and German with my bro-thers.«

Wir üben für die Englischprüfung. Ich führe mit Elif vor, wie der Anfang aussehen könnte. Meine Klasse ist so schlecht, dass sie wahrscheinlich alles auswendig lernen müssen, und Mustafa wird dann trotzdem in der Prüfung peinlich berührt grinsen, seinen Kopf auf den Tisch legen und entschuldigend sagen: »Mann, Frau Freitag, ich kann kein Englisch.«

»And, Elif, is your Turkish better than your German?«

»Nooo! German is better.«

Elif: Kopftuch, Hello-Kitty-Galore und immer bis zum An-schlag geschminkt.

»So do you feel more German or Turkish?«

»German.«

»And what about you, Abdul, how about your Arabic? Better than your German?«

»No way!«

»Abdul, tell us about the place your parents come from.«

»It's a village.« Er stoppt, guckt mich an, grinst. »Frau Frei-tag, aber jetzt nicht so Dorf wie …«

»English, please!«

»It is not little village like you think.«

»It is big village?« Sprachliche Vereinfachungen meinerseits dienen der Aufrechterhaltung der Kommunikation.

»No, is not big village but every people have house. Big house and all peoples works. Da gib's W-Lan!«

Trotz der Beschreibung von lauter Einfamilienhäusern im Libanon sehe ich Tumbleweed durch die Wüste rollen, Schafe und Beduinen. Irgendwie scheint Abdul das zu merken.

»Ist nicht Dorf, wie Sie denken, Frau Freitag. Alle haben Häuser.«

»Und ihr habt das größte Haus, oder?«

»Ja. Meine Familie ist die größte Familie dort.«

»*And your cousins, do they speak any German?*«

»*No.*«

»*So you speak Arabic with them. Do they laugh about you?*«

»*No. It is normally for them.*« *Normally* – das lieben die Schüler.

Ich frage, ob er denn auch auf Arabisch schreiben kann. Er klärt uns auf, dass man ja von rechts nach links schreibt – »Wie die Japaner.«

Insgesamt erfahren wir viel über türkische Dörfer, syrische Grenzgebiete und wie man von Deutschland nach Sizilien kommt.

Dort im Dorf gäbe es einen Raum, wo man alles über die Mafia erfahren kann. Den Part habe ich nicht ganz verstanden, aber ich frage auch lieber nicht so genau nach.

Ich bekomme Fernweh. Ich will auch meine Oma im Libanon besuchen. Ich will gutes türkisches Essen, das mir ständig gereicht wird, wenn ich einmal im Jahr in »unser Dorf« komme. Ich will mit meinen tausend Cousins im Meer spielen oder auf dem Dorfplatz – die wenigsten Schüler haben »unser Dorf« am Meer. Können die Schüler mich nicht mal mitnehmen? Ich wäre auch voll höflich und nett und immer Schuhe aus und so. Und ich würde auch mitbeten. Täte meiner Wirbelsäule gut. Ist ja wie ein halber Sonnengruß.

Ach, die haben es schon gut. Ronnie, Peter und ich gucken ganz neidisch. »Jetzt müssen Sie aber Peter auch fragen, wo seine Familie herkommt«, sagt Abdul.

Und dann erzählt uns Peter, wie ungern er in Deutschland lebt und dass er unbedingt auswandern will. Wir sind alle baff.

Wohin denn?«

»*Great Britain or America.*« Und das alles in herrlichstem Englisch.

Penis

Ach, der Dschinges, erst ist er krank, dann sind zwei Wochen Ferien, und heute steht er wieder vor mir. Ich sitze an meinem Pult und sortiere irgendwelche Zettel von links nach rechts, als ich seine Stimme höre. »Frau Freitag! Ich hab Sie sooo vermisst.«

»Hm, ich dich auch«, murmele ich, ohne aufzusehen. Das mache ich oft. Aber zu viel Multitasking ist irgendwie unhöflich, also gucke ich hoch. Und kriege voll Augenschock. Dschinges steht vor mir – dunkelbraun!

»Was ist denn …?«, frage ich.

»Selbstbräuner«, flüstert er und fügt ein leises »Sieht schlimm aus, oder?« hinzu.

»Na ja, schlimm. Ach, nö, na ja, eigentlich sieht es ganz süß aus.« Ich kann mir ein Grinsen nicht verkneifen. »Was sagt denn Herr Werner dazu?« Sein Klassenlehrer hat sich ja wahrscheinlich auch schon schlapp gelacht über Dschinges' neuen Teint.

»Der hat mich nur gefragt, warum ich eine dicke Wolljacke anhabe, obwohl es doch heute so warm ist.« Während er redet, schiebt er den Ärmel hoch, so dass ich seinen Arm sehen kann. Der ist viel heller als sein Gesicht.

»Äh, Dschinges, was ist denn mit dem Arm? Hast du da nichts draufgemacht?«

»Doch, einmal. Und so sah das dann auch im Gesicht aus. Und dann habe ich es aber noch mal im Gesicht raufgesprüht und bin dann ins Bett gegangen. Als ich heute Morgen in den Spiegel geguckt habe, hab ich voll Schock bekommen.«

»Er hat sich das auch in die Haare gesprüht«, schreit Dirk von hinten. Dschinges ist das alles sehr peinlich, er ist ungewöhnlich still.

»Lasst uns anfangen. Setzt euch jetzt mal hin.«

Ich erkläre die Aufgabe, es soll um Schrift im weitesten Sinne und um eine simple Graffitischrift im engeren Sinne gehen. Alle sitzen mit Zeichenvorlagen an ihrem Platz. Yunus ist zum ersten Mal in meinem Unterricht. Nein, stimmt nicht, im ersten Halbjahr hat er auch schon an zwei Stunden teilgenommen. Wollen wir mal nicht so pingelig sein. Jetzt sitzt er ja da und zeichnet friedlich vor sich hin. Irgendwann will er mir sein Zwischenergebnis zeigen. Ich hatte gesagt, dass sie erst mal ihren Namen schreiben sollen. Yunus hält stolz sein Blatt hoch, und da steht in krepliger Graffitischrift: PENIS.

»Was soll das denn?«, frage ich genervt.

»Wieso, ist doch ein ganz normales Wort.« Yunus grinst scheinheilig.

Ich widme mich wieder meinen Zetteln und sage, ohne ihn anzusehen: »Schreib mal was anderes.«

Am Ende der Stunde überreicht er mir mit einem fiesen Grinsen ein weiteres Blatt. Darauf steht: VAGINA.

Gut für Ehe

Die Zukunft. Meine Zukunft – ich werde wohl bis an mein Lebensende Lehrerin sein, es sei denn, man kommt mir auf die Schliche und schmeißt mich wegen mangelhafter Vorbereitung aus dem Dienst. Die Zukunft meiner Klasse fängt im September an. Dann ist Schluss mit lustig. Raus aus dem warmgepupten

Klassenzimmer. Abnabelung ist dann angesagt. Keine Frau Freitag mehr, die sie an jeden Scheiß tausendmal erinnert und ihnen noch nachts auf Facebook sagt, welche Hausaufgabe sie auf gar keinen Fall vergessen dürfen. Reaktion: »Äh, welche Hausaufgabe?«

In ein paar Monaten werden sie ausgespuckt. Das soziale Netz wird sie wohl weich fallen lassen, aber auch dort gibt es immer mehr Löcher.

»Wenn man nicht zu Termin von Jobcenter geht, ziehen sie Geld ab«, erzählt mir Elif mit großem Entsetzen.

»Echt? Gibt's ja gar nicht.«

»Ach, Frau Freitag, lassen Sie mal. Von Jobcenter haben Sie keine Ahnung.«

Wenig Ahnung habe ich auch von den ganzen Maßnahmen, an denen sie teilnehmen, und von den weiterführenden Schulen, auf die sie alle nach der 10. Klasse gehen könnten. Aber wenigstens weiß ich, dass man dort nur genommen wird, wenn man sich da auch anmeldet. Und das tun meine Schüler nicht. Einige jedenfalls nicht. Aber Frau Freitag lässt nicht locker. Von hinten schleicht sie sich an den heiteren Quasseltisch ran. Dort sitzen Elif, Miriam, Fatma und Hodda.

Wenn ich vorne stehe und laut frage, wie sie sich ihre Zukunft vorstellen, klappt das irgendwie nicht so gut. Das habe ich schon so oft probiert. Also muss jetzt mal eine andere Taktik her: »Aktives Zuhören auf Augenhöhe«. Ich ziehe mir einen Stuhl an den Mädchentisch und setze mich. Jetzt sehe ich aus wie eine von ihnen. Also nicht so sehr von den Klamotten und dem Make-up, aber von der Größe her. Zurzeit ist in der Moslem-Modeszene angesagt, unter dem Kopftuch einen Riesenalarm mit Dutt, Tüchern und so was zu machen, so dass sich das Tuch wie ein riesiger Ballon um und über den Kopf bauscht. Manchmal muss ich diese Türme einfach anfassen: »Ist das alles Gehirn, oder ist dein Schädel angeschwollen?«

Auf den Tischen türmen sich Handtaschen. Seit vier Jahren legen die Mädchen in jeder Stunde ihre blöden Täschchen auf die Arbeitsfläche, obwohl wir an jedem Tisch Haken haben. Auch beim Schreiben werden die Taschen nicht weggepackt. Der Anblick von Arbeitsblättern und Büchern zwischen lauter Handtaschen ist schwer zu ertragen. Die Tische sind ohnehin schon sehr schmal, und dann liegen die Blätter und Bücher auch noch schief. Schief liegen – eine Todsünde. Diese Handtaschen sind mir ein Dorn im Auge. Ganz schlimm sind die weißen. Die tun so, als seien sie aus Leder, aber alles Plastik, *vallah*. Schwarz ist auch nicht besser. Hautfarbe geht gar nicht. Aber direkt aus der ästhetischen Vorhölle kommen die Teile, die überall so halbrunde Kugelnieten haben. Diese Morgensternbeutel. In Schwarz – und die Krönung des Augenkrebses: in Weiß. Ich stelle mir immer vor, wie die Mädchen damit ausholen und ihren Kontrahentinnen die Plastikteile über den Kopf ziehen. Platzwunden gäbe es auf jeden Fall.

Könntet ihr mal die Taschen runternehmen? denke ich reflexhaft, sage aber nichts. Nicht gleich die Beziehungsebene zerstören. Dieses kleine zarte Pflänzchen – die gute Beziehung zu den Schülern –, dieses scheue, einsame Tier.

»Na, ihr Süßen, wie sieht es bei euch aus? Ihr habt es gut. Bald ist für euch die Schule vorbei. Ich muss für immer hier bleiben, aber ihr, ihr könnt dann raus ins Leben. Action, Abenteuer, *the sky is the limit*.«

Keine Reaktion. Elif guckt mich fast ängstlich an. Ich warte. Keine sagt was. Miriam guckt auf den Boden. Zu ihrer hässlichen Tasche.

»Mensch, Mädchens, nun guckt doch nicht so traurig. Was

habt ihr denn so geplant? Was soll denn im September passieren?«

»Ich will Schule wiederholen«, sagt Fatma.

»Aber doch nicht hier, oder?«, frage ich etwas zu entsetzt. »Guck mal, Fatma, die werden dich hier bestimmt nicht nehmen. Was ist denn dein Plan B? Du solltest dich wirklich auch noch an einem Oberstufenzentrum bewerben.«

»Will ich aber nicht.«

»Hm, schlecht. Und ihr? Was wollt ihr denn machen?«

»Weiß nicht.«

»Keine Ahnung.«

»Oh Mann, Kinder, das darf doch nicht wahr sein! Ihr müsst euch doch mal um eure Zukunft kümmern. Ihr müsst euch irgendwo bewerben.« Da ist sie wieder, meine alte Leier.

»Ich dachte, vielleicht mache ich OSZ Mode, da kann ich Nähen lernen«, flüstert Elif. Ich will sie gerade für diesen tollen Plan loben, da schiebt sie noch hinterher: »… ist auch gut für Ehe.«

GUT FÜR EHE? Mir platzt fast der Kragen. Aus und vorbei mit der vorsichtigen Beziehungsarbeit. Sofort nehme ich einen sarkastischen Ton an: »EHE. GUT FÜR EHE? SUPER! Kannst doch gleich heiraten, dann bleibst du zu Hause, bekommst jedes Jahr ein Kind und kochst, dann musst du auch gar nicht mehr rausgehen.« Ich bin so in Fahrt, dass ich gar nicht merke, wie sich Elif gerade hinsetzt und ein sehr unzufriedenes Gesicht macht.

»Nein, das will ich ja gar nicht«, sagt sie. »Aber wer nimmt mich denn mit Kopftuch?«

Mein linkes Auge tränt schon seit vier Stunden, dieser Hurensohn

Kinder-Facebook ist und bleibt eine lyrische Fundgrube. Der Eurovision Song Contest ist vorbei, gewonnen hat Aserbaidschan mit einem kitschigen Duett. Ich stöbere im Kinder-Facebook nach Meinungen der Schüler.

Elif: ich wette Mariella hat Lebensfreude
    Miriam: wie kommst du drauf?
    Elif: weil sie azerbaijanerin ist
    Miriam: assoo hehe
    Elif: ☺

Mehr Kommentare zum Grand Prix finde ich nicht. Aber ich kann mich an den Statuseinträgen der Schüler gar nicht sattsehen. Hier eine kleine Kostprobe:

Asmaa: diese band blue sing für england … in der grundschule war ich yaa son freakk von denen … oh mannn
    Ibrahim: Auf gehts Mathe zerstören ☺

Verbotener Handyeinsatz in der Schule! Aber Ibrahim muss wohl stündlich mitteilen, was er gerade macht.

    Blutdruck-Yusuf: Gesangsunterricht fickt arsch mann … stimme wird abgefuckt und heisa

Wenigstens nimmt er Unterricht!

    Samira: monnttaaaaaaaggg wiiieeedddaa schulllleee ❤ ❤ ❤

Samira nach längerer Krankheit.

    Hodda: Boaaaaaaaaaaaaaaa wie ich mir dieses Wochenende soooo hart verdient habe!!!!
    Oli: Ich verreck vor Schmerzen ☹
    Asmaa: Message from your heart ✳ ☺ sehr schwer ☹
    Fatma: Kämpfe um das, was Dich weiterbringt, Akzeptiere

das, was Du nicht ändern kannst & trenne Dich von dem, was Dich runter zieht!!!

Ist Fatma jetzt bei den Anonymen Alkoholikern?

Elda: Freunde sind die Familie, die wir uns aussuchen

Auf solche Weisheiten stehen die Schüler.

Ahmet: Mein linkes Auge tränzt schon seit 4 Stunden dieser Hurensohn

Marina: Finde einen Menschen der dein Leben verändert nicht deinen Beziehungsstatus..!! ☺☺ (hab ich mir geliehen) ☺

Wenigstens ehrlich.

Blutdruck-Yusuf: habt ihr schon das neueste gehört: us-soldaten haben angeblich xxx-videos bei osamas versteck gefunden

War ja klar, dass so was beim Kinder-Facebook auftaucht. Es folgt eine endlose Fragerei, was denn XXX-Videos sind.

Elif: ❤

Dass Schüler sich verlieben, kommt vor.

Asmaa: Wer seiinee Hand voR eiineeR Frau erhebT, hat diieSee Hand niichT veRdiienT..!

Mimi: hat sehr starke Kopfschmerzen ☹

Diese Schülerin hat immer irgendwas. Und teilt das alle zehn Minuten dem Internet mit.

Mimi: habe sehr langweile ☹

Diesen Zustand kenne ich sehr genau!

Dann können wir Firma machen

»Bald ist ja Anmeldeschluss bei den Oberstufenzentren.« Keiner sagt was. Alle Zehntklässler sitzen über ihre Blätter gebeugt und zeichnen lachende Blumen. Niemand will sich unterhalten, aber ich langweile mich. Meinen Papierkram habe ich erledigt, zum Schränkeaufräumen habe ich keine Lust, und die Stunde dauert noch mindestens fünfundzwanzig Minuten.

»Thoja, was willst du denn eigentlich nach der Schule machen?« Thoja ist zum Glück nicht in meiner Klasse. Sie wiederholt das zehnte Schuljahr in der Hoffnung, doch noch den Realschulabschluss zu ergattern. Leider ist sie eine Anhängerin des sporadischen Schulbesuchs. Ich habe ihre Noten schon gesehen und weiß, dass sie es auch dieses Jahr nicht schaffen wird. »Ich geh Handel. Mein Freund macht ja auch mit Handel und so. Dann können wir Firma machen.«

»Was für eine Firma?«

»Na, so Firma. Vielleicht mit Autoteile und so.«

»Aber Thoja, interessieren dich denn Autoteile?« Keine Antwort ist auch eine Antwort. Trotzdem frage ich weiter: »Wenn du dir was aussuchen könntest, was würdest du denn für eine Firma haben wollen?«

»Klamotten«, antwortet sie, ohne lange nachzudenken. Wahrscheinlich wird sie Verkäuferin bei H&M. Oder sie eröffnet eine eigene H&M-Filiale.

»Eigentlich wollte ich ja Designerin werden«, sagt Thoja.

»Warum gehst du dann nicht Hauptstraße?«, fragt Selina. In der Hauptstraße befindet sich das Oberstufenzentrum für Bekleidung.

»*Abo*, Hauptstraße ist voll Schrott. Ich kenne Leute, die Hauptstraße gehen. Die lernen da nur Nähen. Ich will ja Designerin werden.« Den Rest dieser Konversation erspare ich mir, den kenne ich schon von Fatma, die ja nach eigener Aussage auch »Diseinerin« werden will, aber meint, dass es nicht nötig ist, dafür Nähen zu lernen. Also wende ich mich Mustafa zu. Der ist in meiner Klasse, und es interessiert mich wirklich, ob er sich jetzt endlich mal mit seiner Zukunft auseinandergesetzt hat.

»Musti, was ist mit dir? Was machst du im September?«

»Mann, Frau Freitag«, stöhnt er, wie er es seit einem Drei-vierteljahr tut. Dann grinst er verlegen und legt dramatisch den Kopf auf den Tisch. Aber diesmal lasse ich nicht locker. »Was, Mann, Frau Freitag? Was willst du denn werden?«

»Kein Plan.«

»Aber irgendwas musst du doch machen wollen.« Dranblei-ben, dranbleiben, dranbleiben. Musti kichert nur, denn alle starren ihn an. Ich beiße mich tiefer in seine Waden. »Mustafa, guck mal, du musst einfach überlegen, was dir Spaß machen würde.«

»Feuerwehr.«

»Ich geh zur Post«, mischt sich Fabian ein.

»Super, Post ist gut. Post ist sehr gut.« Fabian lächelt glück-lich.

»Haben die dich echt angenommen, ja?«

»Ich geb heute Bewerbung ab.«

»Na, viel Glück, die nehmen dich bestimmt«, sage ich und wende mich wieder meinem Hauptopfer zu. »Musti, warum gehst du nicht zum Oberstufenzentrum für Gesundheit? Ich könnte mir dich gut vorstellen in so einem pflegenden Beruf. Krankenpfleger. Das wäre doch was für dich.«

»Ha, alte Leute und so. Musst du Arsch abwischen«, schreit Autoteile-Thoja vergnügt von hinten. Das war's dann wohl mit dieser Berufsrichtung.

In den letzten Minuten der Stunde versucht die gesamte Gruppe, Mustafas Zukunft zu planen. Ergebnis: offen. Ich bin sehr gespannt, was aus ihm wird. Er wahrscheinlich auch.

»Na, Musti, irgendwo musst du dich allerdings anmelden, sonst hast du im Herbst gar nichts«, versuche ich, das Thema abschließend zusammenzufassen. »Aber Frau Freitag, viel-leicht sterbe ich auch.« Logik???

»Ja, Musti, vielleicht stirbst du übermorgen, und wenn du dich morgen anmeldest, dann wäre das voll umsonst gewesen.«

Musti grinst. »Könnte ja sein. Frau Freitag, können Sie auch noch SEK werden, die von Helikopter runterkommen?«

Gülistans Handy

»IST DAS ETWA EIN HANDY?«

Ich glaub, es hackt. Gülistan sitzt seelenruhig in der vorletzten Bank und spielt mit ihrem Handy rum. In der SIEBTEN Klasse. Dass die Schüler meiner Klasse im Unterricht gern mal telefonieren (»Bin gleich fertig, Frau Freitag, Moment noch«), tut hier nichts zur Sache. In der Siebten geht keiner in der Stunde aufs Klo, niemand darf eine Mütze tragen, und Handys sind total verboten. Das wissen diese Schüler, nachdem wir uns nun schon fast ein Schuljahr lang gemeinsam durch mehrere Wochenstunden schlechten Unterrichts gequält haben. Je schlechter ich vorbereitet bin, umso strenger bin ich mit den Schülern.

»Gülistan, was hast du da?« Kamikazig stürze ich zu ihr. Panisch umklammert sie irgendetwas mit beiden Händen, versucht, sich dann auch noch auf die Hände zu setzen. Ich bin sicher, es ist ein Handy. Nichts beschützen die Schüler mit so viel Hingabe wie ihr Mobiltelefon.

Ah, ein metallisches Aufblitzen. Klarer Fall. Ein H A N D Y!

»Gülistan! Ich glaub, ich spinne! Gib mir sofort das Handy!« Keine Reaktion, aber ich spüre fünfundzwanzig Augenpaare gebannt auf mich gerichtet. Wird Gülistan das Handy hergeben? Wird Frau Freitag sich durchsetzen? Wer wird gewinnen? Endlich passiert mal etwas Aufregendes. Das sind nämlich die spannenden und lehrreichen Momente im Unterricht. Wen kümmert schon, wie man das *Simple Past* bildet und wann man das braucht? Brauch ich eh nicht, aber wenn sich Frau Freitag jetzt nicht durchsetzt, dann hole ich nächste Stunde auch mein Handy raus. Und dann behalte ich nächste Woche auch meine Mütze auf. Wenn sie jetzt nicht gewinnt, dann ist klar, wer der Stärkere ist. Sie jedenfalls nicht.

»Gib mir das Handy!«, sage ich etwas strenger. Es soll möglichst bestimmt klingen. Gülistan hat den Kopf gesenkt und umklammert immer noch ihr Telefon. Im Tierreich wäre das einfacher: schneller Nackenbiss, und gut wär's. Ich muss dieses blöde Ding kriegen. Ich werde es mir einfach schnell nehmen, denke ich. Aber schnell ist irgendwie relativ. Ich greife nach Gülistans Hand und erwarte, dass sie das Handy vor Schreck und vielleicht sogar vor Ehrfurcht oder so etwas wie Respekt loslässt. Aber nix da. Sie hält es noch fester. Na warte, kann ja wohl nicht sein, dass diese kleine, poplige Siebtklässlerin stärker ist als ich. Wir rangeln eine Ewigkeit. Ich möchte gar nicht wissen, wie peinlich das aussieht. Während ich noch versuche, ihre Finger einzeln aus der Handyumklammerung zu lösen, denke ich: Was machst du hier, Frau Freitag? Unwürdiger Auftritt, unwürdig und unerlaubt. Nicht die Schüler anfassen! Niemals! Und dieses Fingeraufbiegen geht schon weiter als normales Anfassen. Jetzt hat sie mich am Daumen gekratzt. Aua! Dieser verdammte Zeigefinger, ich habe ihn schon ein paar Millimeter weg, wenn ich den jetzt weiter biege, dann müsste sie doch loslassen. Ah, ich bin am Handy dran. Scheiße, was knirscht da so?

Nach einer unerträglichen Ewigkeit und hartem Gefecht sitze ich wieder an meinem Pult. In der Hosentasche ist das verdammte Handy von Gülistan. Die Klasse schweigt. Widmet sich wieder ihrer schriftlichen Aufgabe. Mein Daumen tut weh. Ich gucke zu Gülistan. Sie reibt sich ihren Zeigefinger.

Plötzlich fängt sie lautlos an zu weinen. Ich könnte auch heulen.

Was war das für eine unnötige Scheiße?

Sie guckt immer wieder zu mir und zeigt dann auf ihre Finger. Vanessa gibt ihr ein Taschentuch. Ich sitze auf meinem Stuhl und spüre das blöde Telefon an meiner linken Arschbacke. Wahrscheinlich ist das Display gesplittert. Billiger Elektroschrott, den die Schüler sich kaufen. Aber ich kann es unmöglich aus meiner Tasche holen und nachsehen. Ich will nicht, dass die anderen Schüler an unseren peinlichen Kampf erinnert werden.

Oh Mann, wie sie heult. Sie geht bestimmt zur Schulleitung und sagt, dass ich ihr die Finger gebrochen habe. Dann zum Arzt, der schwere Prellungen feststellt, und dann gleich noch zur Polizei, wo sie mich wegen Körperverletzung anzeigt. Und das alles, weil … ja, warum eigentlich? Weil ich das Handyverbot an unserer Schule – es gilt den ganzen Tag, auch in den Pausen –, das ich ja nicht mal aufgestellt habe, durchsetzen wollte. Hätte ich gar nichts gemacht, wäre jetzt auch gar nichts passiert. Ich hätte genauso gut, wie schon oft, so tun können, als sähe ich das Handy gar nicht. Aber es ist nun mal passiert. Kurz vor dem Klingeln sage ich: »Gülistan, du bleibst bitte noch mal hier.«

Als alle weg sind, sitzt sie mir gegenüber. Ihre großen braunen Augen total verheult. Zum Glück schminkt sie sich noch nicht. Mit verschmierter Wimperntusche sähe das jetzt noch wüster aus.

»Gülistan, was war das vorhin?«

Sie zuckt mit den Schultern.

»Warum hast du mir das Handy nicht gegeben?«

»Ich … ich … ich wollte nicht«, stottert sie, schon wieder kommen Tränen.

»Ich habe dir an der Hand weh getan, stimmt's? Mir tut der Daumen hier auch ganz schön doll weh.« Ich halte ihr meine Hand unter die Nase, sie betrachtet interessiert die rote Stelle unter meinem Nagel.

»Da haben wir uns beide ganz schön erschreckt, oder?«

Sie nickt, und ich sehe so etwas wie ein Lächeln.

»Wie machen wir das denn in Zukunft?«, frage ich sie.

»Ich nehme nicht mehr Handy im Unterricht«, flüstert sie.

»Und wenn du mir was geben sollst?«

»Dann mach ich das. Bestimmt.«

Ich greife in die Tasche und schiebe ihr das Handy rüber. »Hier.«

Sie lächelt. »Danke.«

Warum habe ich ihr das Handy zurückgegeben? Aus reinem Selbstschutz. Normalerweise hätte ich es ins Sekretariat gebracht, dann hätten die Eltern es abholen müssen und hätten, wo sie doch schon mal da sind, gleich zur Schulleitung tapern können, um sich über die brutale Pädagogik von Frau Freitag zu beschweren. Diese Szene möchte ich mir gar nicht vorstellen.

Bis nach der letzten Stunde denke ich, es ist alles gut. Ich sitze vor der Schule und rauche meine Feierabendzigarette mit einer Kollegin. Da steht plötzlich Gülistan mit drei Freundinnen vor mir. »Frau Freitag …«

»Du, ich habe jetzt Pause, ich komme gleich rein.«

Sie dampfen ab und warten im Treppenhaus. Ich unterhalte mich weiter mit der Kollegin. Die ist happy, denn das Wochenende beginnt. Außerdem hat sie weder ein Handy noch einen Finger kaputtgemacht. Ich bleibe überraschend cool. Jetzt ist es auch egal. Gleich gehe ich rein, und Gülistan wird mir ihren

Finger unter die Nase halten und sagen, dass sie schon bei der Schulleitung war und gleich zum Arzt geht, weil sie mit ihrer Mutter telefoniert hat. Bei diesem UNERLAUBTEN Gebrauch ihres Telefons auf dem Schulgelände ist ihr aufgefallen, dass das Display im Arsch ist, das soll ich bezahlen. Dann werden sich die Freundinnen einmischen und sagen, dass Gülistan jetzt unbedingt eine Anzeige machen soll, denn so geht das ja nicht und so weiter.

Ich gehe zum Mülleimer, um meine Zigarettenkippe wegzuwerfen. Auch ich – evangelisch bis hinten gegen – bin äußerst abergläubisch. Wenn ich die Kippe nicht einfach auf den Boden werfe, dann ist vielleicht nur das Handy kaputt, und sie sieht von der Anzeige ab.

Die Kollegin geht in die Freiheit, ich zurück ins Schulgebäude.

»Okay, Gülistan, was ist denn?«, frage ich betont ruhig und sachlich.

»Frau Freitag, ich glaube, ich habe meine Jacke bei Ihnen im Raum gelassen.«

Erleichtert gebe ich ihr meinen Schlüssel. »Hier, guck mal, ob sie noch da ist.«

Sie rennt die Treppe hoch. Ich sehe ihre beiden Freundinnen an. »Und ihr, was wollt ihr?«, frage ich freundlich.

»Das ist meine Jacke«, sagt die eine.

»Ach so, die hast du ihr nur geliehen?«

Sie nickt und grinst.

»Na, hoffen wir mal, dass die auch wirklich in meinem Raum ist.«

»Ich hab sie!«, schreit uns Gülistan von der Treppe entgegen. Sie gibt mir meinen Schlüssel zurück. »Schönes Wochenende, Frau Freitag«, zwitschert sie und hüpft mit ihren Freundinnen über den Schulhof.

»Danke, werd ich haben. Euch auch ein schönes Wochen-ende.«

Tja, so kann's eben auch mal gehen. Nicht dass mir diese kleine Episode keine Lehre war. Ich könnte einen Aufsatz darüber schreiben. Überschrift: »Wie soll sich die Lehrkraft bei Handybenutzung im Unterricht pädagogisch korrekt ver-halten?«

Ich würde eine 1+ schreiben! Auf jeden! Danke, Gülistan! ❤ ❤ ❤

Es juckt!

Ich habe Ausschlag. Es juckt. Ich muss ständig kratzen. Der Rücken juckt. Und die Beine auch. Obwohl an den Beinen gar kein Ausschlag ist. Alle wissen mal wieder ganz genau Be-scheid:

»EHEC! Ganz klar. Hast du Gurken gegessen?« Der Schon-lehrer nüchtern, im Vorbeigehen.

»Altersakne.« Die Sekretärin, mit leichtem Grinsen.

»Krätze oder Flöhe.« Fräulein Krise, nach einem Besuch in meiner schmutzigen Küche.

»Chlorallergie – geh mal nicht mehr zu dieser Wassergym-nastik.« Der Freund, der immer meint, ich mache zu viel Sport.

»Könnten auch Windpocken sein, oder Röteln.« Eine Kolle-gin, die dann aber gleich von meinem Ausschlag ablenkt und über ihre Krankheiten spricht.

»Geh doch mal zum Arzt.« Alle, denen ich meinen Rücken zeige.

»Bestimmt eine Allergie.« Wieder die Sekretärin.

Ich antworte: »Allergie, niemals, ich nehme mich und meinen Körper nicht ernst genug für Allergien. Und ich habe keinen Bock auf Allergietests und den ganzen Schnulli. Ich bin doch nicht Ronnie, der so stolz seine Katzenallergie vor sich herträgt, als wäre das ein besonderes Verdienst.«

Ronnie fragt so Sachen wie: »Frau Freitag, gibt es im Heidepark Katzen? Weil ich ja eine K-a-t-z-e-n-a-l-l-e-r-g-i-e habe.«

Nein, nein. Allergien – bin ich nicht der Typ für. Dann schon eher Windpocken.

»Warst du jetzt endlich mal beim Arzt?« Der Freund.

»Ich warte noch ein bisschen, ich habe das Gefühl, es heilt gerade wieder ab.«

Ehrlich gesagt, habe ich nur ein einziges Gefühl – ein ganz massives Jucken. Und das breitet sich über den ganzen Körper aus. Ich wache schon kratzend auf, und wenn ich lange genug kratze, dann brennt die Haut so angenehm, und das Jucken wird kurz überdeckt. Die Handinnenflächen jucken auch und die Füße und die Schienbeine.

Aber ich glaube, das geht wieder weg. Ich kratze das einfach weg. Das Kratzen stört mich auch nicht weiter. Und wenn irgendwann alles blutet und verschorft, dann kann ich daran rumpulen. Ein neues Hobby.

Was will mir meine Haut, dieses große Organ – dieses größte Organ des Körpers –, eigentlich mit diesem Jucken sagen? Wenn es irgend so ein harmloses Hausmittel gäbe, würde ich das ja ausprobieren, aber gleich zum Arzt rennen ... bin ich ein Schüler, oder was?

Wahrscheinlich bin ich einfach nicht ausgelastet genug, wenn ich mich so intensiv mit körperlichen Gebrechen beschäftigen kann. Hoffen wir mal, dass die nächsten drei Stunden in den 7. Klassen mich so aufreiben, dass es nicht mehr juckt.

Baby mit Bart

»Da wurde ein Baby geboren, das hatte einen Bart. Und das Baby konnte sprechen, und dann hat das Baby gesagt, dass die Welt untergeht, und dann ist es gestorben.«

Ahmet sitzt vor seinem Bild und pinselt. Mann, wie der den Pinsel hält – als täte es weh, den normal anzufassen.

»Baby mit Bart, alles klar, Ahmet«, sage ich.

»Waaas, glauben Sie nicht?«

»Nein, glaube ich nicht. Baby mit Bart – okay. Mutation. Aber sprechen? Nein. Sorry, echt nicht.«

»Waaas, echt nicht?« Ahmet wird etwas lauter. Dieses Baby scheint ihm am Herzen zu liegen. »Das stimmt! Diese Baby gab's wirklich, *vallah*!« Als ob sein »vallah« mich jetzt umstimmen würde.

Dschinges liegt ausgestreckt auf dem Tisch und hört zu. Wir quatschen schon die ganze Stunde. Dschinges hat zehn Minuten gemalt. Dann hatte er keine Lust mehr. Jetzt sitze ich auf seinem Platz und arbeite an seinem Bild, und er hat sich hinten abgelegt. Ich hatte ihn gebeten, mir was über Ratko Mladić zu erzählen. Wir lauschen gebannt seinen detailreichen Ausführungen zum Bürgerkrieg. Während seines Vortrags unterbreche ich ihn mehrmals. »Dschinges, sag's noch mal.«

»SREBRENICA.«

Niemand kann diesen Ort so schön aussprechen wie Dschinges.

Als Dschinges berichtet, was alles Schreckliches während des Massakers dort passiert ist, wird Ahmet immer unruhiger. Dschinges lässt sich nicht lumpen und reiht eine Horrorgeschichte an die nächste. Plötzlich unterbricht ihn Ahmet: »In Palästina war viel schlimmer.«

Das lässt Dschinges nicht auf sich sitzen: »Was schlimmer? Bei uns war schlimmer.«

»Gar nicht. In Palästina ist schlimmer. Weißt du, wie lange dort schon geht?«

Ich versuche zu schlichten: »Jungs, jetzt streitet euch mal nicht.« Mittlerweile schreien sie sich nur noch mit »WAS Palästina?«, »WAS Bosnien?« an. »Dschinges, Ahmet, also, ihr habt ja beide recht.« Wir einigen uns darauf, dass der Palästinakonflikt länger dauert, dafür das Massaker in Srebrenica aber schlimmer war. Damit können beide leben. Dschinges hat sich jetzt allerdings so verausgabt, dass er nur noch liegen kann.

Nach einer kurzen Pause kommt dann Ahmet mit seinem bärtigen Baby.

»Also, Ahmet, ich glaube das nicht.« Gleich explodiert er wieder. Ich kann es genau beobachten, wie er sich aufplustert, um mit aller Kraft seine Story vom sprechenden Baby zu verteidigen.

»Das stimmt! Das wurde gefilmt!« Wird ja immer besser.

»Wie, gefilmt, Ahmet? Da war also zufällig ein Kamerateam dabei, als das bärtige Baby geboren wurde.«

Jetzt mischt sich Manuel ein: »Wieso? Könnte doch sein.«

»Hm, klar. Ist ja auch bei jeder Geburt ein Kamerateam dabei. Ahmet, ich kann also bei YouTube das sprechende Baby sehen?«

Ahmet – vor Aufregung schon mit gerötetem Kopf: »Was, YouTube? Das ist nicht auf YouTube.«

»Also wie jetzt, ich dachte, das wurde gefilmt? Wo hast du das denn gesehen? Im arabischen Fernsehen?«

»Ich habe das gar nicht gesehen. Aber meine Mutter hat mir das erzählt.«

Ah, jetzt wird mir auch klar, warum er unbedingt an diesen

Schwachsinn glauben möchte. Schließlich hat die heiligste aller Verwandten ihm vom sprechenden Baby erzählt.

Als Ahmet endlich merkt, dass niemand außer ihm an bärtige Säuglinge glaubt, versucht er es mit der Geschichte eines acht Meter großen Hodschas, der irgendwo beerdigt sein soll.

»ACHT Meter ...«

Habe ich ihm das geglaubt? Nö. Habe ich nachgefragt? Sicher. Haben wir noch über Dinosaurier, Affen, Schraubenzieher und den Koran gesprochen? Klar.

Phantasialand und Hansapark

»Heidepark«, jammert Musti. Ich gebe unmissverständlich zu verstehen, dass ich für einen weiteren Heideparkbesuch nicht zur Verfügung stehe, mein Trauma vom letzten Schuljahr reicht völlig aus.

»Du kannst gerne in den Sommerferien dorthin fahren, Musti.«

Eigentlich hatte ich meiner Klasse versprochen, dass wir noch an die Ostsee fahren. Die Organisation dieses Projekts nimmt mich aber schon wieder so in Anspruch wie im Jahr zuvor der Ausflug in den Heidepark: Internet, Bus, Bahn, Reisebüro ...

Also sage ich den Schülern, dass ich ja in den letzten Wochen vor den Ferien immer nur noch eine Klasse mit elf Leuten im Unterricht habe und ich deshalb beschlossen hätte, nicht mit ihnen die Stadt zu verlassen. Ich höre noch vereinzelt leichtes Wimmern.

»Phantasialand? Hansapark?«

Überraschenderweise akzeptieren die Schüler aber ziemlich schnell, dass ich nicht mit ihnen wegfahren möchte, und diesmal scheine ich auch nicht die Böse zu sein.

»Da kann ich Frau Freitag verstehen ... wenn die alle nicht mehr zum Unterricht kommen ...«

»Frau Freitag, wir haben voll schönen Garten«, sagt Funda plötzlich. »Vielleicht können wir da alle grillen.«

»Eine super Idee. Frag doch mal deine Eltern. Und wenn wir das am Nachmittag machen und es sozusagen keine Schulveranstaltung ist, dann könnt ihr da auch rauchen.«

»Aber Sie müssen auch kommen«, sagt Ayla.

»Klar komme ich, gern. Und rauchen werde ich dann auch.«

Funda fängt an aufzuschreiben, was wir brauchen. Ich höre Köfte und Bulgur und vieles mehr, was mir Hunger macht.

»Du musst erst mal fragen, wer alles kommen will«, sagt Ayla.

Funda nimmt sich ein Blatt und schreibt: »Also: Funda, Ayla, Marcella. Peter, was ist mit dir?« Peter nickt schüchtern. Funda schreibt seinen Namen auf. Ronnie sitzt in der letzten Reihe und kippelt. Wenn jemand in zwanzig Jahren fragt: Kannst du dich an diesen Ronnie erinnern, dann antworte ich: letzte Reihe, immer kippelnd und immer schlecht gelaunt.

»Ronnie, was ist mit dir?«

»Was?«

»Na, willst du zum Grillen kommen?«, fragt Funda.

»Hm, weiß nicht. Mal sehen.«

Ronnie ziert sich. Ronnie hat genau zwei Freunde. Einen aus der Grundschule, der nicht auf unsere Schule geht, und Peter, mit dem er ab und zu auf dem Hof rumhängt.

»Ach komm, Ronnie, wir grillen, das wird bestimmt lustig.«

»Na, okay. Aber ich will SCHWEINEFLEISCH.«

Außer Peter, Ronnie und mir befinden sich zurzeit nur Moslems im Raum. Ich erwarte jetzt großes Geschrei und Ekelbekundungen.

»Schweinefleisch«, sagt Funda lässig. »Kein Problem, du

kriegst dein Schweinefleisch, wir haben zwei Grills.« Funda grinst und schreibt Ronnie auf die Liste.

»Ich kann auch Köfte essen«, sagt Ronnie jetzt leise, »schmeckt ja auch gut.«

Oh Mann, ich glaub, die werden erwachsen.

Fahren wir nicht Ostsee?

»Frau Freitag, würden Sie mit Mario Gomez zusammen sein?«

»Wie jetzt? Nur weil der ein Tor geschossen hat?«

»Sie ist doch schon vergeben. Also ihr Herz ist doch schon vergeben.«

»Ganz genau, Abdul, du sagst es.«

Ronnie sitzt am Computer und spielt Online-Poker. Eigentlich war die Aufgabe, etwas über die Klasse zu schreiben – wir arbeiten seit Wochen an einer Art Abschlusszeitung. Ich will gerade über das Pokern meckern, da zieht er sein T-Shirt an den Schultern runter: »Hier, gucken Sie – Verbrennungen zweiten Grades.« Sein Rücken ist total rot. Es schmerzt schon beim Hinsehen. »Warum hast du dich nicht eingecremt?«, frage ich automatisch. Ich bin wandelnde Sonnencreme- und Kopfbedeckungswerbung. Schon bei zwölf Grad klatsche ich mir LSF 30 auf die Nase. »Hab ich irgendwie vergessen mit der Sonnencreme«, nuschelt Ronnie und fügt dann noch stolz hinzu, dass er sechs Stunden in der prallen Sonne war.

Die obligatorische Halbklasse, die ich seit Wochen unterrichte, stresst weder noch nervt sie, einige tippen sogar lustlos ein paar Zeilen.

Nach zwei Stunden habe ich frei und sehe meine Schüler auf dem Hof. Die Kollegin hat wohl den Unterricht nach draußen verlegt. Da hängen sie nun auf den Bänken rum und warten darauf, dass es klingelt. Dann ist nämlich hitzefrei. Ich sehe, dass Fatma und Elif auch angekommen sind. Zu meinem Unterricht in der ersten und zweiten Stunde kommen sie schon seit Wochen nicht mehr.

»Frau Freitag, fahren wir nicht Ostsee?«, fragt Fatma vorwurfsvoll. Ich habe sie, wie gesagt, seit Wochen nicht mehr gesehen, und deshalb hat sie wohl auch jetzt erst mitbekommen, dass ich den Tagesausflug abgesagt habe.

»Fatma, es kommen doch immer nur elf Leute, warum sollte ich denn einen Ausflug organisieren? Ihr habt doch gar kein Interesse mehr an der Klasse und an der Schule. Es wundert mich, dass ihr noch an die Ostsee fahren wollt.« Sie guckt mich beleidigt an. Schon habe ich wieder ein schlechtes Gewissen, aber nicht ihretwegen, sondern weil ich mit den elf Schülern, die immer noch kommen, eigentlich schon gern wegfahren würde.

»Wir können ja irgendwas anderes machen«, sage ich.

»Was denn?«, fragt Elif, die jetzt auch schmollt. Elif kommt grundsätzlich erst zur dritten Stunde und versaut sich jetzt noch auf den letzten Metern ihren Erweiterten Hauptschulabschluss.

»Funda hat gesagt, dass wir alle bei ihr im Garten grillen können.«

»Pah, grillen, bei ihr im Garten – das ist hier um die Ecke –, toll!« Wenn die Aktion nicht mindestens eine Busreise beinhaltet, scheint sie für Elif keinen Wert zu haben.

Langsam bin ich auch beleidigt und verziehe mich schlecht gelaunt ins Lehrerzimmer. Dort jammere ich rum: »Ich habe ein Dilemma.« Ich erzähle meinen Kollegen von »Ich würde ja gerne, aber alles ist so schwierig, und die haben es eigentlich auch nicht verdient …«. Richtigen Rat bekomme ich nicht. Aber tolle Abschlussfahrtsberichte aus den guten alten Zeiten:

»Wir waren in Spanien und Griechenland und Thailand und auf dem Mond und so weiter.«

Frustriert verziehe ich mich an einen anderen Tisch. Dort sitzt Anita und stöhnt über irgendwelchen Zetteln. Anita hat auch eine 10. Klasse und ist auch immer recht genervt von denen.

»Anita, machst du denn noch was Schönes mit deiner Klasse?«

»Wir fahren an die Ostsee.«

»Hast du da noch Plätze frei?«

»Vielleicht. Ich muss erst mal warten, wie viele überhaupt mitkommen.«

»Kommen denn bei dir immer noch alle?«

»Nein, so ungefähr dreizehn sind immer da. Der Rest schwänzt.«

»Lass uns doch nur mit den lieben Kindern fahren. Ich nehme meine elf und du deine dreizehn, und den stressigen Schwänzerrest lassen wir hier.«

»Mal sehen. Klingt eigentlich gut. Ich sage dir am Donnerstag Bescheid.«

Am Mittwoch lag dann ein Zettel in meinem Fach, dass Anita mit ihrer Klasse doch nicht an die Ostsee, sondern lieber noch einmal in den Heidepark fahren will. Das hätten die sich so gewünscht. Noch mal Heidepark? Mit mir auf keinsten.

Danke für die Blumen

Die ältere Kollegin steht vor ihrem Schrank im Lehrerzimmer und hält ein großes Geschenk in den Händen. Stolz guckt sie in die Runde. »Hab ich von meiner Fünften gekriegt. Einfach so.«

Dieser Satz aus dem schönen Lehrerfilm *Der Wald vor lauter Bäumen* ist zu einem Running Gag bei meinen Lehrerfreunden und mir geworden: »Hab ich von meiner Fünften gekriegt.« Pause. »Einfach so.«

In den letzten Tagen muss ich oft daran denken. Das Schuljahr nähert sich unaufhaltsam dem Ende und damit auch der Abschied von meiner Klasse, die ich vier Jahre lang unterrichtet, angemeckert, bemuttert und betreut habe. Und ich weiß jetzt schon, dass ich von denen GAR NICHTS bekommen werde. Nicht mal eine blöde Rose von der Tanke. Keine Tafel Schokolade, nicht mal einen Kugelschreiber.

»Ach, lass mal«, sagt Fräulein Krise, »die werden dir schon einen Strauß Blumen schenken.«

»Nein, das werden die nicht. Da kommen die gar nicht drauf. Wollen wir wetten?«

Das müsste man ja organisieren: sich absprechen, einer müsste Geld einsammeln, was kaufen, das Gekaufte auch mit in die Schule bringen – und überhaupt in die Schule *kommen* ... alles viel zu kompliziert. Es ärgert mich jetzt schon, dass ich nichts kriegen werde. Warum eigentlich? Lege ich besonders viel Wert auf eine Rose von der Tankstelle oder türkisches Gebäck? Nein! Ich mag keine Schnittblumen, außerdem gehen die bei mir immer viel zu schnell ein. Vasen habe ich auch keine guten und Süßigkeiten ... – ach, na ja.

Trotzdem will ich etwas bekommen.

Ich sehe es schon vor mir. Der letzte Schultag. Ich habe meiner Klasse gerade die Zeugnisse übergeben, sie dann in die Freiheit entlassen und begebe mich ins Lehrerzimmer. Dort sitzen bereits ein paar Fachlehrer: »Muss ich überhaupt kommen? Ist doch sowieso nur Klassenunterricht, und bei der Zeugnisübergabe muss ich nicht dabei sein – war ich doch noch nie. Mein Flieger geht auch schon um elf.« Einige Klas-

senlehrer sind auch schon da. Und dann geht der Konkurrenz-
kampf los. Wer kommt mit dem dicksten Blumenstrauß? Wer
hat die meisten Flaschen Wein, die schönsten Karten und das
dollste selbstgebastelte Geschenk? Demonstrativ wird dann
alles auf den Tischen abgestellt.

»Hach, wie soll ich das alles nach Hause schleppen?«

»Möchte jemand Baklava? Ich hab schon sooo viel davon
gegessen. Hier, nimm!«

»Guck mal, wie süß, ein Buch mit Fotos, haben sie ganz
alleine gemacht. Süß. Ach, das hat mich richtig gefreut.«

Und ich? Ich sitze da mit einem Glas Sekt oder einem Kaffee
und null Blumen und null Geschenken. Voll peinlich. Neidisch
und traurig gucke ich auf die Schätze der anderen. Weil ich
nichts geschenkt bekommen habe, kommt auch keiner an meinen Tisch. Ich sitze da ganz alleine und werde immer trauriger.
Diese undankbaren kleinen Mistpocken. Vier Jahre rauben sie
mir den letzten Nerv, ich reiß mir den Arsch für die auf, und
dann gibt's nicht mal 'ne läppische Tankenblume.

Es kommen immer mehr Kollegen ins Lehrerzimmer, die
Arme voll mit Blumen und Flaschen. Manche müssen sich von
den Schülern die Sträuße tragen lassen, weil es so viele sind.
»Kannst du hier abstellen. Vielen Dank, Mohamed, lieb von
dir, dass du mir geholfen hast. Und sag den anderen noch mal,
wie sehr ich mich über die Blumen gefreut habe.«

Ich hasse sie alle. Die beliebten, beschenkten Kollegen. Die
kriegen so viel. Viel zu viel. Und ich: nichts. Und dann kommen sie mir auch noch auf die Tour: »Frau Freitag, was ist
denn mit dir? Du siehst ja so bedrückt aus.«

Zum Glück gibt es Fräulein Krise. Seit Tagen spreche ich mit
ihr über nichts anderes mehr. »Fräulein Krise, es ist so schrecklich, die werden mir nichts schenken …«

»Frau Freitag, ich habe DIE Idee. Du kaufst dir einfach

selbst einen Riesenstrauß Blumen und den ganzen Schnulli. Und wenn du morgens kommst, dann schmuggelst du das alles ins Lehrerzimmer.«

»Super! Das ist genial. Ich mach so Geschenkekisten – so Schuhkartons, die ich einwickle in Geschenkpapier. Ganz viele. In verschiedenen Größen.«

»Ja, genau. Und dann sagst du: ›Nein, das werde ich erst zu Hause auspacken.‹ Du kannst dir die Blumen ja so sogar aussuchen.«

Der Deutschlehrer hat eine andere Idee zur Lösung meines Problems: Er schlägt vor, ich solle meinen Schülern erzählen, dass ich von meiner letzten Klasse ganz tolle Abschiedsgeschenke bekommen habe.

Meine letzte Klasse – ein bis in den Darm verdrängtes Kapitel meines Lebens. Diese Klasse hatte ich nicht lange, eigentlich nur ein Jahr. Und deren Klassenlehrerin war ich irgendwie auch nie richtig. Jedenfalls haben sie mich nie so behandelt. Die haben sich benommen wie der letzte Dreck. Haben mir bis zur Zeugnisübergabe das Leben schwergemacht.

Als ich die Klasse bekam, gratulierte mir mein Freund: »Super. Du wirst Klassenlehrerin. Das ist doch eine Beförderung, oder?« Und genau so sah ich das damals. Stolz ging ich in MEINE Klasse. Da saßen sie – lauter riesige Halberwachsene, die absolut keinen Bock hatten. Keinen Bock auf die Schule und vor allem keinen Bock auf mich. Ich habe immer noch Serkan vor Augen, wie er sich mit hochrotem Kopf und einem Lachkrampf über den Boden rollt. Heute bin ich mir sicher, dass er einfach besoffen war oder irgendwelche Drogen genommen hatte. Damals dachte ich: Warum macht der das? Und vor allem: Was soll ICH jetzt machen? Wir haben doch Unterricht, und der hört gar nicht mehr auf, und der ist doch schon in der 10. Klasse.

Überall Respekt- und Distanzlosigkeit. Manchmal kamen die Mädchen in den Klassenraum und kniffen mir in die Backe: »Wie weich sie ist – voll süß.« Unterricht fand nur statt, wenn die Schüler es erlaubten. Ich war völlig machtlos. Und dann kam die Klassenfahrt. Was mich dazu verleitet hat, mit denen wegzufahren, ist mir heute ein absolutes Rätsel. Gegen diese Schüler ist meine jetzige Klasse der reinste Elitehaufen.

Jedenfalls endete die Fahrt damit, dass ich insgesamt fünf Schüler nach Hause schicken musste. Nicht alle auf einmal, schön pöh-a-pöh. Unerlaubter Alkoholgenuss, Schlägereien und demonstratives Missachten meiner Anweisungen – alles, was man sich denken kann, war dabei. Als ich den Schulleiter über den letzten Nachhausegeschickten unterrichtete, sagte er nur trocken: »Na, Frau Freitag, dann kommen Sie mal schnell zurück, sonst haben Sie am Ende gar keine Schüler mehr dort.«

Diese schlimme Klassenfahrt hat mein Ansehen in der Klasse nicht gerade verbessert. In den letzten Monaten wurde ich von einem Teil der Schüler regelrecht gemobbt. Mobbingopfer der eigenen Klasse – was für ein Scheißgefühl. Die tonangebenden Mädchen haben nur noch gemacht, was sie wollten. Während des Unterrichts haben sie ihre Eltern angerufen und sich über mich beschwert. Ich konnte nichts machen.

Die zwei Anführerinnen Israa und Melissa hatten sich überlegt, ihre eigene Abschlussfeier zu boykottieren: »Lass mal nicht dahin gehn!« Da der Rest der Klasse auf ihr Kommando hörte, kamen nur sehr wenige Schüler zur traditionellen Abschlussfeier. Die Anwesenden hatten einen Mordsspaß, und das müssen Israa und Melissa am Morgen danach mitbekommen haben. Man sah ihnen an, dass sie sich sehr darüber ärgerten, nicht bei der Party dabei gewesen zu sein.

Meine erste richtige Zeugnisübergabe wollte ich ganz feierlich gestalten. Ich hatte mir lange überlegt, was ich ihnen zum Abschied sagen, was für denkwürdige Worte ich ihnen mit auf den Weg geben wollte. Israa und Melissa kamen schlecht gelaunt rein. Bei der Zeugnisübergabe eskalierte die ganze Situation so dermaßen, dass ich ihnen die Zeugnisse vor die Füße warf und den Raum verließ. Aber wie Fräulein Krise immer sagt: »Wer rausgeht, der muss auch wieder reinkommen.«

Irgendwie habe ich ihnen dann doch noch ihre Zeugnisse ausgeteilt. Eine Schülerin, die immer sehr nett war, übergab mir eine Rose. Damit bin ich dann ins Lehrerzimmer, zu den reich beschenkten, reichlich beschwipsten, glücklichen Kollegen. Mittendrin ich mit meiner öddeligen Tankstellenrose. Als mich der Erste ansprach, habe ich geheult und geheult und geheult. Heute kommt es mir vor, als hätte ich damals nie mehr aufgehört zu heulen.

Nackenklatscher

Meine liebe Klasse. Meine Klasse ist zur Abwechslung zum größten Teil anwesend und wirklich lieb. Nachdem ich eine unsäglich schlimme Englischstunde in der Siebten überlebt habe, ist das Zusammensein mit meinen Schülern echt angenehm. In meiner Klasse gibt es keine Nackenklatscher mehr. Irgendwo und irgendwann fand in den letzten vier Jahren doch Reifung statt. Ich kann in meiner Klasse schon vor der Stunde sicher sagen, dass niemand weinen wird. Niemand meiner Klasse verletzt sich im Unterricht – abgesehen vielleicht von Ronnie, der regelmäßig beim Kippeln vom Stuhl fällt. Irgendwann knallt er noch mal mit dem Kopf gegen die Tischkante. Ich kann auch mal rausgehen und ein Plakat holen. Wenn ich wiederkomme, sieht der Raum genauso aus wie vorher, und alle atmen noch. In der Siebten dagegen geht der Punk ab, wenn ich mal kurz an der Tür stehe und die Schüler nicht im Blick habe.

Vor dem Unterricht in meiner Klasse gab es eine Siebteklasseaktion, wie sie im Buche steht. Gülistan steht auf (unerlaubt – »Ich musste was wegschmeißen«), geht zum Mülleimer und stolziert zurück an ihren Platz. Im Vorbeigehen gibt sie Daniel lässig einen Nackenklatscher. Daniel, einer der beiden Jungs in der Klasse, die nicht muslimisch sind, ist der einzige Junge, an den sich Gülistan rantraut. Er ist noch relativ klein, und man kann davon ausgehen, dass er keine Wagenladung Kusengs aktivieren kann, die ihn nach der Schule rächen. Gülistan also – latsch, latsch und dann klatsch. Daniel erschreckt sich natürlich voll, dreht sich um und schreit »SCHLAMPE!«. Nicht besonders originell, aber was Besseres fiel ihm wahrscheinlich so schnell nicht ein. Und diese Beleidigung verfehlt ihre Wirkung natürlich nicht. Gülistan ist empört, versteht die Welt nicht mehr. »Der hat Schlampe gesagt!«

Nun fühlt sich Tarkan, der hinter Daniel sitzt, dazu aufgefordert, die beschädigte Ehre von Gülistan zu retten, indem er Daniel von hinten einen weiteren fetten Nackenklatscher gibt. Es scheppert richtig. Daniel erschreckt sich total und fängt herzzerreißend an zu weinen. Ich gehe mit ihm raus und lasse ihn von einem Kollegen ins Sekretariat bringen. Dann nehme ich mir Gülistan und Tarkan vor.

Gülistan: »Er hat Schlampe gesagt!«

»Aber du hast ihn geschlagen.«

»War doch nur Spaß.«

»Vielleicht hat er ja auch Schlampe nur aus Spaß gesagt.«

Endlose Diskussion. Pädagogisches Gewäsch von mir und wenig, zumindest aber geheuchelte Einsicht von Gülistan und

Tarkan. Spaß … Wie ich diese Art von Spaß hasse. Gülistan hat es bestimmt Spaß gemacht, Daniel zu hauen. Aber ob er so viel Spaß daran hatte? Der arme Kerl sitzt einfach nur da, versucht, meine wenig durchdachte Aufgabe zu bearbeiten, und völlig grundlos fängt er sich zwei Nackenklatscher und die gesamte Empörung der Klasse ein.

Aber wenn ich so zurückdenke, dann muss ich sagen, dass meine Klasse in der Siebten genauso war. Was hatten wir für Täler der Tränen … Dramen über Dramen. Jeder Vorfall – zumindest jeder, den ich mitbekam – wurde von mir bearbeitet, und irgendwie scheint sich dann über die Jahre tatsächlich etwas getan zu haben. Vielleicht liegt das auch nur an der normalen Entwicklung der Schüler. Vielleicht wächst man einfach von selbst aus der Nackenklatscherphase raus. Aber vielleicht hat auch unsere pädagogische Arbeit, wenigstens in diesem Bereich, zarte Früchte getragen. Vielleicht.

Dürfen wir Sie schminken?

Kurz vor den Ferien sind die Nachprüfungen für den Realschulabschluss. Wer eine Fünf geschrieben hat, muss in dem jeweiligen Fach noch in die mündliche Prüfung. Faulheit muss ja bestraft werden. Vier meiner Mädchen mussten antreten. Auf Facebook erfahre ich am Nachmittag, dass alle bestanden haben. Vielleicht ist meine Klasse doch nicht so blöde, wie ich immer dachte. Ich habe inzwischen auch die Zensuren von den Kollegen bekommen. Es sieht eigentlich gar nicht so schlecht aus. Vier Leute können in die Oberstufe gehen, und sechs haben den Realschulabschluss. Yeah, die Zensurenkonferenz kann kommen! Ich muss mich gar nicht mehr in Grund und Boden schämen. Ich liege voll im Schnitt. Wenn man jetzt noch bedenkt, dass die Mädchen meiner Klasse die hübschesten aus dem ganzen Jahrgang sind, dann liege ich sogar *über* dem Durchschnitt. Die werden auch am schönsten aussehen bei der Abschlussfeier und am ausgelassensten tanzen.

Zurzeit kommen wieder mehr Schüler meiner Klasse zum Unterricht, und es wird richtig gemütlich. Es geht echt aufs Ende zu. In einer Woche die Zeugnisse machen, Grillen, dann Zensurenkonferenz, dann ein paar offizielle Feierlichkeiten und dann das große Abschlussfest. Das Highlight meines ganzen Schuljahres.

»Sie MÜSSEN im Kleid kommen!«

»Sie können nach der Schule mit zu Marcella kommen, die hat eine Freundin, die macht uns die Haare, die kann Ihnen auch die Haare machen.«

»Dürfen wir Sie schminken?«

»Kommen Sie dann nach der Feier noch mit? Wir gehen Shisha-Bar. Die ganze Klasse. Da müssen Sie auch kommen!«

»Wann machen wir Klassentreffen?«

»Meinen Sie, Sie werden uns vergessen?«

»Na, ich glaube nicht.«

»Wir waren doch Ihre erste Klasse, oder?«

»Ja. Und das ist wie der erste Freund und das erste Mal. Das vergisst man ja auch nicht.«

Sie ist voll Professor

Wenn die Arbeit der Schüler getan ist, beginnt die Arbeit des Klassenlehrers. Zeugnisnoten eintragen, den Noten hinterherrennen, Zeugniskonferenzprotokolle erstellen, Abschlüsse, Wiederholer und Nachprüfungen festlegen und – immer wieder schön – die Statistik: Wie viele Schüler haben welchen Abschluss erreicht? Wie viele sind davon Mädchen/Jungen, ndH (nicht deutscher Herkunftssprache), ausländische Schüler? Wer kam mit welcher Empfehlung an die Schule, und welchen Abschluss haben diese Schüler erreicht? Wie viele Schüler sind während des Schuljahres abgegangen? Was mit diesen Statistiken passiert, weiß ich nicht. Die landen wahrscheinlich in irgendeiner Behörde in irgendwelchen Pappkisten.

Auf dem Statistikbogen stehen nachher nur Zahlen, keine Namen. Deshalb macht mich die Statistik auch immer ganz verrückt. Wenn ich da hinschreiben könnte, dass Abdul doch noch einen Erweiterten Hauptschulabschluss bekommen hat und Musti auch, dann wäre das irgendwie leichter. Einer von den zwei Abgängern, die dieses Jahr unsere Schule verlassen haben, war übrigens Emre. Emre hat versucht, in irgend so einer Maßnahme, in der sie die Schüler nur auf die Prüfungen vorbereiten, seinen Abschluss zu machen. Bei uns wurde er nicht für die Realschulprüfung zugelassen. Emre ist nicht dumm. Mit ein wenig Arbeit und regelmäßiger Anwesenheit würde der locker die Prüfung bestehen.

Plötzlich steht er neben mir im Klassenraum. Ich schwitze an meinem Pult über dem Ablaufplan der nahenden Zeugniskonferenz. Die meisten Schüler sitzen entspannt in den hinteren Reihen und unterhalten sich. Vier Schülerinnen und Schüler schreiben Einladungen an ihre Fachlehrer für die Abschlussfeier. Eigentlich kann jeder Lehrer auch einfach so zur Feier kommen, aber die meisten haben daran gar kein Interesse. Wenn sie allerdings persönlich von einer Klasse eingeladen werden, erhöhen sich vielleicht die Chancen. Meine Schüler wollen fast alle ihre Lehrer auf die Abschlussfeier einladen und formulieren herrliche Texte:

»Wir waren bestimmt nicht immer eine leise Klasse. Aber

Sie sind eine tolle Lehrerin. Und jetzt gehen wir hinaus ins Leben und fänden es extrem super, wenn Sie diesen Anlass mit uns feiern würden.«

So schwülstige Einladungstexte würden mir gar nicht einfallen.

»Emre, na, sieh mal einer an! Was machst du denn hier? Wie war deine Realschulprüfung?«

»Verkackt. Mathe 6, Deutsch und Englisch 4 und in der Politikprüfung, *abo*, was die da für Fragen gestellt haben ...«

»Was haben die denn gefragt?«

»Syrien. Nahostkonflikt, und dann meinten sie: ›Nennen Sie noch mehr Bundespräsidenten.‹ Und da meinte ich: Gaddafi.«

»Hm.«

»Na ja, durchgefallen.«

»Bundespräsident Gaddafi?«

»Ich wiederhole nächstes Jahr. Dann schaffe ich das schon. Wie lief das denn hier mit den Prüfungen? Haben alle aus der Klasse bestanden?«

»Ha, nee, nee. Aber immerhin sechs. Und vier können sogar in die gymnasiale Oberstufe.«

Musti guckt von seiner Einladung auf, die er gerade mit Herzen verziert: »War voll schwer die Prüfung, *vallah*. Nur für Marina nicht. Sie meinte: Realschulprüfung war kein Gegner.«

»Jetzt wird die Oberstufe ihr Gegner. Und dann das Abitur.«

»Frau Freitag, das schafft sie locker. Sie ist voll Professor.«

Na, wenigstens *eine* richtig gute Schülerin habe ich in der Klasse gehabt. Dass sie erst in der Neunten zu uns kam, ist doch egal, oder? Und dass sie vorher auf dem Gymnasium war ... egal.

Kitsch as Kitsch can

Frau Frank steht im Lehrerzimmer und weint. Frau Frank ist Vertretungslehrerin. Sie ist total nett und unglaublich hübsch. Leider muss sie nach den Ferien gehen. Ich mag sie sehr und rauche oft mit ihr vor der Schule. Jetzt steht sie da und weint.

»Was ist denn?« Keine Reaktion.

»Was hast du denn?«, frage ich sie noch mal und lege ihr den Arm um die Schulter. »Komm, wir gehen erst mal eine rauchen.«

»Ich habe mich von meiner Lieblingsklasse verabschiedet. Wir haben gefrühstückt, und die waren so süß. Die haben immer so toll mitgemacht. Die waren jede Woche mein Lichtblick. Und dann sind sie heute auf die Tische gestiegen und haben alle gerufen: ›Oh Captain, mein Captain!‹«

»Echt?« Jetzt kommen mir plötzlich auch die Tränen. »Echt, das kennen die? Diesen Uraltfilm kennen die?«

»Den habe ich …«, sie schluchzt wieder, »den habe ich mit ihnen im Englischunterricht durchgenommen.«

Den Film gucke ich nächste Woche auch mit meiner Klasse! Dann gebe ich ihnen 50 Euro und sage, dass sie dafür Blumen kaufen sollen. Meinetwegen an der Tanke, aber sie sollen die Plastikverpackung abmachen, damit das dann wie ein toller Blumenstrauß aus einem richtigen Blumenladen aussieht. Der Strauß muss riesig sein. Die Karte, die sie mir schreiben sollen, formuliere ich schon vor. In dem kitschigen Style meiner Schüler.

Den kenne ich nur zu gut: Seit Tagen produziert meine Klasse nichts anderes als Einladungskarten für die Fachlehrer. Inzwischen haben sie mir fast alle fertigen Karten übergeben: »Und Sie tun die in die Fächer? Ja? Nicht vergessen, Frau Freitag!«

Aber die Karte für ihre Deutschlehrerin Frau Hinrich ist

noch nicht fertig, also stecke ich mir alle Einladungen erst mal in die Tasche. Im Bus lese ich das Geschwurbel.

»Lieber Herr Schwarz, wir wollen uns für vier tolle Jahre Unterricht bedanken, wir wissen, dass wir nicht immer die besten Schüler waren, wir danken Ihnen, dass Sie es mit uns ausgehalten haben, und laden Sie ganz herzlich zu unserer Abschiedsfeier ein.«

»Lieber Herr Rau, wie Sie sicher wissen, haben wir unsere Abschiedsfeier. Wir waren nicht immer die besten Schüler, dennoch haben wir Sie immer sehr gemocht, und es hat auch Spaß gemacht.«

»Liebe Frau Sömke, Sie waren ein Jahr eine sehr gute Lehrerin, wir mögen Sie, und Sie sind eine nette Lehrerin, Sie bringen uns vieles bei, und wir haben gut gelernt, und darum wollen wir, dass Sie zu unserer Abschlussfeier kommen. Wir bestehen darauf, dass Sie kommen.«

»Liebe Frau Hinrich, wir hatten zwei wundervolle Jahre mit Ihnen. Ihr Unterricht hat immer Spaß gemacht, und gelernt haben wir auch sehr viel. Sie haben uns bis zum Ende unterstützt.«

»Lieber Herr Johann, wir hatten nicht sehr lange zusammen Unterricht, Sie hatten bestimmt schöne, aber auch schlechte Zeiten mit uns. Trotz der kurzen Zeit würden wir uns sehr freuen, wenn Sie mit uns feiern würden.«

»Lieber Herr Werner, auch wenn wir uns seit vier Jahren nicht gut benehmen, sind Sie dennoch einer unserer Lieblingslehrer. Wir würden uns sehr freuen, wenn Sie mit uns feiern würden.«

»Liebe Frau Schwalle, auch wenn einige Schüler unserer Klasse für Sie sehr anstrengend waren, sind Sie uns dennoch ans Herz gewachsen.«

Süß, oder? Und wo ist meine Einladung? Mit vielen Dennochs und Herzlichsts und so? Und Dank für den tollen Unterricht und die tolle Klassenführung? Ich will auch so eine Einladung! Jetzt kriegen die Kollegen diese netten Karten und ich? Ich kriege mal wieder nichts. Als Klassenlehrerin muss ich ja sowieso zur Abschlussfeier kommen. Deshalb wird mich wohl auch keine andere Zehnte einladen.

Okay, also meinen vorformulierten Text müssen sie nur in ihrer Kinderschrift auf die Karte, die ich ihnen geben werde, übertragen. Und vor allem sollen sie dichthalten. Wenn die Kollegen rausfinden, dass ich manipuliere – das wäre megapeinlich.

Und dann sprach Frau Freitag ein paar Sätze

Niemand spricht so richtig über das Abschiednehmen. Ist das nun gut oder nicht? Heute haben meine Schüler Volleyball gespielt. So eine Art Turnier gegen die anderen Klassen. Wie groß die alle geworden sind. Ronnie voll dabei. Jedes Mal, wenn er einen Ball übers Netz gehauen hat, haben die anderen applaudiert. Das wäre in der 7. Klasse noch ganz anders gewesen. In der Siebten hätten die anderen gar nicht mit dem Ronnie in einer Mannschaft spielen können. In den ersten Jahren gab es zwischen Ronnie und den anderen Schülern immer nur Stress. Letzte Woche hat eine Kollegin zu mir gesagt, dass jeder andere Lehrer Ronnie von der Schule geschmissen hätte. Ich glaube, die graue Strähne vorne rechts habe ich ihm und seinen ständigen Konflikten zu verdanken.

Am Wochenende habe ich stundenlang Fotos meiner Klasse als Diashow zusammengestellt und mit trauriger Musik unterlegt. Ich habe Porträts aus der Siebten und Porträts aus diesem letzten Jahr hintereinandergeschnitten. Voll die Kinder waren das und jetzt ... Abdul sieht aus, als sei er sein eigener Vater. Peter hat sich längenmäßig verdoppelt und ist jetzt mindestens zwei Köpfe größer als ich. Die Mädchen sind immer noch so klein wie in der Siebten. Einige sind dicker geworden. Hübsch sind sie alle. Hübsch und sehr stark geschminkt.

Voll komisch, wenn ich mir vorstelle, dass ich die Schüler nächstes Schuljahr nicht mehr sehe. Nicht mal auf dem Hof. Ich habe die ja so belatschert, dass sich jetzt fast alle an irgendwelchen anderen Schulen und OSZs angemeldet haben. Nur drei Schüler wollen an unserer Schule die 10. Klasse wiederholen. Drei von vierundzwanzig. War das nun so eine gute Idee? Ein paar vertraute Gesichter nächstes Jahr wären eigentlich ganz nett. Die müssen ja nicht alle sofort ganz weg sein.

Bei der Zeugnisübergabe bekommen sie dann von mir alle einen Hefter voll mit alten Sachen. Ihre endlosen Vorfallsbeschreibungen: »Wir saßen in Geschichte, und dann hat Abdul mir Hurensohn gesagt, und ich habe ihn was zurückgesagt.«

Besonders schön ein Bericht von Samira aus der 7. Klasse:

»Als ich auf mein Platz gehen wollte, saß eine Junge auf meinem Platz. Ich sagte: Wo soll ich sitzen, Frau Freitag? Sie bat den Jungen aufzustehen. Ich habe mich dann neben ein Mädchen gesetzt. Frau Freitag: Nein, du setzt nicht dahin. Ich sagte okay. Dann sprach Frau Freitag ein paar Sätze. Und dann habe ich ein Helm auf mein Kopf gesetzt. Dann musste ich in Säketeriat. In Zukunft will ich mich besser verhalten, weil ich meine Lehrerin wieder Vertrauen ihr anbieten will.«

Oh Mann, ich werde die so vermissen.

Abdul hat Elektrogrill

Wir gehen grillen. Alle Heidepark-, Phantasialand-, Spaß-badeausflüge und auch die Fahrt ans Meer konnte ich letztlich erfolgreich abschmettern. »Ihr seid zu unzuverlässig. Immer sind nur elf Schüler in meinem Unterricht. Wie soll ich denn da das Geld für einen Trip einsammeln? Nicht mal die Abfahrtszeit könnte ich allen mitteilen.«

Dann kam die große Sehnsucht nach einem Badeausflug: »Freibad, Frau Freitag! Und da können wir auch grillen!« Ein Vorschlag von Abdul neulich.

»Schwimmen?!! Niemals!« Bisher habe ich mich in meiner gesamten Lehrerkarriere dagegen gewehrt, einen Wandertag anzubieten, der mit anderem Wasser als Regen zu tun hat. »Kinder, schwimmen gehen – da stehe ich mit einem Bein im Knast! Ihr könntet ertrinken!«

»Hä? Ich hab Seepferdchen!«

»Ich auch!«

Was ist dieses Seepferdchen eigentlich? Warum gibt es nicht mehr wie in meiner Jugend den Frei-, Fahrten- und Jugendschwimmer? Wie wird denn das Seepferdchen gesteigert? Seepferdchen, Seepferd, Seelöwe?

»Leute, wenn wir schwimmen gehen, dann muss ich von jedem eine elterliche Erlaubnis haben, und eigentlich müsstet ihr mir dann auch noch vormachen, dass ihr schwimmen könnt. Und selbst dann könnte einer von euch ertrinken.«

Der ultimative Horror. Ich habe so eine Angst, dass mir ein Schüler ertrinkt. Eigentlich bei jedem Wandertag – beim Bowlen, auf der Eisbahn und im Heidepark. Da war die Angst noch nicht mal so ganz unberechtigt, denn dort stürzten sich meine Mädchen zum Abkühlen in einen künstlich angelegten See. Also: »Nein. Schwimmen is nich.«

Irgendwann einigen sie sich dann aufs Grillen. Schnell ist ein Park gefunden, und dann fängt Elif wild an zu organisieren. »Ihr müsst alle zwei Euro mitbringen, und ich kaufe das Fleisch, das kann ich dann einen Tag früher einlegen.« Jeder wird mit Aufgaben bedacht: »Kartoffelsalat, Pide, Oliven, Taboulé und so weiter.« Frau Freitag will Kekse backen, eine Decke mitbringen und sich ansonsten gepflegt aus der ganzen Sache raushalten.

Seit einer Woche wird nun ständig geplant. Abends kommunizieren die wenigen tagsüber anwesenden Schüler auf Facebook noch mal alles an die Schwänzer. Gestern lese ich dort, dass Musti nicht mehr grillen will: Der Park sei scheiße und Grillen überhaupt auch, und warum wir denn nicht an die Ostsee fahren würden oder in den Heidepark? Daraufhin mischt sich Marcella ein, die ich zum letzten Mal im Mai in meinem Unterricht begrüßen durfte – jetzt haben wir Ende Juni –, und beschwert sich: Warum ausgerechnet DIESER Mistpark ausgesucht wurde, es gäbe doch viel bessere. Dann klärt Peter sie auf, dass alle damit einverstanden waren. Marcella schreibt, dass SIE nicht gefragt wurde. Jetzt stürzen sich die Immernochzurschulekommer auf sie und teilen ihr mit, dass man sein Mitspracherecht verwirkt, wenn man nicht in der Schule ist. Es entspinnt sich eine Debatte, die bis zum nächsten Morgen über 150 Kommentare nach sich zieht. Am Ende sagt Musti, er ist eigentlich doch nicht sooo doll gegen Grillen.

Am Vormittag sind dann von den üblichen elf nur neun Schüler im Unterricht. Sie wollen noch einmal alles durchsprechen, plötzlich merken sie, dass Elif fehlt. »Die hatte doch alles aufgeschrieben. Wo ist die jetzt?«

»Ich könnte sie umbringen. Warum fehlt sie heute?« Marina übernimmt das Kommando: »Wer hat heute noch die zwei

Euro für das Fleisch mit?« Überraschend wenig Schüler melden sich. Marina wird immer frustrierter. »Und was ist mit einem Grill? Wer bringt jetzt den Grill mit?«

»Ich hab Elektrogrill«, sagt Abdul. Jedes Mal, wenn es um den Grill geht, kommt Abdul mit seinem Elektrogrill. »Geht schon mit dem Strom. Irgendwo wird Steckdose sein.« Abdul denkt auch, dass man problemlos im Freibad grillen könnte.

»Fatma meint, dass sie einen Grill hat«, sagt Funda. Ich gebe zu bedenken, dass Fatma nun wirklich die unzuverlässigste Person in der Klasse ist, natürlich ist sie in dieser Stunde auch nicht da, und dass man vielleicht noch einen Alternativgrill bereithalten sollte.

»Oh Mann, diese Klasse! Dauernd fehlen die. Wenn man ihnen sagt, sie sollen das Geld mitbringen, dann tun sie das nicht, und dann wollen sie auch noch alles, was man geplant hat, wieder umwerfen«, stellt Marina seufzend fest. Herrlich, endlich merken sie, wie ich mich vier Jahre lang gefühlt habe.

Die Parkdebatte entflammt dann auch erneut. Aber meine Stunde ist zu Ende, die Klasse will dann in Erdkunde weiterplanen.

Abends bekomme ich eine SMS von Marina mit einem neuen Park. Wir treffen uns um 12 Uhr. Ich bin gespannt, ob wir das Fleisch roh essen werden und ob es nur Kekse und eine Decke geben wird.

Auf Kinder-Facebook kann ich die Debatte weiterverfolgen – und emotionslos meine Klasse bei ihrem Planungschaos beobachten:

Hodda: Ey im ernst jetze weiß frau freitag nicht, dass wir nicht mehr nach stadtpark fahren? weil wir das in erdkunde besprochen haben?

Funda: Ohne das was mit frau freitag besprochen wird entscheiden die sich einfach für ein neuen ort. was für ein unsinn.

Hodda: Hahahahah aber frau freitag weiß nicht das wir in den park bei wasserturm gehen.

Funda: Ich weiss nicht … mal gucken.

Peter: Tja wie ich gesagt habe, ihr zerreizt das geplante und plant was neues und die hälfte weiß nicht mehr bescheid … was für eine bescheuerte klasse.

Funda: Was meinst du denn mit ihr?

Peter: Marcella, hodda und ayla … da habt ihr jze den salat. ich hatte die ganze zeit gesagt plant doch bitte nichts neues und wer hört auf mich keiner stattdessen bekomme ich zu hören (von marcella) ja ja du bist der boss du gönnst der klasse nicht … tja idioten alle samt

Marina: SIE WEISS ES!

Peter: Trotzdem

Musti: Ey Peter du sau!

Peter: Stimmt doch.

Musti: Ey weis z. B. gülistan, Noor, Maya davon bescheid?

Musti: Ich hab nix gesagt. ich bin ein Mitläufer ☺

Peter: Nö glaub net. ich sag ja wenns hochkommt die hälfte

Musti: Ne eigentlich nur die 3.

Peter: Jaja nur mitläufer alda du bist ja gleich drauf eingegangen.

Musti: ☺

Musti: Peter hast du ein fußball?

Peter: Wenn ronnie nicht kommt und Justin und fatma und miriam.

Peter: Alda wir werden nicht mehr als die hälfte sein.

Musti: Miriam ist *on* frag doch sie mal.

Peter: Nein hab keinen fußball.

Musti. Egal.

Peter: Warum hab ich das geplant.

Musti: Was?

Peter: Ich habs nicht geplant *sry*.

Marina: Noor weiss bescheid, denk ma sie kommt mit gülistan.

Musti: Tja.

Musti: Dann is schön.

Musti: Marina hast du volleyball???

Hodda: @Peter – ich hab nichts umgeplant oke!!! ich hab nur zugestimmt –.- !!!

Funda: Peter ich habe mit niemandem was besprochen ich erfahre alles erst danach lass mich aus solchen sachen bitte raus yaa –.-

Marcella: Ya man wie ihr das bschrieben habt ist es da bestimmt schööön und jeder weiss bescheid. hab heute gülistan gesagt und jeder weiss das wir uns um 12 uhr treffen am wasserturm also nichts mehr umplanen. ☺

Frau Freitag: Also, dann morgen im Stadtpark um 10.30. Ich freu mich schon.

Hodda: Nein!!! Wasserturm. frau freitag um 12 Uhr!!!!

Frau Freitag: Spaaaaaaßßßß!!!!!

Frau Freitag: Hodda, meine Süße, ich bin doch nicht doof. Ich habe eure Kommentare gelesen und Marina hatte mich auch schon informiert. Aber trotzdem danke!

Hodda: Bitte ☺ ich hab das schon geglaubt ☺ .

Chillen beim Grillen

Am nächsten Morgen stehe ich um 5 Uhr auf, frühstücke, backe Kekse, packe meine Sachen und gehe so übertrieben pünktlich aus dem Haus, dass ich eine halbe Stunde zu früh am Treffpunkt an der Bushaltestelle beim Wasserturm bin. Zehn vor zwölf kommen Hodda und Hannah. Dann Justin und Ronnie. Ronnie sieht völlig verpennt aus und hat mal wieder schlechte Laune – Standard.

Hodda fragt: »Was hast du mit, Ronnie?«

»Gar nichts. Ich hatte kein Geld.«

Hodda sagt nichts. Ronnie fragt: »Wo ist Marina? Wenn die nicht kommt, dann will ich aber meine zwei Euro wiederhaben!«

Wir warten. Es wird zwölf, es wird fünf nach zwölf, es wird zehn nach zwölf. Ich bleibe – mich selbst überraschend – ruhig und gelassen. Dann kommt Musti mit einem riesigen Etwas. Er schleppt doch wirklich einen dieser Biergartentische mit zwei Bänken, die man aufklappen kann, an. Ronnie trägt sie heroisch in den Park. Bevor wir endlich losgehen können, wird noch hektisch mit dem Handy rumtelefoniert. Irgendwann sind alle gefunden. Es ist 13 Uhr, als wir endlich im Park sind. Alle sind da, außer Marcella, die unbedingt in *diesen* Park wollte, und Peter. Von Marcella erfahre ich später, dass sie bis um 15 Uhr auf der Ausländerbehörde saß, um ihren Aufenthaltsstatus zu verlängern. Ich wundere mich kurz darüber, dass Italiener so was machen müssen. Und warum übernehmen das nicht ihre Eltern? Leider kann ich Marcella nicht fragen, denn sie ist zu beschäftigt, sich darüber aufzuregen, dass man sie dort so lange hat warten lassen. Von Peter hören wir gar nichts mehr.

Dann werden die beiden Grills aufgebaut. Noch am Morgen gab es Facebook-Verwirrungen, weil jemand sich darum sorgte, dass auf dem albanischen Grill von Ayla eventuell schon mal Schweinefleisch gegrillt worden sein könnte. Und wenn an einem Sechs-Euro-Grill eine Schraube fehlt und niemand an eine Grillzange gedacht hat? Dann wird das Grillieren zu einer enormen Herausforderung.

Ach, man braucht ja auch Kohle zum Grillen. Die sollte der liebe Abdul mitbringen. Elif ruft Abdul (O2-Flat! Haben sie alle!) um 12.30 Uhr an – da ist er am anderen Ende der Stadt –, er hätte noch »was klären müssen«. Kohle hat er noch nicht. Daraufhin bietet sich Ayla an, Kohle zu kaufen. Ich gebe ihr Geld, und irgendwann kommt ihr kleiner Bruder mit dem Fahrrad und der Kohle, und wir können endlich loslegen. Abdul erscheint dann um 14 Uhr – ohne Kohle: »Ich habe keinen Supermarkt gefunden.« Eine wirkliche Herausforderung: in einer Großstadt einen Supermarkt zu finden.

Langsam kehren dann Ruhe und eine entspannte Atmosphäre ein. Decken werden aneinandergelegt, Schuhe ausgezogen und allerlei Essbares aus den Taschen und Tüten gezaubert. Nur Ronnie kann sich nicht entspannen, da er minütlich in den Himmel schaut und uns prophezeit, dass es jeden Moment anfangen würde zu regnen. Es hat erst um 16 Uhr geregnet. Vorher brutzelten wir in der schönsten Sonne.

Marina und Fatma kümmern sich um die Grills, und die anderen sitzen an Mustis Tisch und auf den Decken. Eigentlich alles sehr gechillt. Ich halte mich die ganze Zeit aus allem raus. Nicht eine Ansage gemacht, nichts koordiniert, nur ab und zu einem davonfliegenden Plastikbecher hinterhergelaufen.

Aber dann beginnt das Drama. Ich weiß eigentlich gar nicht so genau, was passiert ist. Elif, Funda, ein paar andere Mädchen und ich sitzen auf den Decken, und als das Fleisch fertig ist, beginnen wir zu essen. Das wird von den Grillverantwortlichen irgendwie missbilligt. Ich kenne das so: Die Grillmaster kümmern sich um das Fleisch und essen ganz zum Schluss. Man kann beim Grillen ja nicht warten, bis alle was haben, denn dann wird das Fleisch kalt. Jedenfalls hagelt es plötzlich Vorwürfe, böse Blicke, Getuschel und viel Gemecker auf Türkisch. Ich setze mich auf eine Bank, die etwas entfernt steht, rauche und sehe mir das Schauspiel an. Ich habe bis heute nicht kapiert, worum es eigentlich ging, und ganz ehrlich? – Es war mir auch völlig egal. Emotionslos gucke ich mir meine Klasse an. Gezeter und Gezeter, und irgendwann gehen drei Mädchen. Sie kommen aber alle vorher zu mir, um sich zu entschuldigen.

»Du, Funda, wenn du meinst, dass ihr euch jetzt nicht mehr vertragen könnt, dann ist das auch okay. Wenn ihr gehen wollt – okay.« Aber so ein schönes Drama muss ja ausgedehnt werden. Bevor die drei Mädchen gehen, versuchen andere Schüler noch, sie zum Bleiben zu überreden. Ich denke nur: Wenn ihr gehen wollt – geht! Wenn ihr bleiben wollt – bleibt! Aber entscheidet euch, bitte.

Als sie weg sind, räumt Ayla auf, und wir setzen uns alle zusammen auf die Decken. Ich stelle meine Kekse in die Mitte. Die sind echt der Hit. Ich muss versprechen, das Rezept auf Facebook zu posten. Und zur Krönung des Ganzen und um mal so richtig Kultur zu beweisen, werden zwei Shishas ausgepackt und zeremoniell zusammengebaut. Plötzlich sind sie alle wie Erwachsene. Meine Klasse – eben noch Kinder, gerade noch in der Siebten, und jetzt rauchen sie gemeinsam Wasserpfeife. Ronnie auch. Und Frau Freitag probiert auch das erste Mal in ihrem Leben. Ich bleibe aber bei Zigaretten. Diese Shisha törnt ja null.

»Du kannst hier wohnen und deutschen Pass haben, aber auf der Straße bleibst du immer Ausländer«, sinniert Abdul, der im weißen Unterhemd neben uns auf dem Rasen liegt. »Was Ausländer?«, fragt Asmaa, die irgendwas an der Wasserpfeife repariert. »Ich habe den Einbürgerungstest bestanden.

Ich bin hier geboren, und ich habe jetzt die deutsche Staatsangehörigkeit.«

»Trotzdem bleibst du Ausländer«, stellt Abdul fest.

Asmaa guckt ihn kurz böse an: »Ach, halt die Fresse, ich bin Deutsche.«

Mir gegenüber sitzt Elif. Ihr weißes Kopftuch türmt sich bestimmt 50 cm über ihrem Schädel. Sie trägt eine dieser sehr großen runden Sonnenbrillen. An ihrem Kopftuch – ungefähr auf der Mitte ihrer Stirn – prangt eine riesige Strassbrosche. Sie sieht aus wie eine Mischung aus Filmstar und Sektenführerin, wie sie da im Schneidersitz in unserer Mitte thront.

»Wie ist es denn bei dir, Elif, fühlst du dich eher als Türkin oder eher als Deutsche?«, frage ich.

»Also, ich bin hier geboren, und das ist meine Heimat. Ich bin schon auch irgendwie türkisch, aber die deutsche Sprache beherrsche ich viel besser. Ich kann gar nicht so gut Türkisch, und ich möchte ja auch hier leben. Und deutschen Pass habe ich auch. Also, ich sehe vielleicht nicht so deutsch aus, wegen Kopftuch und so, aber ich würde sagen, ich bin Deutsche. Wie ist denn bei dir, Fatma?«

»Also, Deutschland ist mein Zuhause. Äußerlich bin ich deutsch, aber mein Herz ist palästinensisch. Ich kenne ja auch gar nichts anderes als Deutschland.«

Abdul schüttelt nur stumm den Kopf, sagt aber nichts mehr. Dann wird das Thema fallen gelassen, und Elif erzählt von den Hochzeitsvorbereitungen irgendeiner Cousine.

Genau im richtigen Moment, als alle sich richtig gut verstehen, ziehen düstere Gewitterwolken auf. Ratzfatz wird aufgeräumt, und dann laufen wir gemeinsam durch den strömenden Regen. Einen schöneren Abschluss unseres letzten gemeinsamen Ausflugs als Klasse hätte ich mir gar nicht wünschen können.

Nur noch vier Tage

Jeder Lehrer hat ein Fach im Lehrerzimmer. Das Fach ist sehr, sehr wichtig, denn da landen alle Mitteilungen. Mein Fach ist voll. Die Fächer von Klassenlehrern sind immer voll. Zurzeit liegen da neben den Zeugnissen und den Siegerurkunden auch ständig so Zettel, auf denen wir mitteilen sollen, was unsere Schüler nach dem Sommer machen. »Verbleib der Schüler« nennt sich das. Was die *im* Sommer machen, interessiert niemanden, was sie die letzten vier Jahre getrieben haben, wollte nie jemand wissen. Aber jetzt – voll wichtig –, wo verbleiben die Schüler, wo sind sie angemeldet, haben sie Lehrstellen, wiederholen sie das Schuljahr? Als könnten sie alle verlorengehen, wenn man sich jetzt nicht an ihre Fersen heftet und ihre Spur verfolgt.

Ich fülle diese Anfragen immer gewissenhaft aus oder reiche sie an die Schüler zum Ausfüllen weiter, wenn das gewünscht ist.

Was aber nie gefragt wird: Verbleib von Frau Freitag. Niemand will wissen, was ich nach den Ferien mache. Deshalb habe ich mich heute einfach mit auf diese Liste gesetzt und geschrieben:

FRAU FREITAG: OSZ GASTGEWERBE

Ja, ich will nach den Ferien aufs OSZ. Ich habe mich für den Realschulabschluss eingetragen. Ich freue mich schon sehr. Ich komme in gleiche Klasse mit Ronnie und Abdul. Aber die sind voll streng da. Wenn du einmal fehlst, dann die schmeißen dich gleich von Schule. Aber mein Kuseng sagt, er hat Freundin auf OSZ Gastgewerbe und is eigentlich ganz gechillt da. Gib's coole Lehrer und aber auch scheiß Lehrers. Die kackeste Lehrerin geht wohl jetzt von Schule.

Manchmal würde ich auch gerne einfach mit einem Abschluss die Schule verlassen und was anderes anfangen. Immer muss ich da bleiben. Der Lehrer bleibt eigentlich jedes Jahr sitzen – voll krass.

Abschlussfeier

So, die Hochsteckfrisur steckt. Nur das Kleid, das ich mir extra für diesen Abend gekauft habe … beim Anziehen Katastrophe: Ohne BH geht das gaaar nicht, und einen BH drunterziehen geht auch nicht. Also Plan B: Die übliche schicke Hose, die ich jedes Jahr nur einmal, nämlich zur Abschlussfeier, anziehe und dazu aber diesmal einen Paillettenpanzer, bei dem die Schultern freiliegen. Sieht auch gut aus. Die Schminke ist *as good as I could do it*. Und jetzt noch schnell die Tasche packen – Kamera, Geld und Schminke und dann ab. Tanzen, Tanzen, Tanzen. Für mich beginnen die Sommerferien, und es ist der letzte Tag mit meiner Klasse. Oh Mann!

Nichts

Nichts!!! Dass ich von meiner Klasse nix zum Abschied bekommen würde, war mir klar. Aber dass es so dermaßen NICHTS sein würde …

Ich gehe also mit meinem großen NICHTS ins Lehrerzimmer und setze mich auf den Boden vor die Schränke.

»Frau Freitag, Frau Freitag, komm! Wir haben noch nicht angestoßen!«

Ich hasse Sekt am Vormittag (auch am Nachmittag), und ich hasse es, wenn einem nur Alkohol angeboten wird. Ich stehe auf und halte das Glas hin. Der blöde Sekt läuft über – das macht er immer. Ich soll den schaumigen Überschuss abtrinken. Alle gucken, es schmeckt scheußlich, ich proste den Kollegen zu, ich will in meine Ecke vor den Schränken.

»Du, Manu, willst du das hier noch mitnehmen?« Anita hält eine große Pappschachtel mit türkischen Keksen hoch.

»Nein, nein. Ich weiß ja nicht mal, wie ich die ganzen Blumen nach Hause schaffen soll.«

Ich hätte da eine Idee: Ich nehme einfach diese drei zurückgegebenen Biobücher und mach dir deine Scheißblumen platt! Hier! Guck, so flach können die sein. Ach, die auch noch? Kein Problem! Hier, lass mal, ich mach das schon.

Meine nächste Klasse wird vier Jahre lang geschlagen und angebrüllt. Wenn ich mal gut drauf bin, dann lasse ich sie ein wenig nachsitzen oder rufe ihre Eltern an. Tadel und Verweise wird es täglich geben. Und vier Jahre später werde ich dann mit blöden Blumen und Scheißschokolade überhäuft, und dann lächle ich. Dann lächle ich das erste Mal in vier Jahren.

»Frau Freitag, was machst du da auf dem Boden?«

»Ach, geht schon. Ist schön hier.«

»Du, ich wollte ja gestern zur Abschlussfeier kommen. Ich habe mich sehr über die nette Einladungskarte deiner Klasse gefreut. Aber ich war gestern so Asche. Aber die Karte war echt süß.«

»Ja.«

Alle meine Fachlehrer haben tolle Karten bekommen. Fachlehrer müsste man sein. Da könnte man sich jetzt noch ein Ei drauf braten. Eine Karte hätte mir ja schon gereicht. Nicht mal eine verkackte Karte haben die zustande bekommen.

»Frau Freitag, sind die Mappen für uns? Bekommt jeder eine?«

»Ja.«

»In Weiß wären die aber schöner gewesen.«

»Oder in Rosa oder Pink.«

»Nein, Elif, das stimmt nicht. Ich hatte die alle in der Hand. In Rosa und Pink. Die schwarzen sehen am besten aus. Darum habe ich die gekauft.«

»Hat jeder so einen Brief?«

»Ja.«

»Haben Sie die geschrieben?«

»Ronnie, wer sollte die denn sonst geschrieben haben?«

»Das ist bestimmt immer der gleiche Brief, und Sie haben da nur die Namen ausgetauscht.«

»Hodda, lies erst mal, und dann überleg noch mal, ob alle den gleichen Brief bekommen haben können.«

»Können wir jetzt die Zeugnisse haben?«

»Ich hatte hier noch was aufgeschrieben für euch, das wollte ich euch noch vorlesen. Dauert nicht lange.«

»Können wir dann gehen?«

»Frau Freitag, hattest du schon Sekt? Was machst du für ein Gesicht? Und warum sitzt du da auf dem Boden?«

»Und dann kam Esmas Vater mit dem Präsentkorb und den Blumen ...«

»Guck mal, was ich bekommen habe: Ha, Duschgel!«

»Frau Freitag, willst du schon gehen? Haben wir denn schon angestoßen? Na dann, schöne Ferien.«

»Ja, dir auch.«

Der Deutschlehrer fährt mich zum See. »Oh, pass auf mit der Decke, die Blumen! Die Schokolade habe ich in der Schule gelassen. Die schmilzt ja nur. Wir bekommen ja jedes Mal diese riesen Merci-Packungen, wir hab noch drei davon im Klassenraum.«

Nach dem See komme ich nach Hause. Die Wohnung ist aufgeräumt, und auf dem Tisch steht eine Rose, und daneben liegt eine Tafel Schokolade. Komisch.

Danksagung

Vielen Dank an Fräulein Krise, ohne die ich viel weniger Dialoge und Szene in meinem Leben hätte.

Vielen Dank an den besten Freund der Welt, ohne den gar nichts funktionieren würde.

Und vielen Dank an alle meine Schüler, die wahrscheinlich gar nicht so verpeilt sind, wie ich sie immer beschreibe.